D1329810

Dépôt légal:
Bibliothèque Nationale du Québec
Bibliothèque Nationale du Canada
Troisième trimestre 1994
ISBN: 2-920932-13-6
Deuxième édition
Publié par:
Les Éditions E.T.C. Inc.
1455 ch. Ste-Marguerite
Ste-Marguerite Station, Québec, Canada
J0T 2K0
(514) 229-6564
Si interurbain au Canada: 1-800-361-3834
Télécopieur: (514) 229-9915

LISE BOURBEAU

L'auteure la plus lue au Québec

ÉCOUTE TON CORPS

Encore!

TOME 2

ÉDITIONS E.T.C. INC

Livres de LISE BOURBEAU déjà parus:

ÉCOUTE TON CORPS – ton plus grand ami sur la Terre (Tome 1)

ÉCOUTE TON CORPS, ENCORE! (Tome 2)

LISTEN TO YOUR BEST FRIEND YOUR BODY

QUI ES-TU?

JE SUIS DIEU, WOW!

DE LA COLLECTION ÉCOUTE TON CORPS
- Les relations intimes (Livre #1)
- La responsabilité, l'engagement et la culpabilité (Livre #2)
- Les peurs et les croyances (Livre #3)
- Les relations parents et enfants (Livre #4)
- L'argent et l'abondance (Livre #5)
- Émotion, sentiment et pardon (Livre #6) ***Nouveauté automne 1995***

LA COLLECTION ROUMA *(livres pour enfants)*
- La découverte de Rouma
- Janie la petite

Consultez le catalogue de conférences sur cassettes de LISE BOURBEAU à la fin de ce livre.

Venez visiter ou séjourner au Centre de Santé et de Développement Personnel ÉCOUTE TON CORPS de LISE BOURBEAU à STE-ADÈLE (Québec).

Remerciements

Je remercie du plus profond de mon cœur les bonnes personnes fidèles qui sont à mes côtés depuis plusieurs années pour m'aider dans la correction et la publication de tous mes livres. Sans elles, ce livre ne serait pas ce qu'il est.

Merci aussi aux milliers de participants que j'ai eus dans mes cours, ateliers et conférences depuis l'écriture de mon premier livre. C'est grâce à vous tous si je peux continuer mon apprentissage et partager avec le grand public ce que j'apprends avec vous.

Un grand merci pour l'encouragement, le support et le soutien constant que je reçois de vous tous.

Avec amour,

Lise Bourbeau

TABLE DES MATIÈRES

je me suis rendue compte que la plupart des gens mettent beaucoup d'importance à ce niveau. Mais maintenant, avec l'influence des énergies associées à l'ère du Verseau, l'humain doit faire du «être» une priorité. Il doit découvrir ce qu'il veut pour «être» heureux et ensuite «faire» les actions en conséquence pour arriver à «avoir» ce qu'il veut.

Toutefois, depuis très longtemps, nous n'avons pas vécu de cette façon. En effet, depuis l'ère des Poissons, dont nous avons été sous l'influence depuis 2 000 ans, nous avons appris qu'il était plus important d'«avoir» des choses que de «faire» des actions et «être» heureux. On entendait souvent par exemple: *"Si seulement j'avais de l'argent, un diplôme, un conjoint ou la santé, je pourrais faire telle ou telle chose et je serais heureux."* Maintenant l'inverse s'applique: nous devons d'abord et avant tout «être».

J'ai tout de même choisi de commencer ce livre par la partie du «avoir» pour que tu deviennes justement conscient de l'importance que tu y as accordée. Quand tu auras terminé la lecture de ce livre, ainsi que les exercices suggérés, tu seras définitivement plus conscient qu'en mettant l'accent sur la dimension du «être», les niveaux du «faire» et du «avoir» s'harmoniseront avec le «être».

Je souhaite que ce livre t'aide grandement à améliorer ta qualité de vie. Bonne lecture!

Avec amour,

Lise Bourbeau

PRÉFACE

Me voici à nouveau, avec la suite de mon premier livre *Écoute ton corps, ton plus grand ami sur la terre*. J'ai écrit ce livre en 1985, mais ce n'est qu'en 1987 qu'il a paru sur le marché. Aujourd'hui, j'ai envie de partager avec toi tout ce que j'ai appris depuis ces huit dernières années. Comme dans mon premier livre, je prends la liberté de te tutoyer puisque cela m'aide à me sentir plus près de toi. De plus, quand j'utilise le terme l'**Univers**, je me réfère au plan divin

Ce livre contient aussi vingt-et-un chapitres et, suivant l'habitude d'Écoute Ton Corps, un exercice est suggéré à la fin de chacun pour t'aider à mettre en pratique ce que tu apprends. La conscience ne venant véritablement qu'avec l'expérience, je tiens vraiment à ce que les gens mettent en pratique, dans leur vie de tous les jours, ce qu'ils apprennent. Si tu veux, tu peux lire ce livre sans faire ces exercices, mais les bénéfices ne seront pas les mêmes; tu auras certes appris des choses mais elles demeureront au niveau de la connaissance mentale seulement.

Pour vraiment savoir et conscientiser, une personne doit expérimenter une nouvelle connaissance dans son monde physique, émotionnel et mental afin que l'être en soit entièrement imprégné. Voilà pourquoi je te suggère fortement de faire les exercices recommandés. Si tu es comme plusieurs personnes qui ont lu mon premier livre, peut-être décideras-tu de lire celui-ci au complet sans faire les exercices, mais je te suggère de le lire une seconde fois en prenant le temps, cette fois-là, de les faire.

Ce livre comporte trois parties: le «avoir», le «faire» et le «être». J'ai choisi le «avoir» comme première partie parce que je me suis rendue compte que la plupart des gens mettent beaucoup d'importance à ce niveau. Mais maintenant, avec l'influence des énergies associées à l'ère du Verseau, l'humain doit faire du «être» une priorité. Il doit découvrir ce qu'il veut pour «être» heureux et ensuite «faire» les actions en conséquence pour arriver à «avoir» ce qu'il veut.

Toutefois, depuis très longtemps, nous n'avons pas vécu de cette façon. En effet, depuis l'ère des Poissons, dont nous avons été sous l'influence depuis 2 000 ans, nous avons appris qu'il était plus important d'«avoir» des choses que de «faire» des actions et «être» heureux. On entendait souvent par exemple: *"Si seulement j'avais de l'argent, un diplôme, un conjoint ou la santé, je pourrais faire telle ou telle chose et je serais heureux."* Maintenant l'inverse s'applique: nous devons d'abord et avant tout «être».

J'ai tout de même choisi de commencer ce livre par la partie du «avoir» pour que tu deviennes justement conscient de l'importance que tu y as accordée. Quand tu auras terminé la lecture de ce livre, ainsi que les exercices suggérés, tu seras définitivement plus conscient qu'en mettant l'accent sur la dimension du «être», les niveaux du «faire» et du «avoir» s'harmoniseront avec le «être».

Je souhaite que ce livre t'aide grandement à améliorer ta qualité de vie. Bonne lecture!

Avec amour,

Lise Bourbeau

1er PARTIE:

AVOIR

CHAPITRE 1
AVOIR DES CROYANCES ET DES PEURS

Au tout début des temps, l'être était pur esprit, c'est-à-dire, lumière. Il a voulu et décidé de vivre l'expérience d'être **DIEU** dans la matière. Pour ce faire, il a dû se créer un corps mental, un corps émotionnel et un corps physique qui constituent les trois dimensions du monde ou du plan matériel. L'être est ainsi devenu de plus en plus humain afin de vivre toutes sortes d'expériences sur la planète Terre. Voilà pourquoi les êtres vivant sur la planète Terre, planète matérielle, sont appelés des êtres humains.

En se créant un corps de matière, l'être s'est créé une âme, d'où la notion de dualité, conséquence de la séparation de l'âme et de l'esprit. L'âme représente le plan subtil du monde matériel, c'est-à-dire les côtés émotionnel et mental de l'humain. Le plan original était que l'être vivrait toutes sortes d'expériences sur le plan matériel tout en ayant le libre arbitre, c'est-à-dire le pouvoir de choisir. Chaque être avait la liberté de choisir le genre d'expériences qu'il voulait vivre dans le domaine matériel et la façon de les vivre. Il avait aussi le libre arbitre quant au temps qu'il prendrait pour vivre ces expériences.

Malheureusement, la plupart des êtres ont tellement descendu dans la matière qu'ils ont oublié qui ils étaient véritablement: des dieux expérimentant la matière! La plupart des humains ont oublié leur "être" parce qu'ils ont commencé à penser et à croire qu'ils étaient leur mental. Pourquoi le mental? Parce qu'il est la dimension la plus élevée, la plus puissante du monde matériel.

Prenons ensemble quelques instants pour réviser ce qu'est le mental humain, qu'on peut aussi appeler mental inférieur, petit moi ou moi inférieur, intellect ou mémoire. C'est du mental que proviennent les formes-pensées ou élémentaux, les croyances, les peurs et l'ego. La fonction principale du mental humain est d'abord et avant tout de recueillir et d'accumuler toutes les informations captées par les sens du corps physique et les désirs du corps émotionnel. Le mental est donc primordialement de la mémoire.

Tout ce qui a été perçu par nos sens physiques ainsi que tout ce qui a été ressenti par le corps émotionnel durant cette vie et les vies précédentes est donc enregistré dans notre mémoire, notre mental. La fonction du mental est tout simplement d'enregistrer ces expériences et de les utiliser au besoin sans les juger bonnes ou mauvaises. Son apport le plus précieux est de nous aider à nous souvenir que nous sommes des êtres de lumière désireux de vivre des expériences dans l'amour et l'harmonie.

Une personne centrée, c'est-à-dire qui sait qu'elle est **DIEU**, ne peut vivre que gouvernée par l'amour. L'être centré qui s'aime et qui aime les autres se donne le droit, ainsi qu'aux autres, de vivre toutes sortes d'expériences sans culpabilité. Il n'y a pas de jugement, seulement une constatation qui nous aide à demeurer centrés, à être nous-mêmes. Quand elles sont douloureuses à vivre et que nous ne sommes pas en harmonie, c'est que nous avons oublié **DIEU** ou l'amour.

Chaque expérience enregistrée par le mental, chaque pensée devient une forme-pensée ou un élémental qui demeure autour de la personne. Cette forme-pensée ou cette mémoire a pour fonction de nous aider lorsque nous en avons besoin. Nous avons besoin d'une mémoire pour pouvoir nous véhiculer sur la planète Terre, ne serait-ce que pour nous souvenir de notre nom, comment écrire, parler, etc.

Par contre, au lieu d'utiliser la mémoire juste pour mémoriser les expériences vécues ou les incidents survenus, les humains ont commencé à penser que l'expérience vécue était la réalité. Ainsi, plutôt que de simplement reléguer cette expérience dans la mémoire et l'utiliser au besoin, dès qu'un incident provoquant une douleur quelconque arrive dans son monde physique ou émotionnel, l'humain lui donne ou y attache trop d'importance. Il décide: *"Il ne faut pas que cet incident se reproduise, alors je ne l'oublierai pas. J'ai trop peur de souffrir encore si cela se reproduisait."* Plus on amplifie quelque chose, c'est-à-dire plus on se dit *"il ne faut pas"* ou *"je ne dois pas"*, plus cette forme-pensée augmente et devient une croyance fortement ancrée. Comme tout ce qui vit dans le plan matériel, plus c'est nourri et plus ça grossit. Une croyance est une mémoire par laquelle nous nous laissons diriger.

Prenons l'exemple d'un jeune enfant qui naît dans une famille où les parents sont déjà très occupés avec d'autres enfants, leur travail, leurs activités, etc. Il n'arrive pas au moment idéal, personne n'ayant vraiment le temps de s'occuper de lui. L'expérience de l'enfant peut devenir la suivante: il se sent de trop et à part des autres ayant l'impression de passer inaperçu dans le brouhaha de leurs activités quotidiennes. Il se demande quelle différence il fait.

S'il décide à ce moment-là qu'il est vraiment de trop, que personne ne l'aime parce que personne n'a de temps pour lui, cette décision (forme-pensée) deviendra aussi forte que l'énergie qu'il met à l'entretenir. Rendu adulte, il risque fort de répéter l'expérience qui le fait se sentir de trop et non aimé parce qu'il a décidé d'y croire quand il était plus jeune.

La plupart des gens vivant ce genre de situation disent: "*C'est normal d'y croire. Ça m'arrive tout le temps!*" Ils pensent qu'ils y croient parce que ça leur arrive, mais c'est le contraire. L'expérience se répète parce qu'ils croient être de trop et non aimés. C'est précisément ce dont il faut devenir conscient. En effet, aussitôt que nous laissons une forme-pensée devenir une croyance, celle-ci devient notre maître et nous dirige empêchant notre être intérieur, notre lumière de nous diriger.

C'est ce que je veux dire par "oublier qui nous sommes". Il est dit qu'il nous arrive toujours ce à quoi nous croyons et non ce que nous voulons. Pourquoi? Parce qu'en laissant notre mental diriger, nous lui déléguons notre pouvoir de créer. Comme le mental n'est que de la mémoire, il ne peut diriger qu'en se basant sur les expériences passées déjà enregistrées. Il peut donc seulement recréer ces mêmes expériences du passé.

Il est aussi bon de noter qu'aussitôt qu'une croyance nous dirige, nous vivons dans la peur. Pourquoi? Parce que nous ne sommes plus guidés par notre lumière intérieure. Nous sommes donc dans la noirceur. Nous avons toujours le choix entre la lumière ou la noirceur, l'amour ou la peur, le bonheur ou le malheur.

Tu vas certainement me dire: *"Il est important de croire en quelque chose. Depuis que je suis enfant, on me dit qu'il est important de croire en moi, de croire en la vie, de croire au bonheur, de croire en* ***DIEU.*"** Oui, je suis d'accord avec toi. L'humain, en devenant de plus en plus conscient, utilise son mental pour discerner parmi ses croyances celles qui lui sont bénéfiques. C'est toujours le mental qui juge ce qui est bien ou ce qui est mal. Puis finalement, quand l'être humain est totalement conscient, il sait intuitivement ce qui est bon pour lui sans avoir à y croire. Certains commencent par dire: *"Je crois que je suis capable d'affronter telle situation."* Ensuite ils le font. Ils commencent par croire, jusqu'au jour où ils sont capables de dire: *"Maintenant je suis capable."*

Affirmer: *"Je suis capable"* est beaucoup plus puissant que d'affirmer *"Je crois que je suis capable."* Tant qu'il y a croyance, il y a un risque de douter, de croire à autre chose. Ceci s'applique aussi à **DIEU.** Les gens commencent par croire en **DIEU** et un jour ils sont capables de sentir et savoir: *"Je suis* ***DIEU****, je suis l'expression de* ***DIEU*** *dans le plan matériel"*, ce qui est beaucoup plus puissant. Croire est donc une étape nécessaire pour arriver au savoir. Quand tu as des croyances vraiment bénéfiques du genre: *"Je crois que je suis capable"*, tu sais qu'au moins elles t'amènent vers quelque chose d'agréable.

> ***Cependant, il est important d'être conscient que toute croyance entretient la peur, c'est-à-dire la peur que quelque chose de désagréable se produise si tu agis contrairement à la croyance.***

Certaines croyances demandent plus d'efforts pour arriver à s'en départir car elles sont entretenues simultanément par des millions de personnes. En voici quelques exemples:

- croire que lorsqu'on se tient dans un courant d'air, on attrape un rhume;
- croire que lorsqu'on se couche tard, on est fatigué le lendemain;
- croire qu'en vieillissant, notre capacité d'accomplir des choses diminue ou qu'on devient malade;
- croire qu'il faut manger trois repas par jour pour être en santé ou avoir de l'énergie;
- croire qu'en faisant ce qu'on veut, on est égoïste;
- croire qu'en disant ce qu'on a à dire, on blesse les autres;
- croire qu'il n'est pas toujours bon de dire la vérité parce qu'on sera moins aimé;
- croire qu'en étant raisonnable, on est aimé davantage;
- croire qu'en montrant nos émotions, les autres profitent de nous;
- croire qu'il faut avoir un beau corps pour être aimé et désirable;
- croire qu'il faut être mince pour être beau.

Ces croyances sont appelées des croyances populaires. Il est important d'en devenir conscient le plus vite possible parce que sans trop t'en rendre compte, tu les laisses diriger et contrôler ta vie. En plus de ces croyances populaires, il y a toutes les autres qui t'habitent et qui sont, pour la plupart, inconscientes.

C'est la totalité des croyances d'un humain qu'on appelle "ego" ou le "petit moi". L'ego est ce qui empêche une personne d'être elle-même. Une personne avec un ego très fort a beaucoup de difficultés dans ses relations car elle contredit sans cesse les autres et s'obstine souvent. Elle croit tout savoir, avoir raison car elle est prisonnière de ses croyances mentales.

Elle ne croit qu'en son propre mental; elle se ferme aux conseils des autres ou à tout ce qui est nouveau.

Il est donc très important de devenir conscient de tes croyances car tant qu'elles demeurent inconscientes, elles dirigent ta vie et tu les alimentes sans t'en rendre compte. Quand tu arrêtes de les alimenter, elles redeviennent une simple mémoire disponible selon le besoin.

Pour ce faire, je te suggère fortement de regarder les peurs qui t'habitent étant donné qu'une croyance est toujours reliée à une peur. Il semble plus facile en général de devenir conscient de la peur avant de devenir conscient de la croyance. Par contre, il est possible qu'on devienne conscient d'une croyance et qu'ensuite on voit la peur qu'elle engendre.

Prenons l'exemple d'une personne qui cherche un emploi, mais qui ne réussit pas à s'en trouver. Consciemment, cette personne dit vouloir du travail, mais le fait qu'elle n'obtienne pas ce qu'elle désire indique qu'une croyance mentale inconsciente la bloque. Pour découvrir ce qui empêche la manifestation de son désir, cette personne doit se demander: *"Si je me trouvais du travail, que pourrait-il m'arriver de désagréable?"* La réponse habituelle à ce genre de question est: "*Il ne m'arriverait rien de désagréable puisque c'est ce que je veux. Mon plus grand désir est d'obtenir un travail. Ce serait donc merveilleux.*" Cette réponse indique que la personne à ce moment-là est en contact avec son désir, et non pas avec la peur qui la bloque.

Pour trouver la peur, elle doit aller encore plus en profondeur en admettant d'abord la possibilité qu'il y ait une peur cachée. La façon la plus rapide de trouver une peur est de se donner le droit d'en avoir une. Ce faisant, une personne s'ouvre pour découvrir l'une ou l'autre des peurs suivantes: peur de ne pas être à la hauteur dans son nouveau travail; peur de ne pas être payée à sa juste valeur; peur de faire profiter d'elle; peur de perdre sa liberté; peur de se tromper et d'avoir un travail ennuyant ou peur de faire rire d'elle comme cela lui est peut-être déjà arrivé, etc.

Supposons que cette personne est très dévouée et qu'elle a peur de faire profiter d'elle. On sait tout de suite que dans le passé, elle a sûrement été très dévouée envers quelqu'un qui a profité d'elle. Cette personne doit absolument devenir consciente qu'elle entretient une croyance voulant qu'une personne qui se dévoue beaucoup pour quelqu'un d'autre fait profiter d'elle. C'est ce qui fait que de telles situations lui arrivent. Ce n'est pas que les autres veulent profiter d'elle, c'est plutôt elle qui crée cette circonstance dans sa vie parce qu'elle y croit. C'est le grand pouvoir de créer de l'être humain. Ce n'est qu'en devenant consciente de sa croyance non bénéfique que cette personne réussira à créer ce qu'elle désire et non le contraire.

Un autre moyen de devenir conscient d'une croyance non bénéfique est de regarder tes habitudes quotidiennes. En général, nos habitudes sont dictées par nos croyances; alors pour chaque chose que tu fais par habitude, demande-toi si c'est vraiment toi qui as choisi cette habitude ou si elle est basée sur une peur. Par exemple, si tu as l'habitude de manger trois repas par jour, est-ce parce que tu as peur de ne pas être en santé? Si tu sautes un repas, as-tu peur d'avoir mal à la tête ou de manquer d'énergie? Si oui, cela signifie que ce n'est pas toi qui décides, ni ton être. C'est plutôt une croyance mentale qui te fait manger tes trois repas par jour. Ton corps peut ne pas avoir besoin de toute cette nourriture.

Pour devenir conscient de tes croyances, tu peux également observer les jugements que tu portes et les critiques que tu fais, en pensée ou en paroles. Je ne m'étendrai pas ici sur ce sujet puisqu'il est traité au chapitre 9 de ce livre.

En plus des moyens précédents, tu peux aussi prendre note de toutes les occasions où tu dis ou penses *"il faut que"*, ou toutes les expressions au conditionnel tel que *"il faudrait"*, *"je devrais"*, *"je voudrais"*, *"j'aurais dû"*, *"je n'aurais pas dû"*, *"j'aimerais"*, *etc.* Ces expressions dénotent toutes une peur en toi et montrent que même si tu veux quelque chose, tu ne fais rien pour l'obtenir parce que ta tête, ton mental, dit le contraire.

Quand tu dis *"il faut que"*, est-ce vraiment toi qui choisis? Il peut arriver que tu te sois mis dans une situation où tu t'es engagé à faire quelque chose et que le prix à payer, si tu décidais de te désengager, serait trop cher pour toi. Tu t'es alors placé dans une position de "il faut"; dans ce cas, puisque c'est ton choix, c'est bénéfique pour toi. Par contre quand tu deviens conscient que le "il faut" a été décidé à cause d'une croyance mentale au lieu d'être un choix conscient, cela te permet de réaliser qu'encore une fois, ce n'était plus toi qui dirigeais ta vie.

Chaque fois qu'une personne se laisse diriger par ses croyances mentales, elle n'est pas centrée; ce qui signifie ne pas être maître de soi. Quand c'est une croyance qui décide pour nous, la décision ne peut être bénéfique car on doit être centré pour connaître nos vrais besoins.

Imagine ton “être” comme étant le centre de tout, et qu’autour de celui-ci se trouvent le corps mental, ensuite le corps émotionnel et finalement le corps physique. De façon similaire à un oignon, tu as enveloppé ton centre de ces corps pour pouvoir expérimenter dans le monde matériel. Ils n’ont de substance que dans le monde matériel; ils sont une illusion du point de vue spirituel. Un être en harmonie sait facilement ce qu’il veut et sait reconnaître ses besoins. Ces derniers viennent de son centre, ou **DIEU** intérieur. Ce n’est que par la suite qu’il utilise ses trois corps du plan matériel pour les manifester. C’est ainsi que le matériel est au service de l’être.

Une personne commence d’abord par vouloir quelque chose, un vouloir qui vient de son intuition, du centre d’elle-même. Ensuite, elle éprouve du désir avec son corps émotionnel. Puis elle utilise son corps mental, en se référant à sa mémoire, pour trouver des moyens qui l’aideront à manifester son désir. Finalement, elle utilise son corps physique pour faire des actions concrètes. C’est par la combinaison de ces quatre éléments que peut se manifester un besoin dans le monde physique d’une façon harmonieuse. Malheureusement, une grande partie de nos besoins ne se manifestent pas à cause des blocages créés par nos croyances mentales.

Décoder un malaise ou une maladie est aussi une façon très agréable de découvrir une croyance. Dans mon deuxième livre ***Qui es-tu?*** je donne plusieurs explications qui aident à devenir plus conscient de l’attitude mentale qui crée l’état de malaise ou de maladie.

Un malaise ou une maladie dans le corps physique dénote que le flot du courant énergétique est gêné à cet endroit du corps. Ce blocage physique vient d’un blocage émotionnel qui est lui-même occasionné par un blocage mental. Cela signifie que tu désires quelque chose dans ton monde physique mais que ton mental (tes croyances) bloque ce désir en te disant, par exemple, que tu vas manquer d'argent, qu'on ne t'aimera pas si tu fais ça, etc.

La partie affectée du corps physique est directement reliée avec le genre de désir que tu as, même si ce désir est inconscient. Voilà pourquoi tu dois prendre en considération la partie du corps qui te fait mal pour identifier la croyance mentale qui cause le blocage. Prenons l'exemple d'une dame que j'ai rencontrée et qui avait mal à son bras droit. Tout son bras lui faisait mal, surtout la partie du coude. Je lui ai donc demandé: *"Si la douleur empirait, qu'est-ce que ça t'empêcherait de faire?"* Comme le bras peut être utilisé pour plusieurs choses, je veux savoir par cette question ce qu'elle fait de particulier avec cette partie de son corps. Sa première réponse a été: *"Ça m'empêcherait de jouer au tennis."* J'ai alors tout de suite su, grâce à sa réponse, que son blocage avait un lien avec le tennis, puisqu'elle n'a pas dit que ça l'empêcherait de faire ses travaux ménagers, ou de prendre son enfant dans ses bras, etc. Ce qu'elle a dit en réalité, c'est: *"Mon attitude face à ma façon de jouer au tennis me fait mal."* Je lui ai ensuite demandé si elle aimait vraiment jouer au tennis et elle m'a répondu que oui.

Comme je sais qu'un malaise se manifeste pour nous aider à devenir conscient d'une attitude mentale non bénéfique, je lui ai demandé s'il y avait quelque chose dans sa façon de jouer au tennis qui lui déplaisait, ce à quoi elle a répondu: *"J'aime jouer au tennis pour le plaisir mais, dans le moment, je joue avec trois autres dames qui jouent de façon très compétitive. On a formé deux équipes et, chaque fois que je joue au tennis, je dois performer parce que je ne veux pas faire perdre ma partenaire. C'est devenu une compétition et ça m'enlève du plaisir."*

Ce qu'elle désirait, c'était de jouer au tennis pour le plaisir, mais elle croyait qu'en n'acceptant pas le désir de ses amies, elle les perdrait. Sa croyance: *"Je dois faire ce que les autres veulent pour avoir des amies."* l'empêchait de jouer au tennis seulement pour le plaisir de jouer. Si elle avait continué de se laisser diriger par cette croyance, elle aurait eu beaucoup de difficulté à faire quelque chose pour son simple plaisir à elle.

Mais cette dame a réalisé à quel point ce qu'elle croyait n'était pas nécessaire et non bénéfique pour elle. Elle en a parlé à ses amies, à savoir s'il était possible de jouer de façon non compétitive, juste pour avoir du plaisir et elles ont fait un compromis. Elles ont accepté de jouer par plaisir tout en ayant une compétition par mois. Tout le monde en est ressorti gagnant, et cette dame n'a pas perdu ses amies. Sa douleur au bras est disparue et elle s'est aperçue que tout ce qu'elle croyait n'était pas nécessairement vrai. Peut-être avait-elle vécue une situation semblable alors qu'elle était plus jeune, et que, n'ayant pas fait ce qu'une amie avait voulu, celle-ci était partie. Toutefois, le plus important est de devenir conscient que ce n'est pas parce qu'un événement s'est produit une fois qu'il se reproduira nécessairement.

Ce qui est agréable quand on devient conscient, c'est que ça aide à régler le problème beaucoup plus vite, non seulement au point de vue physique mais aussi aux niveaux émotionnel et mental.

En devenant plus conscient, tu t'apercevras qu'une croyance n'a pas besoin d'être permanente. Tout ce que tu vis dans le monde matériel est temporaire. Que ce soit au niveau physique, émotionnel ou mental, rien n'est permanent dans le monde matériel. La vie bouge sans arrêt. La permanence n'existe que dans le monde spirituel, mais l'humain confond les deux facilement. Depuis que l'humain a oublié sa nature spirituelle, il pense que son monde matériel est permanent quand en réalité il ne l'est pas. Cette constatation est encourageante car elle t'aidera à réaliser que tu n'as pas besoin de garder les mêmes croyances jusqu'à la fin de tes jours, même si tu les as depuis plusieurs années.

Pour découvrir une croyance non bénéfique, prends conscience de ce que tu désires et pose-toi la question: *"Quelle est la pire chose qui pourrait m'arriver si je me donnais le droit de manifester mon désir?"* Souviens-toi que lorsque ton désir ne se manifeste pas, c'est qu'il est bloqué par une peur. Ne te fais pas avoir par ton mental qui dit: *"Non, non, je n'ai pas peur, je le désire vraiment; il n'y a aucun blocage."* Donne-toi le droit d'avoir un blocage. C'est ainsi que tu deviens conscient de la croyance qui a pris le dessus sur toi.

Un autre moyen pour découvrir une croyance non bénéfique est de vérifier si tu as déjà connu une personne qui manifestait ce désir mais qu'il lui arrivait quelque chose que tu as jugé de désagréable. Tu as donc peur qu'il t'arrive la même chose.

Après cette étape, la partie la plus importante du processus est d'accepter que tu as cru à cela un jour. Ceci est vraiment indispensable si tu veux parvenir à une transformation mentale. Si tu t'en veux d'avoir cru à certaines choses, tu vas y croire encore davantage; moins tu acceptes quelque chose, plus ce quelque chose se fixe en toi et plus il devient permanent. Par contre, plus tu donnes la permission à cette chose d'être ce qu'elle est, ce qui vient du principe de l'amour, plus cette chose commence à bouger. La vie est un processus de transformation continuelle; pour qu'il y ait de la vie, il doit y avoir de l'amour.

Il est important aussi d'accepter que tu as cru à cela plus jeune suite à une expérience qui t'a fait souffrir ou qui a fait souffrir quelqu'un que tu aimais. La seule raison pour laquelle tu as décidé d'y croire était parce que tu ne voulais pas souffrir ainsi par la suite. Ta motivation était bonne à ce moment-là. Ce dont tu deviens maintenant conscient et que tu ne savais pas au moment où tu as décidé d'y croire, c'est que tu n'avais pas besoin d'avoir cette peur pour que cette souffrance ne se reproduise plus. Au moment où tu as vécu cette expérience, tu as cru qu'il était très important pour toi de te protéger.

Accepte cette croyance comme tu accepterais de trouver un vieux vêtement qui ne t'est plus utile, que tu ne portes plus dans le fond de ta garde-robe. Trouverais-tu logique ou intelligent de t'en vouloir d'avoir acheté ce vêtement il y a plusieurs années? Non. Tu sais qu'au moment où tu l'as acheté, tu en avais besoin, tu l'aimais, tu avais une bonne raison de l'acheter. Tout ce qu'il te reste à faire, c'est te défaire de ce vêtement devenu inutile. C'est la même chose avec tes croyances qui ne te sont plus utiles.

Pour savoir si une croyance t'est utile ou non, regarde le genre de résultat qu'elle t'apporte.

Si le résultat n'est vraiment pas agréable pour toi, il est clair que cette croyance ne t'est plus utile. Tu n'as donc qu'à lui parler comme si tu parlais à une autre personne parce qu'une croyance est vraiment comme un personnage que l'on a créé dans notre dimension mentale. Explique-lui qu'elle t'a été utile pendant un certain temps mais que maintenant, tu lui demandes de retourner en toi en tant que mémoire qui ne servira qu'à te souvenir qu'un jour il t'est arrivé tel incident et que tu l'utiliseras au besoin.

Tu ne veux plus que cette croyance dirige ta vie, qu'elle t'empêche de faire des choses de peur que ledit incident se reproduise. Tu apprends ainsi à reprendre ta place et tu demandes à ta croyance d'en faire autant. Tu vas découvrir que l'être humain centré, qui est en harmonie avec lui-même, dirige son mental au lieu de se laisser diriger par lui. Le mental ou l'intellect n'a jamais été créé pour diriger l'être puisqu'il ne sait même pas comment le faire. Ça ne fait pas partie de ses fonctions. N'oublie pas: le mental a été créé pour pouvoir mémoriser des choses et ainsi nous aider à analyser, à philosopher, à juger. Pour ce faire, nous avons besoin de la mémoire.

En appliquant les moyens énumérés pour découvrir tes croyances, tu constateras une nette différence au niveau de tes peurs. Étant donné que la peur est issue d'une croyance, tu fais le même processus avec ta peur qu'avec ta croyance. Tu te donnes le droit d'avoir cette peur, tu lui donnes le droit de faire partie de toi pour l'instant. Mais ce processus ne se fait pas du jour au lendemain; tout dépend à quel point elle est ancrée en toi. Donne-toi le droit de prendre tout le temps nécessaire pour te libérer graduellement de cette peur ou de cette croyance.

C'est souvent au moment où la souffrance engendrée par la peur devient trop difficile à supporter que les gens se libèrent plus rapidement de leurs croyances. Au début, grâce à ta peur, tu éprouves une certaine satisfaction du fait d'avoir l'impression de ne pas souffrir. Mais éventuellement, la souffrance et la peur finissent par être plus fortes que la satisfaction passagère de ne pas souffrir.

Prenons l'exemple d'une personne qui a peur de s'affirmer, de faire ses demandes, par peur de se faire rejeter, de se faire dire non. Sa peur fait en sorte qu'elle ne dit rien et l'empêche de faire ses demandes. Elle ne court donc aucun risque de se faire rejeter. Elle en retire une certaine sécurité croyant être plus acceptée par son entourage en disant ce qu'ils veulent. Elle agira ainsi jusqu'au jour où la souffrance causée par le fait de ne pas parler sera plus forte que la sécurité retirée par le fait de ne pas se sentir rejetée en se taisant.

C'est à ce moment que les gens font les progrès les plus rapides puisqu'ils ne voient plus l'avantage qu'ils auraient à conserver leurs peurs ou leurs croyances. Ça devient beaucoup plus facile de faire des actions contraires à celles qu'ils faisaient quand la peur gagnait. C'est un moyen qui nous aide à nous défaire graduellement de croyances devenues inutiles car toute croyance influence notre comportement, nous fait agir d'une certaine façon dans notre quotidien. Donc, en commençant par agir différemment de ce que tu faisais auparavant dans une situation donnée, tu t'apercevras que ce n'est plus ta croyance antérieure qui dirige ta vie.

Pour terminer ce chapitre, voici l'exercice que je te suggère de faire. Dresse une liste de cinq résultats qui ne vont pas selon tes désirs dans ta vie présente; tu veux quelque chose mais ce n'est pas ce que tu obtiens.

Après avoir complété ta liste, pose-toi la question suivante: *"Quel est le pire qui pourrait m'arriver si j'obtenais mon désir?"* Fouille à l'intérieur de toi jusqu'à ce que tu trouves une réponse.

Pour t'aider davantage, prenons l'exemple d'une personne qui désire être organisée, mais qui est toujours désorganisée. Suite à la question, sa réponse pourrait être: *"Si j'étais bien organisée, j'aurais l'impression de me sentir obligée de faire les choses telles que je le les ai planifiées et je n'aurais plus de liberté ni de spontanéité."*

Si tu n'arrives pas à trouver le pire, regarde si tu connais quelqu'un d'autre qui se donne ou se donnait le droit d'avoir ce même désir. La façon dont tu juges ou jugeais cette personne peut t'aider à découvrir la croyance ou la peur qui bloque la manifestation de ton désir. Une fois que tu l'as découverte, suis les étapes mentionnées dans ce chapitre.

En faisant le ménage parmi tes croyances et tes peurs, tu éprouveras un sentiment très net de libération intérieure.

D'ailleurs, c'est à l'intérieur de soi que se situe la vraie liberté!

CHAPITRE 2
AVOIR DES ATTENTES

Avoir des attentes, qu'est-ce au juste? Est-il bon d'en avoir ou non? Est-ce normal? Plusieurs personnes se posent ces questions. Selon le dictionnaire, s'attendre à quelque chose c'est "prévoir, considérer comme probable ou compter sur, espérer. C'est croire que quelque chose ou quelqu'un s'en vient, c'est avoir la certitude, escompter quelque chose."

Quand les gens disent: *"J'attends quelque chose"*, en général ils se basent sur une promesse ou une entente quelconque avec quelqu'un. On dit souvent: *"J'attends un chèque par la poste; j'attends quelqu'un à vingt heures ce soir; j'attends le train."* Quand quelqu'un dit attendre un chèque par la poste, c'est que quelqu'un lui a dit qu'il lui enverrait ce chèque. Celui qui attend le train se fie sur l'horaire qui indique qu'un train devrait arriver à telle heure.

Il est tout à fait habituel et bon, dans notre monde matériel, d'avoir des attentes mais celles-ci ne sont justifiées que s'il y a eu entente au préalable, sinon elles ne peuvent que générer des émotions. Quand une personne s'attend à quelque chose sans qu'il y ait eu d'entente au préalable, elle se base sur une croyance mentale pour décider que quelque chose devrait arriver ou que quelqu'un devrait faire, dire ou agir de telle façon. Dans le quotidien, une des plus grandes causes d'émotions vécues dans nos relations, que ce soit dans les relations de travail, sociales, intimes ou les relations parent-enfant, provient du fait d'avoir une attente lorsqu'il n'y a pas eu d'entente au préalable.

Pourquoi est-ce ainsi? Il y a plusieurs causes. Entre autres, comme je viens de le mentionner, les gens se basent généralement sur ce que leur tête dit sans vérifier avec les gens concernés si cette attente est justifiée ou non. Les croyances prises pour acquises sont la cause majeure.

Par exemple, une personne peut croire que parce que c'est son anniversaire, les autres vont s'en souvenir et lui souhaiter un bon anniversaire. C'est ce qu'elle a appris dans le passé et elle a décidé d'y croire. Donc si personne ne pense à elle le jour de son anniversaire, elle vivra beaucoup d'émotions et de déception. Un autre exemple est celui des adultes qui croient que lorsqu'ils se marient et qu'ils ont des enfants, les deux parents doivent s'en occuper conjointement.

Personnellement, j'ai vécu beaucoup d'émotions en ayant une telle attente envers mon mari quand j'ai eu mes enfants. Quand je me suis mariée, il était tout à fait normal, pour moi, d'avoir des enfants. À cette époque, selon mon éducation, on se mariait pour avoir des enfants. Je n'ai même pas pris le temps de vérifier si j'en voulais vraiment. Ça allait de soi; on avait des enfants une fois marié. Je me souviens d'avoir dit à mon mari: *"Tant qu'à avoir des enfants, aussi bien les avoir tout de suite. Qu'en penses-tu?"* Il me répondit que pour lui, avoir des enfants ou pas ne faisait aucune différence parce qu'il ne se mariait pas pour cela. Si j'en voulais, il était bien d'accord puisque, selon lui, c'était la mère qui était surtout impliquée dans l'éducation des enfants. Nous n'avons jamais discuté davantage sur ce sujet parce que je ne savais pas ce que le mot communication voulait dire. J'ai donc tout de suite commencé à fonder une famille, sans avoir vérifié avec mon conjoint s'il voulait s'occuper des enfants avec moi. J'avais pris pour acquis qu'il s'occuperait des enfants puisqu'il en était le père. Il ne s'était toutefois pas engagé à le faire.

Comme tu peux le constater, en plus des croyances, le manque de communication est une autre cause importante d'attentes non bénéfiques. Tout au long de mon mariage, les nombreuses attentes que j'avais m'ont causé maintes émotions. Quand je lui reprochais de ne pas m'aider assez, mon conjoint répondait: *"Oui mais moi je ne sais pas comment être un père, je ne l'ai jamais appris. J'étais le plus jeune chez moi et mon père a quitté le foyer alors que j'étais encore jeune. Je n'ai vraiment jamais eu de modèle de père!"* Mais je m'attendais quand même à ce qu'il le sache automatiquement puisqu'il était maintenant devenu père. Ce fut une des causes de notre divorce. Je le traitais d'homme irresponsable parce qu'il ne voulait pas s'occuper des enfants comme moi je m'y attendais.

Sur quoi étaient basées mes attentes? Lorsque j'étais jeune, j'ai eu comme modèle un père qui ne prenait pas de décisions concernant les enfants mais qui a aidé ma mère avec les bébés et, plus tard, s'est occupé des adolescents. Il faisait des choses pour nous et avec nous. J'ai alors décidé de croire qu'un bon père de famille devait agir ainsi avec ses enfants afin de décharger la mère de certaines activités. Ce que j'ai oublié d'important avec mon mari, c'est de respecter ce qu'il croyait. J'ai pris pour acquis qu'il devait croire la même chose que moi.

On peut déduire que dans toutes les attentes sans ententes au préalable, il y a un manque de communication.

Prenons pour exemple l'épouse qui dit à son mari: *"Le souper sera prêt à 18h."* Elle s'attend à ce qu'il soit de retour à la maison à 18 h même s'il ne s'y est pas engagé. Elle lui a seulement dit que le souper serait prêt à 18 h. Donc si le mari arrive tard ou s'il ne se présente pas pour le souper, il est facile d'imaginer les émotions que vivra ce couple. C'est l'accumulation de ces émotions qui finit par faire tourner une relation de couple au vinaigre.

C'est la même chose avec les enfants. Un parent décide d'acheter un cadeau à son enfant et ne vérifie même pas, la plupart du temps, ce que celui-ci veut véritablement. Et le parent s'attend à ce que l'enfant soit reconnaissant alors que ce n'était même pas ce qu'il voulait. Pourquoi cette attente? Parce qu'il a appris plus jeune que lorsqu'on reçoit un cadeau, il est normal de dire merci. Mais les jeunes d'aujourd'hui, heureusement, ne veulent plus répondre constamment aux attentes "normales" des adultes. Ils veulent plutôt être vrais et ils ne se cachent pas pour l'être même si cela déçoit ou choque énormément plusieurs adultes.

Derrière chaque attente sans entente se cachent des peurs. Par exemple, les parents veulent que leurs enfants mangent bien, qu'ils soient en bonne santé, qu'ils réussissent bien à l'école. Tout ça pour cacher leur peur d'être jugés et traités de mauvais parents si leurs enfants échouent. N'est-ce pas?

De plus, nous sommes souvent portés à attendre des autres ce que nous ne sommes pas capable de faire nous-mêmes ou ce que nous n'avons pas pu faire pour nous. Nous voudrions que quelqu'un d'autre le fasse pour combler le vide créé par la non-acceptation de ne pas avoir réussi quelque chose, tel un père qui s'attend à ce que son fils complète ses études pour qu'il ait une bonne carrière parce que lui-même n'a jamais accepté le fait de ne pas avoir réussi ses propres études. Ce qui est très dommageable dans une telle situation, c'est qu'à cause de toutes ces attentes, des décisions sont prises pour quelqu'un d'autre. Décider ainsi pour l'autre sans vérifier si c'est vraiment ce dont il a besoin ou si c'est bien ce qu'il désire dans sa vie est tout à fait contraire aux lois de l'amour.

Avoir une attente sans avoir pris d'entente au préalable signifie toujours qu'on veut avoir le contrôle sur une personne ou sur une situation. Si tu te reconnais dans ce qui précède, il est important de te rappeler que tu as reçu le pouvoir de choisir dans ton monde matériel mais que ce pouvoir ne s'applique qu'à toi. Personne sur cette Terre n'a le droit de choisir pour un autre, à moins d'en avoir reçu sa permission. On ne sait jamais ce que les autres ont à vivre pour qu'ils arrivent à retrouver leur propre lumière.

Tu penses peut-être qu'il est normal d'avoir des attentes étant donné qu'elles sont présentes dans toutes les couches de la société sous toutes sortes de formes. Les patrons ont des attentes face aux employés, les employés ont des attentes face aux patrons, les parents face aux enfants, les enfants face aux parents (les enfants s'attendent à avoir de l'attention de leurs parents, ils s'attendent à ce que les parents leur fournissent autant d'argent qu'ils en veulent, etc.) et les conjoints entre eux. C'est à cause de toutes ces attentes sans ententes que l'être humain vit autant d'émotions, allant de la peur à la peine jusqu'à la rancune et la haine.

J'ai eu l'occasion d'entendre plusieurs partages similaires à celui qui suit. Une vieille dame de 80 ans est très malade et vit dans un foyer d'accueil. Elle a trois enfants et son conjoint est décédé. Seule une de ses filles s'occupe d'elle alors qu'elle s'attend à ce que les trois enfants viennent la voir régulièrement. Elle est déçue et frustrée parce que les deux autres ne la visitent que rarement. Celle qui s'occupe de sa vieille mère, pour sa part, s'attend à ce que les deux autres fassent leur part et aillent aussi la voir. Elle s'attend de plus à avoir de la reconnaissance de sa mère parce que c'est toujours elle qui s'en occupe. Mais comme ce n'est pas le cas, elle commence à éprouver du ressentiment et de la rancune face à sa mère qui est très exigeante et face à son frère et sa sœur qui eux, font ce qui leur plaisent et ne vont pas voir leur vieille mère malade au foyer d'accueil.

Toutes ces attentes créent des frustrations, des maladies telles les maux de dos (parce que les personnes s'en mettent trop sur le dos en se croyant le soutien de tout le monde), des maux de jambes (parce qu'elles vont à des endroits qui ne leur plaisent pas, au lieu d'aller là où elles voudraient vraiment aller), etc. Voilà pourquoi il est important de devenir plus conscients de nos attentes parce que l'être humain n'a pas été créé pour vivre des émotions: il s'est créé un corps émotionnel pour sentir et désirer seulement. Quand une personne vit une émotion, c'est parce que son désir ne s'est pas manifesté; il est bloqué par une croyance mentale qui dirige sa vie. Le corps émotionnel est donc utilisé à des fins contraires au plan initial. L'humain ne peut pas être heureux quand il vit une émotion. Il peut être sensible à son entourage, aux situations mais sans être émotif[1].

1 Les émotions sont expliquées en détail dans le premier livre ÉCOUTE TON CORPS, ton plus grand ami sur la terre.

AVOIR DES ATTENTES

Toutes les attentes que tu as face aux autres, tu les as aussi face à toi-même car on fait toujours aux autres ce que l'on fait à soi-même. L'extérieur étant la manifestation de ce qui se passe à l'intérieur de soi, pouvoir se connaître à travers les autres est la principale raison pour laquelle on a besoin de vivre en société. Par contre, il est plus facile de regarder ce qui se passe chez le voisin que de se regarder car l'être humain est généralement décentré. Il a oublié sa nature véritable et il est beaucoup trop occupé avec le monde extérieur, le monde matériel. Je te suggère de vérifier tes attentes face aux gens qui t'entourent et ensuite, de vérifier celles envers toi-même.

Chaque fois que tu es déçu de toi-même, que tu te juges, que tu te tapes sur la tête ou que tu te critiques, c'est toujours pour t'aider à devenir conscient des attentes que tu as envers toi-même et que tu avais oublié de vérifier si c'était vraiment ce que tu voulais. Ces attentes sont basées sur ce que tu as appris étant plus jeune. Tu t'attends probablement à être toujours poli, à tout savoir, à ne rien oublier, à rendre tout le monde heureux, à être en santé, à ne pas t'emporter pour rien, etc. Ainsi, lorsque tu ne réponds pas à tes propres attentes, tu vis de la déception, de la colère, de la rancune envers toi-même. Tu t'en veux et cela peut te créer plusieurs malaises et maladies.

Par exemple, te taper sur la tête à cause de ce que tu es, te traiter de stupide est assez pour te causer un mal de tête. Si tu es du genre à croire que tu dois toujours garder la maison à l'ordre, que tu ne dois jamais prendre de retard dans rien et que tu dois toujours tout faire à la perfection avant de te donner le droit de te reposer, tu risques fort d'avoir mal aux jambes ou aux hanches au moment où tu décides de t'arrêter et de t'asseoir avant d'avoir terminé. Ton corps t'aide à te faire réaliser que parfois tu désirerais t'asseoir et ne rien faire au lieu d'être constamment au-dessus de tout dans ton monde physique. En plus de vivre des émotions face à toi-même, tes attentes t'en font vivre d'autres aussitôt que tu vois une autre personne oser faire ce que toi tu n'oses pas. Tu t'attends à ce que les autres agissent comme toi.

C'est la même chose lorsque tu veux guider quelqu'un. Combien de personnes donnent des conseils, guident quelqu'un qu'ils aiment et vivent ensuite de la déception parce que l'autre n'a pas suivi leur conseil. Si tu es l'une de ces personnes, il est important de vérifier avec l'autre s'il t'avait promis de suivre ton conseil ou s'il voulait juste savoir ce que tu ferais à sa place. Si tu veux donner des conseils ou guider quelqu'un, fais-le sans attentes, avec amour. Il en va de même quand tu te donnes toi-même une ligne directrice. Prends le temps de vérifier à l'intérieur de toi si tu t'engages véritablement à la suivre ou si tu te réserves la possibilité de l'explorer, de l'essayer pour en connaître les résultats. Tu as le droit de te conseiller toi-même sans avoir l'obligation de suivre ce conseil.

Lorsque tu décides de donner quelque chose, donne-le aussi sans attentes. Pour savoir si tu es un vrai donneur, vérifie lorsque tu donnes quelque chose à quelqu'un si tu t'attends à recevoir quelque chose en retour. Comment te sentirais-tu après avoir rendu plusieurs services à quelqu'un et cette personne refusait de t'en rendre un? Si tu te sens bien, que tu ne vis pas d'émotions, tu donnes sans attentes. Par contre, si en-dedans de toi ça dit: *"Franchement! Ça fait quatre fois que je lui rends service, c'est à son tour maintenant. Ce n'est pas toujours à moi de donner."*, voilà un signe qui indique que tu as donné avec attentes.

Plutôt que de donner avec attentes, il vaudrait mieux ne pas donner. Si tu donnes quand même, soit conscient que tu donnes avec attentes et utilise cela pour découvrir la peur qui motive ce don. En effet, quand tu donnes avec attentes, c'est qu'au fond, tu ne désires pas véritablement le faire. Tu le fais pour une raison précise, peut-être pour être aimé ou par peur de ne pas l'être ou par peur d'être jugé d'égoïste, etc. En devenant conscient de ta peur, ce sera plus facile ensuite de te donner le droit de donner parfois avec attentes, en autant que l'autre en soit mis au courant. Ainsi, si tu dis à quelqu'un: *"Présentement je veux bien te donner mais en échange je veux telle chose. Est-ce qu'on peut faire cet échange?"*, il est clair que tu veux établir une entente au préalable avec l'autre personne. On peut donc avoir des attentes, dans quelque domaine que ce soit, tant et aussi longtemps qu'elles sont clairement définies avec la personne concernée. Bien clarifier et bien communiquer ce qui se passe en soi sont les choses qui semblent être les plus difficiles pour tous.

Tous ceux qui donnent avec attentes non définies croient devoir donner en retour lorsqu'ils reçoivent quelque chose. Le sentiment d'être en dette vis-à-vis l'autre provient des attentes entretenues lorsque tu donnes. Tu présumes que les autres ressentent la même chose et tu donnes par sentiment d'obligation et non pour le plaisir de donner. Par le fait même, tu as de la difficulté à recevoir. Tu ne crois pas en la gratuité, c'est-à-dire au don sans attentes. Tu as aussi de la difficulté à te faire plaisir sans croire devoir en payer le gros prix en retour tel que travailler deux fois plus fort pour justifier le fait que tu méritais ce plaisir.

Pour arriver à ne plus avoir d'attentes inutiles, tu dois apprendre à communiquer davantage tes désirs aux autres. Par exemple, si tu es un parent, tu pourrais dire à ton enfant: *"Si tu voulais vraiment me faire plaisir, tu aurais de bonnes notes à l'école afin de te préparer une belle carrière. Je te fais part de mes désirs."* Mais tu ne dois pas t'attendre à ce que l'autre le fasse automatiquement parce que c'est ce que tu désires. Apprends à lâcher prise quand l'autre ne veut pas s'engager à agir selon ton désir. Donne-lui le droit de décider pour lui-même. Quand tu communiques clairement tes désirs par rapport à quelqu'un d'autre, il est possible qu'il soit plus porté à vouloir te faire plaisir parce que tu le respectes suffisamment pour jouer franc jeu et que tu acceptes d'avance sa décision quelle qu'elle soit.

Maintenant, quoi faire avec ton attente après avoir pris une entente avec une autre personne, et cette dernière ne garde pas son engagement? Une telle expérience te permet de vérifier ton degré de tolérance parce qu'encore une fois, les autres te font ce que tu te fais à toi-même. Quand quelqu'un s'engage envers toi, tu as raison d'avoir des attentes; quand il ne respecte pas ses engagements, tu dois utiliser cette occasion pour prendre contact avec ce que tu ressens parce que tu ressens la même chose quand tu ne respectes pas tes engagements face à toi-même. Le degré de déception est le même et l'autre est tout simplement là pour t'aider à en devenir conscient.

T'arrive-t-il parfois de t'engager à faire quelque chose comme mettre de l'argent de côté en prévision d'un achat ou faire des exercices physiques à tous les jours, mais que tout à coup, pour une raison quelconque, tu ne réussisses pas à garder ton engagement? Es-tu capable de te donner le droit d'être ainsi sans vivre d'émotions, sans t'accuser, ni t'en vouloir? La tolérance que tu as envers toi-même est la même que celle que tu as face aux autres dans de telles situations. Tu dois apprendre à être aussi tolérant envers toi-même qu'envers les autres.

Au moment où une personne s'engage ou fait une promesse, elle a généralement de bonnes intentions, mais personne ne peut vraiment savoir si la chose promise est au-delà de ses limites. Parfois tu as de bonnes intentions, tu veux bien faire, mais tu t'aperçois en cours de route que tu as trop exigé de toi. Ce n'est qu'en vivant l'expérience que tu peux le découvrir. Tu dois donc te donner le droit de ne pas vouloir dépasser tes limites ne t'y sentant pas prêt pour le moment et accepter de te désengager.

Cela ne veut pas dire que cette situation est permanente: tout dans le monde matériel, incluant nos limites, est temporaire. Si tu te donnes le droit d'avoir des limites, tu vas aussi pouvoir donner le droit aux autres (ton conjoint, tes enfants, etc.) d'en avoir. Tu accepteras plus facilement le fait qu'ils ne gardent pas toujours leurs promesses.

Utilise les gens qui t'entourent afin de développer l'attitude que tu veux envers toi-même.

J'ai également remarqué qu'on vit beaucoup plus de colère face à soi-même que vis-à-vis l'autre quand quelqu'un nous promet quelque chose et qu'il ne garde pas son engagement. On s'en veut d'avoir laissé l'autre profiter de soi, notre ego est blessé. L'ego croit que c'est mal de ne pas garder un engagement. Ce n'est ni bien, ni mal; c'est tout simplement une expérience de plus pour nous aider à choisir l'amour plutôt que la colère. On a donc intérêt à apprendre à se donner davantage le droit de s'engager tout en sachant qu'il n'est pas toujours possible de garder sa promesse.

Avec le temps, tu seras plus conscient de tes attentes; tu t'apercevras que parfois tu en as et parfois, non. Ce sera plus facile pour toi de discerner quand et avec qui avoir des attentes; tu reprendras ta place et les gens autour de toi respecteront davantage ton espace.

D'un autre côté, il arrive souvent que nos parents, nos enfants, notre conjoint ou d'autres personnes aient des attentes envers nous. Leurs attentes sont aussi basées sur ce qu'ils croient mentalement. Si leurs attentes dépassent tes limites, c'est qu'ils croient plus fortement que toi en tes capacités.

Par exemple, quand ton enfant s'attend à ce que tu sois, en tant que parent, toujours patient, plein d'indulgence et de tolérance, il t'idéalise. Il ne réalise pas que tu as certaines limites au niveau de l'endurance ou de la tolérance. Apprécie le fait que les autres te considèrent meilleur que ce que tu penses de toi-même. Remercie-les de cette marque d'amour; sois reconnaissant en leur disant: *"Je te remercie beaucoup de croire que je suis capable d'en faire autant ou d'être ce genre de personne. Mais je dois t'avouer que je n'y crois pas autant que toi et je ne me sens pas capable de répondre à tes attentes pour le moment."* N'en veux pas aux autres d'avoir des attentes qui te semblent irréalistes envers toi.

Souviens-toi surtout qu'il est impossible dans notre monde matériel de ne pas avoir d'attentes; elles en font partie. Il ne te reste qu'à accepter l'idée que tu es ici pour vivre toutes sortes d'expériences. Parfois tu as des attentes justifiées, c'est-à-dire avec ententes, et parfois non. Tes attentes te donnent l'occasion de vérifier le progrès que tu fais au fil des ans par rapport à l'acceptation inconditionnelle de toi-même ainsi que des autres. De plus, elles t'aident à devenir plus conscient de tes croyances non bénéfiques qui bloquent tes désirs. Comme tu vois, il y a toujours un bon côté à tout ce qui t'arrive.

Pour terminer ce chapitre et pour conscientiser davantage ce que tu viens d'apprendre, je te suggère de trouver une personne envers qui tu as une attente non justifiée et de prendre le temps de parler avec elle pour lui communiquer clairement ton attente, c'est-à-dire les désirs que tu as face à elle. Vérifie avec elle si ton attente peut être justifiée et si elle est d'accord pour y répondre. Prenez des engagements ensemble si possible.

Ensuite trouve une personne qui a des attentes envers toi. Rencontre-la pour lui dire que tu apprécies beaucoup qu'elle ait autant d'attentes face à toi. T'ayant fort possiblement trop idéalisé, dis-lui qu'elle voit des choses en toi que tu ne vois pas encore. Partage-lui aussi tes limites et jusqu'où tu peux aller dans ce domaine pour l'instant.

En dernier lieu, trouve une personne envers qui tu as une attente justifiée, donc avec laquelle tu as eu une entente au préalable, mais qui n'a pas tenu son engagement. Fais-lui part de ce que tu as vécu et ressenti face à elle quand la situation s'est produite. Dis-lui aussi merci pour ce que cette situation t'aura permis de constater au niveau de tes attentes envers toi-même. Dis-lui que tu comprends maintenant que ce genre de situation t'est arrivé pour te montrer ce que tu vis avec toi-même.

CHAPITRE 3
AVOIR DES DÉPENDANCES

Dépendre de quelqu'un ou de quelque chose, c'est ne pas pouvoir se réaliser sans l'action ou l'intervention d'une autre personne ou d'une chose. Il est beaucoup plus facile de devenir conscient de nos dépendances dans le domaine du avoir, dans le monde physique parce que l'aspect physique d'une dépendance est tangible, concret. C'est ce qu'on appelle le plan grossier du monde matériel, à l'opposé de ses plans plus subtils qui sont les plans émotionnel et mental. Plus loin, je reviendrai sur ces dépendances physiques et le lien direct qu'elles ont avec les dépendances psychologiques (émotionnel et mental).

Pour savoir si tu as des dépendances, vérifie de quoi tu ne peux pas te passer pendant au moins une semaine dans ton monde physique. Certains ne peuvent se passer de quelque chose pendant quinze minutes comme un fumeur qui allume cigarette après cigarette.

Les dépendances les plus courantes sont: la cigarette, l'alcool, la drogue, le sucre (dessert, biscuit, gomme à mâcher, liqueur douce, pain, pâtes alimentaires), médicaments et le café. Certains sont dépendants de choses comme le téléphone (ils ne peuvent passer une journée sans faire ou recevoir d'appels), de sexe, de magasinage, le sport, la lecture, la télévision, la religion, l'ordinateur.

Il faut cependant bien faire la différence entre dépendre de quelque chose pour son bonheur et aimer quelque chose. Prenons l'exemple d'une personne qui aime la lecture. Quand elle a la possibilité de lire, elle le fait par plaisir et sait quand s'arrêter. Une personne dépendante de la lecture n'est pas capable de s'arrêter. Elle commence à lire et même si elle est très fatiguée et que ses yeux sont à demi ouverts, elle n'arrive pas à arrêter sa lecture. Le lendemain si son livre n'est pas terminé, c'est encore sa lecture qui passe en premier bien qu'elle ait autre chose à faire. Elle n'est pas maître d'elle-même; la lecture prend toujours le dessus. Voilà un exemple de dépendance!

Être dépendant, c'est ne pas pouvoir se passer de quelque chose même si nous savons que ce n'est pas ce dont nous avons besoin à ce moment-là. Une personne qui aime fumer une cigarette à l'occasion, et qui se sent bien qu'elle fume ou pas, n'est pas dépendante de la cigarette. C'est la même chose pour le pain, les biscuits, etc.

Tu peux vérifier ton degré de dépendance en vérifiant ce que tu vis lorsque tu t'abstiens complètement d'une des choses physiques que tu aimes particulièrement. Si tu ne peux résister plus que quelques heures, c'est signe que ta dépendance est grande. Observe le nombre d'heures ou de jours où tu te sens bien en t'en passant. Je ne te demande pas de te contrôler, mais plutôt d'utiliser cette méthode afin de vérifier ton degré de dépendance. Si tu t'aperçois que ta limite est de deux jours, après quoi tu deviens presque obsédé et que tu ne penses qu'à ça, je te suggère de prendre ce dont tu as besoin, tout en devenant conscient à quel point tu dépends de cette chose.

Ces dépendances physiques sont tout simplement le reflet d'une ou de plusieurs dépendances psychologiques d'une autre personne. Pourquoi une personne est-elle dépendante d'une autre? Parce qu'elle ne s'aime pas assez, son amour d'elle-même ne la remplit pas suffisamment; elle ressent le besoin d'aller chercher de l'amour à l'extérieur. Voici les formes les plus courantes de dépendances affectives envers quelqu'un d'autre:

Dépendre de l'accord ou de l'opinion de quelqu'un. La personne qui entretient cette dépendance ne se fait pas assez confiance, ne croit pas en connaître assez dans certains domaines pour se fier à sa propre opinion, que ce soit pour faire un achat, prendre un cours, prendre une décision dans sa vie, etc. Elle a beaucoup de difficulté à prendre une décision sans l'approbation d'une autre personne. Elle ne peut s'empêcher de demander à l'autre: *"Qu'en penses-tu?"* Je connais des femmes qui n'osent pas changer leur coiffure sans l'accord de leur conjoint.

En lisant ces lignes, tu te dis peut-être: *"Moi je n'ai jamais besoin de l'opinion des autres, je prends toujours mes décisions tout seul."* Sois alerte; tu dois être très perspicace pour ne pas laisser ton mental t'illusionner. Ceci est subtil parce que les personnes qui n'acceptent pas leurs dépendances sont les personnes qui souvent agissent de façon contraire à la personne qui est nettement dépendante. Pour savoir si tu dépends de l'accord ou de l'opinion de quelqu'un, même si tu ne le manifestes pas, voici ce que je te suggère de vérifier.

Comment réagirais-tu si, suite à une décision prise sans avoir consulté personne, quelqu'un (surtout quelqu'un de proche), te disait: *"Je ne suis vraiment pas d'accord avec ce que tu viens de faire ou de décider."* Est-ce que ça te ferait vivre des émotions? Te sentirais-tu mal intérieurement à cause du désaccord de l'autre? Tenterais-tu de le convaincre du bien-fondé de ta décision dans le but d'obtenir son accord? Si oui, c'est signe que tu dépends de son approbation. Une personne n'ayant pas ce type de dépendance ne vit pas d'émotions quand elle s'aperçoit que l'autre n'est pas d'accord avec elle; elle ne fait que constater que l'autre n'est pas d'accord et c'est tout. Ce n'est peut-être pas sa préférence mais elle comprend facilement qu'une autre personne peut avoir une opinion différente.

Dépendre de la reconnaissance de quelqu'un d'autre. La personne qui dépend de la reconnaissance de quelqu'un d'autre croit qu'elle n'en fait jamais assez. Comme tu peux le constater, derrière chaque dépendance, se trouve une croyance. Dans le cas précédent, la personne croit qu'elle n'est pas suffisamment connaissante tandis que dans ce cas-ci, elle croit qu'elle n'en fait pas assez. Pour se stimuler à en faire davantage, elle a besoin de la reconnaissance des autres. C'est la personne qui a besoin de se faire dire merci. Elle a besoin d'entendre: *"Qu'est-ce que je ferais sans toi!"*

Voici quelques exemples: une mère de famille qui vient de faire un beau ménage; un employé qui a besoin d'entendre un mot d'encouragement ou d'un geste de reconnaissance de la part de son patron; un conjoint qui veut un remerciement quand il rapporte de l'argent à la maison, etc. C'est le genre de personne qui, sans qu'on le lui demande, s'assure de dire aux autres tout ce qu'elle a fait ou tout ce qu'elle planifie faire. Elle tient absolument à ce que tout le monde le sache pour recevoir la reconnaissance dont elle a besoin, surtout par rapport à ce qu'elle fait.

Si tu n'es pas sûr d'avoir cette dépendance, demande-toi, quand tu viens de faire un effort supplémentaire pour accomplir quelque chose, si ça te déçoit lorsque personne autour ne le remarque. Lorsque les autres ne disent rien pour montrer qu'ils sont reconnaissants de tout ce que tu viens de faire, es-tu porté à leur dire ce que tu as fait? Si oui, tu as cette forme de dépendance.

Dépendre des compliments des autres. Une personne avec cette dépendance croit qu'elle n'est pas une bonne ou belle personne: elle a donc besoin des compliments des autres pour être rassurée, car elle a beaucoup de difficulté à s'en faire. Ce compliment peut porter sur son apparence physique ou sur un travail qu'elle vient d'accomplir à savoir si c'est bien fait ou si c'est beau. Quand une personne dépend de la reconnaissance des autres, tel que mentionné tantôt, c'est surtout face à l'effort qu'elle fournit pour faire quelque chose, tandis que la personne qui dépend des compliments, c'est surtout face à ce qu'elle est, face à ce qui se passe en elle ou au niveau de sa personnalité. Elle essaie souvent d'impressionner les autres par son apparence.

Dépendre de la présence des autres. La personne qui a cette dépendance croit que lorsqu'on la laisse seule, c'est parce qu'on ne l'aime pas. Plus jeune, lorsqu'elle a vécu l'expérience d'être délaissée, c'est la conclusion qu'elle en a tirée et elle a décidé d'y croire . Elle a beaucoup de difficulté à s'intéresser à quoi que ce soit quand elle est seule. Par contre, à deux ou plus, ça va bien. Elle a plus d'énergie et davantage envie de travailler et de faire des choses lorsqu'elle sent une présence près d'elle. Laissée a elle-même, elle perd toute sa motivation. Par exemple, une personne veut sortir un soir, mais son conjoint n'en a pas envie. Si elle n'y va pas parce qu'elle est seule, c'est signe qu'elle dépend de la présence de l'autre.

Quand tu éprouves de la difficulté à laisser partir les gens que tu aimes, que ce soit ton conjoint, tes enfants ou tes parents parce que tu n'aimes pas être seul, tu es dépendant de la présence des autres. Si tu crois ne pas dépendre de la présence des autres parce que tu vis seul depuis déjà plusieurs années, ça ne veut rien dire. Si tu vis seul mais que tu cherches toujours à inviter des gens chez toi ou à te faire inviter ailleurs, si tu dois toujours être dans l'action, si tu as de la difficulté à être seul avec toi-même et être bien, c'est aussi signe que tu dépends de la présence de quelqu'un d'autre.

Dépendre de l'attention des autres. Une personne ayant cette dépendance croit qu'elle n'est pas importante. Elle se sent importante quand quelqu'un lui porte de l'attention. La personne qui a besoin d'une présence pour être heureuse peut passer plusieurs heures sans attention, tant et aussi longtemps qu'elle sait qu'il y a une présence dans son entourage. Tandis que celle dépendant de l'attention des autres a toujours besoin qu'on lui parle, qu'on l'écoute, qu'on s'occupe d'elle. Elle interrompt ou interroge souvent l'autre juste pour avoir de l'attention.

Dépendre de se sentir utile. Quand une personne croit qu'elle doit s'oublier pour les autres, convaincue que c'est la meilleure façon pour elle d'être aimée et de montrer son amour, c'est qu'elle dépend de se sentir utile. C'est le type de personne qui est attirée par les gens qui ont des problèmes, tel un conjoint dépendant de l'alcool. Elle dépend de la dépendance de quelqu'un d'autre.

Elle a une âme de sauveteur et se sent comblée lorsqu'elle a l'impression d'aider l'autre à se sortir d'un problème et ce, souvent malgré l'autre! Cette personne offre ses services avant même que quelqu'un ne les lui demande. Elle est toujours au-devant des autres. La personne qui pense ou dit souvent aux autres: *"Une chance que je suis là, une chance que vous m'avez!"*, a vraiment besoin de se sentir utile. Cette dépendance est très étroitement liée à la dépendance de la reconnaissance, quoiqu'étant plus marquée parce qu'elle peut amener une personne à s'oublier complètement pour les autres.

Dépendre d'être dominé ou dirigé par quelqu'un d'autre. La personne qui a cette dépendance se croit incapable de faire quoi que ce soit toute seule. Elle est attirée vers les gens qui savent diriger! Elle se sent perdue quand elle doit décider quelque chose car elle ne croit pas assez en sa capacité de prendre des décisions.

Si tu décides toujours par toi-même, ça ne veut pas nécessairement dire que tu n'as pas cette dépendance. Tu peux être le genre de personne qui se force à prendre des décisions afin de se faire accroire que justement elle n'a pas cette dépendance. Si c'est ton cas, le fait de décider quelque chose te demande un effort. Il y a une petite voix en-dedans qui dit: *"Mon Dieu, j'aimerais tellement mieux ne pas avoir à décider de cela. Me voilà encore obligé de prendre une décision."*

Dépendre du bonheur des autres. Le niveau du bonheur de la personne ayant cette forme de dépendance est directement proportionnel au niveau de bonheur de ses proches. Elle fait tout pour rendre les autres positifs et heureux parce qu'elle se croit responsable de leur bonheur. Elle cherche une solution à leurs problèmes pouvant y passer toute une nuit sans que rien ne lui ait été demandé. Aussitôt qu'elle s'aperçoit que quelqu'un autour d'elle n'est pas vraiment heureux, surtout les gens qu'elle aime, elle va faire des pieds et des mains pour régler la situation. Quand les autres sont malheureux, elle est malheureuse et quand les autres sont heureux, elle est heureuse.

Il est important de regarder si tu as une ou plusieurs des dépendances que je viens de mentionner ainsi que du degré de leurs présences dans ta vie. Ensuite, fais une rétrospection afin de réaliser que ces dépendances ont commencé durant ton enfance. Tu as pris l'habitude de ces dépendances quand tu étais plus jeune parce que tes parents t'y ont habitué ou parce que tu as réellement manqué de la chose dont tu dépends. Aujourd'hui tu cherches quelqu'un pour combler ce manque, d'où l'état de dépendance.

Aucun être humain n'a le pouvoir de rendre une autre personne heureuse parce que le bonheur vient de l'intérieur de soi.

Il est donc impossible pour une personne d'être heureuse si elle s'attend à ce que son bonheur soit comblé par quelqu'un ou quelque chose d'extérieur à elle.

Quand elle ne peut pas recevoir de l'extérieur l'affection ou l'attention qu'elle recherche et qu'elle n'est pas capable de se la donner elle-même, elle utilise en dernier recours les artifices du monde physique pour combler le vide ressenti. C'est ce qu'on appelle faire du transfert dans l'alcool, la drogue, la cigarette, le sucre, le sexe, etc. Ces moyens physiques artificiels engourdissent temporairement la sensation de vide et de douleur, sans toutefois en régler la cause profonde.

Plus tu recherches à l'extérieur de toi quelque chose pour combler ton vide intérieur, plus souffrant tu deviens. Tu penses peut-être que c'est parce que l'autre ne te donne pas l'affection ou la reconnaissance dont tu as besoin que tu compenses par le sucre par exemple. Réalise que ce n'est pas à l'autre à combler ce besoin pour toi. Tu en es entièrement, totalement responsable. Ce qui vient des autres doit ajouter à ce qui est déjà présent en toi et non combler ce dont tu manques. Personne au monde ne peut s'engager ou te promettre de te donner toute l'affection dont tu as besoin pour le reste de tes jours. Qu'adviendra-t-il de toi le jour où cette personne quittera ta vie? Toute présence n'étant que temporaire, tu dois voir à cultiver ta stabilité affective pour éviter d'être démoli par le départ de l'autre quelle qu'en soit la cause.

Pour savoir plus précisément quelles dépendances physiques sont associées aux dépendances psychologiques ou affectives, voici ce que tu peux faire. Prends ta dépendance physique, par exemple le café, et demande-toi: *"Qu'est-ce que ça me donne de prendre un café? Qu'est-ce que je ressens en le prenant?"* Si tu réponds que le café te stimule, trouve parmi les dépendances psychologiques laquelle te stimule le plus. Si tu découvres que lorsque tu reçois de la reconnaissance de quelqu'un, cela te stimule pour en faire plus, tu peux alors relier le café à la reconnaissance. Donc, au moment où tu es porté à prendre plus de café, ton corps est en train de te t'avertir que tu manques de reconnaissance envers toi-même cette journée-là; tu recherches de la reconnaissance et tu fais du transfert dans le café.

Si tu dépends des choses sucrées, toujours grâce à la même question, tu réalises que ça t'apporte des douceurs, que c'est une façon de t'occuper de toi, regarde quelle est la dépendance affective qui fait naître en toi le sentiment qu'on s'occupe de toi. Ça peut être la dépendance de la présence de quelqu'un. Lorsqu'il s'occupe de toi, ce sont pour toi des moments de petites douceurs. Quand personne n'est disponible ou disposé à te donner ces douceurs, tu décides de le faire toi-même en compensant dans le sucre plutôt que de prendre contact avec la douceur déjà présente en toi. Peut-être n'as-tu jamais pris le temps de la rechercher en toi pour y faire de la place et la sentir? Quand tu t'aperçois que ton goût pour le sucre est plus fort, cela peut t'aider à conscientiser le besoin de contacter et de cultiver la douceur en toi. Deviens alors plus doux face à toi-même, moins exigeant.

Une personne très dépendante de la reconnaissance ou des compliments et qui s'aperçoit que les êtres dont elle dépend en donnent à d'autres et non à elle, vivra des moments encore plus difficiles que si elle n'en avait pas du tout. Quand on devient trop dépendant, la situation devient littéralement intolérable. Pour certains, leur dépendance est plutôt périodique tandis que pour d'autres, elle est présente à l'année longue.

Plus ta dépendance est forte, plus tu crois ne jamais en avoir assez, et vice versa. C'est un cercle vicieux. Ta croyance au manque est du même degré que ta dépendance. Ainsi on pourrait te faire tous les compliments du monde, te donner beaucoup de reconnaissance, mais parce que tu n'y crois pas, tu en auras toujours besoin davantage. Souviens-toi que ton bonheur ne dépend que de ce que tu cultives à l'intérieur de toi. Quand tu dépends de l'extérieur pour être heureux, ton bonheur ne dure que quelques instants, le temps que tu le reçois de l'extérieur.

La personne très dépendante vit beaucoup d'émotions, beaucoup de peurs, est hyper-émotive et a souvent peur de se faire punir. Elle est aussi très psychique, c'est-à-dire très ouverte dans la région du plexus solaire. En effet, une personne qui s'habitue à dépendre de l'extérieur doit être très ouverte pour pouvoir voir venir les événements, pour être à l'affût de tout le monde et de ce qui se passe à l'extérieur. Elle est ainsi très ouverte aux émotions et aux moindres désirs des autres, à leurs activités mentales et à ce qui se passe chez les gens. Une telle ouverture du plexus solaire fait en sorte qu'elle est ouverte à tout ce qui se passe dans le monde astral. De plus, elle part facilement en astral. C'est sa façon de quitter la Terre quand sa dépendance n'étant pas comblée, elle vit des choses qui lui semblent trop difficiles à supporter.

Plus une personne est dépendante, plus elle vit un vide intérieur au niveau du cœur.

Elle est en train de dire: *"Au secours, je ne m'aime pas assez alors j'ai besoin de quelque chose de l'extérieur pour venir remplir ce vide à l'intérieur de moi."* C'est comme si elle tentait de remplir son vide intérieur avec quelque chose venant du monde physique. Moins une personne s'aime, plus elle se bloque au niveau du cœur, s'éloignant ainsi de sa lumière, et contribuant à créer un sentiment d'insatisfaction et l'impression de ne pas aller dans la bonne direction. En plus de vivre des émotions et des peurs, elle bloque sa créativité, donc ne crée pas sa vie telle qu'elle la veut.

Avec tous ces blocages, les personnes très dépendantes peuvent développer plusieurs problèmes physiques comme des douleurs dans la région du coccyx, des problèmes de digestion, de jambes, d'hypoglycémie, de diabète ou de peau. Le fait d'avoir des dépendances physiques très fortes comme le sucre, l'alcool et la cigarette apporte des problèmes aux glandes surrénales qui deviennent usées, fatiguées et de moins en moins capables de remplir leurs fonctions adéquatement. Ce sont ces glandes qui produisent l'adrénaline nécessaire pour faire face à une peur; ainsi, plus elles sont usées et plus il est difficile de faire face à une peur sans paniquer.

Les problèmes physiques les plus graves chez les gens chroniquement dépendants sont les problèmes d'ordre mental comme la psychose, la schizophrénie voire même la folie. Ce sont des gens qui s'arrangent pour être totalement dépendants de la société parce qu'ils se sentent totalement incapables de fonctionner seuls.

Après avoir découvert leurs dépendances, plusieurs personnes croient que la meilleure solution pour y mettre fin est de se priver. Une telle façon d'agir n'est jamais bonne puisque ce n'est que du contrôle. Comme il est impossible de se contrôler indéfiniment, la personne finit par perdre le contrôle pour s'enfoncer davantage dans sa dépendance, ou elle transfère à autre chose. Pour savoir si tu te contrôles, regarde à quel point ça te dérange lorsque tu te prives de ta dépendance physique. Si tu trouves l'expérience très difficile, que tu deviens presque obsédé, que tu y penses continuellement et que voir d'autres personnes continuer à entretenir la même dépendance que toi te dérange, tu peux être certain que tu es dans le contrôle et que tu n'acceptes pas ta dépendance.

Pour se défaire de ses dépendances, il faut avant tout en devenir conscient en utilisant les moyens suggérés plus haut. Tu dois ensuite reconnaître et accepter que tu as cette dépendance. N'oublie pas l'importance du mot "accepter".

> ***Accepter, c'est te donner le droit d'avoir une dépendance même si tu n'es pas d'accord avec celle-ci.***

Réalise que la raison d'être de ta dépendance est que le petit enfant en toi a un jour décidé qu'il n'était pas assez aimable, qu'il n'avait pas ce qu'il fallait pour être aimé complètement, qu'il n'était pas correct, qu'il n'était pas à la hauteur ou pas capable de faire des choses tout seul et qu'à cause de toutes ces raisons, ça lui prenait quelqu'un ou quelque chose de l'extérieur pour survivre. Alors donne-toi le droit d'avoir cette dépendance en toi pour l'instant sans te juger, sans te critiquer pour autant.

La prochaine étape est d'oser l'avouer aux autres. Si, par exemple, tu as besoin de reconnaissance, tu peux t'exprimer en disant: *"Comme j'ai encore de la difficulté à croire que je suis une bonne personne, que j'en fais assez ou que je suis important, j'ai besoin que les autres me le disent pour y croire. Pourrais-tu, si ce n'est pas trop te demander, me dire merci de temps en temps, me féliciter sur ce que j'ai fait parce que j'ai de la difficulté à le faire par moi-même."*

Si tu dépends de la présence des autres, fais la même chose en disant: *"Je ne m'aime pas encore assez pour être bien seul; j'ai encore besoin de la présence des autres. Si cela t'est possible, mon souhait est que tu sois plus souvent avec moi."* Le fait de te donner le droit d'avoir cette dépendance et d'oser l'avouer sans te juger t'aidera à accepter que l'autre n'est pas responsable de combler ton besoin. Tu lui demandes, tu lui fais part de tes désirs tout en apprenant à avoir de moins en moins d'attentes.

Sois conscient que tant que ta dépendance sera encore très présente en toi, tu seras encore porté à faire du transfert dans le monde physique.

Ce faisant, il est évident que tu en demandes plus à ton corps physique car tu le malmènes en lui donnant souvent des choses dont il n'a pas besoin, qui sont peut-être même au-delà de ses limites. Il est alors très important d'expliquer la situation à ton corps physique, de lui dire que, pour le moment, tu as une dépendance qui n'est pas réglée et que c'est la raison pour laquelle tu fais souvent du transfert dans le monde physique. Ce n'est pas que tu ne l'aimes pas mais c'est ce que tu es, c'est ce que tu fais et tu ne peux faire mieux pour l'instant.

Comme tout est temporaire, dis à ton corps physique de ne pas se décourager, qu'éventuellement tu arriveras à être de moins en moins dépendant, que tu feras ainsi moins de transfert et qu'il n'aura pas à toujours subir autant d'abus.

Tu peux aussi procéder graduellement. Quand tu es en train de fumer une cigarette, de manger un gros dessert ou de boire ta quatrième tasse de café, tu peux te dire: *"Je m'aperçois que présentement je prends quelque chose dont je n'ai vraiment pas besoin, alors pour aider un peu mon corps physique, je vais en laisser une partie."* Si tu as de la difficulté à le faire par peur de gaspiller, si tu as l'impression que c'est malheureux de perdre telle chose parce que tu en laisses, je te suggère de l'offrir intérieurement à quelqu'un qui en manque sur la planète et de le lui envoyer par la pensée. C'est un moyen qui t'aidera à mettre de côté le restant d'un bon dessert! En le transmettant ainsi mentalement, il y a de fortes chances que quelqu'un reçoive de façon inattendue quelque chose à manger, grâce au désir que tu viens de formuler et de lancer dans l'Univers.

Comme je l'ai mentionné plus haut, souviens-toi qu'il n'est pas bénéfique à long terme de faire du contrôle! Je connais des gens qui ont arrêté de fumer depuis dix ou quinze ans ou qui ont arrêté de boire de l'alcool depuis des années et qui sont les premiers à juger ceux qui le font encore. Ce sont donc des personnes qui se contrôlent. Il est reconnu qu'une personne qui se contrôle fait toujours du transfert dans autre chose. C'est la raison pour laquelle plusieurs personnes ayant arrêté de prendre de l'alcool deviennent de grands consommateurs de sucre. Ils transfèrent dans le sucre, le café, la cigarette ou les médicaments. Ils ont réglé un aspect de leur dépendance et la nouvelle dépendance est sûrement moins nocive pour le corps physique que la précédente, mais la cause profonde de l'existence de cette dépendance n'est pas encore réglée; la dépendance psychologique est toujours présente.

Aussi, plus tu te considères comme étant dépendant, plus je te suggère de te faire des compliments à la fin de chaque journée. Peut-être qu'à force de te faire des compliments et de reconnaître que tu es spécial, tu finiras par y croire et finalement le savoir au plus profond de toi, sans aucun doute. Je te suggère de commencer avec un minimum de dix compliments par jour. Tu peux le faire pour les moindres petites choses, il n'est pas nécessaire que ce soit quelque chose d'extraordinaire. Tu peux te complimenter d'avoir eu une belle pensée à l'égard de quelqu'un, d'avoir fait un beau sourire à quelqu'un d'autre, d'avoir été tolérant avec une autre personne sans oublier les tâches que tu as accomplies. Graduellement, te faire des compliments deviendra plus facile.

De plus, comme une personne qui dépend de quelqu'un d'autre croit aussi que les autres dépendent d'elle, tu peux demander aux gens qui t'entourent s'ils croient que tu t'occupes trop de leurs affaires et si tu leur donnes l'impression qu'ils ne pourraient pas se passer de toi. Par exemple, le fait de donner ton opinion à tes enfants ou ton conjoint, de leur dire comment et pourquoi faire quelque chose sans qu'ils te l'aient demandé est un signe que tu crois qu'ils ne peuvent se passer de toi. Accepte l'idée qu'ils sont capables d'accomplir des choses par eux-mêmes et qu'ils ne dépendent pas de toi pour diriger leur vie. En acceptant ceci, tu pourras plus facilement arrêter de croire que ton bonheur dépend des autres.

Pour terminer ce chapitre, je te suggère de trouver trois choses dont tu dépends physiquement et de vérifier ton degré de dépendance en arrêtant ces trois choses pendant une semaine. Persévère jusqu'au moment où tu trouves cela difficile. Il est bien important de ne pas contrôler comme mentionné plus tôt. Fais le lien ensuite avec une des dépendances psychologiques et fais les différentes étapes mentionnées plus haut pour te défaire d'une dépendance. N'oublie pas la partie la plus importante:

celle de te donner le droit d'avoir cette dépendance en ne te jugeant pas et en ne te contrôlant pas.

CHAPITRE 4
AVOIR UN BEAU CORPS

Il est facile de constater à quel point l'apparence du corps physique est devenue importante. Nous n'avons qu'à regarder du côté des nombreux centres de conditionnement physique qui se sont développés un peu partout, tous les produits en vente pour les soins du corps, les produits amaigrissants, etc. C'est une industrie énorme qui semble prendre de plus en plus d'envergure surtout dans le monde occidental.

En général, les gens qui ont le plus de difficulté avec l'apparence de leur corps sont ceux qui se trouvent trop gros ou qui trouvent une partie de leur corps trop grosse. Il existe aussi quelques cas de personnes qui se trouvent beaucoup trop maigres. Selon certaines statistiques, il semblerait qu'au moins les trois quarts de la population en Amérique du nord ont un problème de poids et ne sont pas satisfaits de leur corps. Ayant déjà réservé un chapitre à ce sujet dans mon premier livre, je te suggère de t'y référer. Je ne te ferai part ici que de mes nouvelles découvertes.

Je ne t'apprends rien en te disant que le corps physique est le reflet extérieur de ce qui se passe à l'intérieur de toi, c'est-à-dire au niveau psychologique. Étant donné que les corps physique, émotionnel et mental font partie du monde matériel, il est évident que les trois sont reliés et que ce qui est ressenti dans l'un des corps a un impact sur les deux autres. En psychologie, on dit que les années les plus importantes pour un être humain se situent entre zéro et sept ans. Il semble que nous prenons tous beaucoup de décisions très importantes avant l'âge de sept ans et qu'elles ont une influence systématique dans notre vie d'adolescent et d'adulte. Ces décisions, prises au niveau du plan mental, ont un effet direct sur nos plans émotionnel et physique.

Voici quelques-unes de mes observations où le physique et le psychologique sont intimement liés.

Commençons par les personnes ayant un corps très mince, souvent même beaucoup trop mince. Ceci indique souvent que l'enfant, à l'état fœtal ou bébé, s'est senti rejeté. Il s'est senti tellement rejeté et de trop qu'il a décidé qu'il aurait été préférable pour lui de ne pas être là. Il essaie de disparaître par tous les moyens. Plus tard, il devient un adulte avec un corps très mince, démontrant ainsi sa tentative de prendre le moins de place possible. Ces personnes, surtout celles qui ont des jambes très fines, partent dans l'astral très facilement. Lorsqu'elles s'assoient, elles sont portées à placer leurs pieds croisés sous leurs fesses parce qu'elles ont de la difficulté à rester branchées à la Terre. Moins elles se branchent à la Terre, plus elles partent dans l'astral. C'est une forme de fuite; elles créent leur monde imaginaire dans l'astral espérant pouvoir y rester le plus longtemps possible.

Être très mince peut aussi indiquer qu'une personne a manqué de soins quand elle était très jeune. Ayant eu une mère qui n'avait pas assez de temps pour lui donner ce dont elle avait besoin, elle en a conclu qu'il n'y en avait pas suffisamment pour elle, qu'on ne lui en donnait jamais assez. Elle devient donc une personne en état de manque. C'est pour cette raison que son corps donne l'impression qu'il manque de chair; voire même une partie de membre, comme chez les femmes qui n'ont pas de seins ou de fesses, les personnes qui ont de petits bras ou de petites jambes.

La personne ayant un tel sentiment de manque devient très dépendante des autres parce qu'elle n'en a jamais assez. Elle s'accroche aux autres et en demande toujours plus. Elle craint plus l'abandon que le rejet. Donc, de façon générale, les personnes les plus maigres sont celles qui se sont senties rejetées et qui ont décidé de s'éclipser, et celles qui n'en ont jamais assez et qui sont devenues très dépendantes des autres.

Si tu te reconnais dans cette description, il est important que tu réalises que quitter et fuir continuellement dans le monde astral n'est pas la solution idéale puisque chaque expérience ainsi évitée devra tôt ou tard être assumée, c'est-à-dire vécue. Si ce n'est pas dans cette vie-ci, ce sera dans une prochaine. Tu auras à revenir pour compléter ce que tu as fui. Alors, après avoir décidé de prendre un corps pour revenir sur la Terre, il serait beaucoup plus sage de ta part d'accepter d'y demeurer et de vivre ta vie pleinement, maintenant.

Réalise aussi que ton corps est tout simplement le reflet des décisions prises quand tu étais jeune et que ces décisions ne sont pas irréversibles.

Au lieu de croire qu'on t'a rejeté, regarde l'autre côté de la médaille en réalisant que ce que tu appelais du "rejet" quand tu étais petit n'était en fait que l'expression des limites de la personne qui prenait soin de toi. Si tu crois ne pas avoir eu assez de soins et d'attention quand tu étais plus jeune, il est important d'accepter que tes parents t'ont donné ce qu'ils avaient et ont fait de leur mieux, au meilleur de leur connaissance et de leurs limites selon les circonstances du moment. Maintenant, tu dois apprendre à te suffire à toi-même et à ne pas toujours dépendre des autres.

Pour les personnes ayant un surplus de poids ou qui trouvent une ou plusieurs parties de leur corps trop grosses, il y a différentes significations. Ce qui suit vient simplement compléter ce que j'ai écrit à ce sujet dans mon premier livre.

Parfois on constate que certaines personnes sont faites "fortes", on peut même les qualifier de "corpulentes". Ce qui semble surtout se dégager d'elles est une expression de pouvoir. Les hommes appartenant à cette catégorie ont, le plus souvent, le haut du corps plus gros. Ils ont les épaules larges et une grosse poitrine mais une petite taille et de petites fesses. Ils semblent avoir beaucoup de pouvoir dans le haut du corps. Chez les femmes, cette impression de pouvoir ou de force se situe plutôt au niveau des jambes, des cuisses, des fesses et des hanches.

Cette force que l'on ressent chez ces personnes indique qu'elles veulent contrôler les autres. Par leur corps, elles disent: *"Regardez le pouvoir que j'ai, vous ne me contrôlerez pas. C'est moi qui ai le contrôle."* On peut en déduire que cette attitude a été adoptée plus jeune à cause d'un parent qui a voulu contrôler l'enfant. Celui-ci a alors décidé qu'il ne se laisserait pas contrôler de la sorte et que c'est plutôt lui qui contrôlerait les autres. Ces personnes ont un besoin constant de se sentir au-dessus de tout. Elles sont très alertes, elles ont la réponse facile et sont difficiles à prendre au dépourvu. Elles ont décidé qu'elles auraient toujours le meilleur d'une situation, peu importe laquelle.

La personne qu'on perçoit comme étant "grosse" plutôt que

"forte" ou qui a certaines parties du corps trop grosses est une personne qui a été humiliée ou qui a eu honte quand elle était plus jeune. Cette honte est surtout reliée au "faire" ou au "avoir". C'est pour cacher sa honte qu'elle a décidé d'en prendre beaucoup sur elle. Elle croit que si elle en fait beaucoup, elle n'aura plus honte et les autres n'auront pas raison d'avoir honte d'elle. Elle devient par le fait même masochiste. Elle est du genre à dire souvent: *"Je suis capable d'en prendre."* Elle s'oublie donc totalement pour répondre aux attentes des autres.

Si tu te trouves trop gros, je te conseille fortement de regarder tous les instants de ta vie où tu as eu honte, ou si tu as eu peur d'avoir honte, ou si tu as eu peur que quelqu'un ait honte de toi. Cette honte continue de t'envahir même si tu n'en es pas toujours conscient. À force de te poser des questions, tu vas réaliser à quel point cette peur de la honte est forte et combien tu en fais dans une journée pour éviter de ressentir cette peur. J'ai souvent eu l'occasion de travailler avec des personnes grasses en utilisant cet élément de honte et j'ai vu à quel point cette dernière était forte en elles. Par exemple, quand je dis a une personne grasse qu'elle aurait pu faire telle chose d'une autre façon, je la sens devenir tout de suite sur la défensive. Elle est généralement portée à se dire: *"J'aurais dû le savoir, je devrais avoir honte de ne pas y avoir pensé!"*

Si tu prends le temps de t'observer et de faire une liste des différentes formes d'humiliation et de honte vécues depuis ton enfance, tu réaliseras qu'il y en a eu beaucoup plus que tu ne le croyais. Les personnes plutôt grasses sont habituellement issues de familles où il ne fallait pas dire aux autres ce qui se passait à la maison parce qu'on ne voulait pas que les gens aient honte d'eux. Ces personnes ont donc souvent un cou court, large et tendu car tout ce qu'elles avaient à dire et ce qu'elles ont encore à dire, s'y trouve retenu.

Si tu as un problème de poids depuis quelque temps, sois conscient qu'en réalité toi seul as décidé, quand tu étais tout petit, que faire beaucoup de choses et t'oublier complètement pour les autres, était le meilleur moyen pour toi de ne pas avoir honte. Cette décision ainsi que la croyance qui en découle ne sont pas bénéfiques pour toi.

Si ce n'est qu'une partie de ton corps que tu trouves trop grosse, celle-ci n'étant pas proportionnée au reste de ton corps, il peut y avoir différentes causes. Par exemple, si ce sont tes jambes qui sont trop grosses, tu as décidé que personne ne te fera bouger contre ton gré ou te fera croire que tu es incapable de faire quelque chose. Tu t'es créé des jambes solides pour ne pas être dérangé par les autres et pour pouvoir aller faire beaucoup de choses pour les autres.

Si ce sont surtout les régions des cuisses, du ventre et des fesses qui sont plus grosses, ceci peut être dû à un blocage sexuel. Ton corps dit: *"Tu ne m'auras pas!"* Tu ne veux pas te faire avoir par quelqu'un d'autre au niveau sexuel. Tu as peut-être vécu du harcèlement sexuel quand tu étais jeune, ou tu as peut-être eu peur d'un abus. Tu as alors pensé qu'en mettant une bonne couche de protection à ces endroits, tu pourrais ainsi éviter d'être harcelé. Il est important de devenir conscient qu'étant maintenant adulte, tu n'as plus besoin de te protéger de cette façon, tu peux le faire par toi-même, par la force de ton être.

Les personnes qui sont beaucoup plus grosses aux niveaux du ventre et du plexus solaire sont des personnes qui disent souvent: *"Amenez-en des émotions. Je suis capable d'en prendre."* Elles sont souvent les premières à écouter et à vouloir régler les problèmes de tout le monde, à se sentir responsables du bonheur des autres et à tout accumuler en disant: *"Je peux en prendre."*

Une personne avec une grosse poitrine dit ou pense: *"Je suis capable de materner tout le monde."* Leur famille, leur conjoint, leurs enfants ou leurs parents profitent souvent d'elles parce qu'ils veulent être maternés!

Voilà pourquoi je mentionnais plus tôt que les personnes qui prennent facilement du poids sont à caractère masochiste. Elles se font beaucoup souffrir en s'oubliant trop pour les autres. Plus elles emmagasinent des choses, plus elles endossent les problèmes de tout le monde, et plus elles se font une carapace pour ne pas montrer leur vulnérabilité. Elles se coupent ainsi de leur senti. Pour venir à bout de percer cette armure, elles ont besoin de gros problèmes accompagnés d'émotions fortes pour se rassurer qu'elles peuvent encore ressentir quelque chose à travers cette armure.

On peut aussi observer qu'une personne ayant un problème de poids depuis plusieurs années devient serrée, comme prise dans un étau. Quand on la regarde, on a l'impression que sa peau est étirée à son maximum, que sa peau ne peut en prendre plus. Elle donne l'impression d'être très gonflée et enflée. C'est comme si cette personne se disait: *"Je vais tellement en prendre, je vais tellement gonfler que ça va peut-être éclater et s'en aller."* Tout ça se passe inconsciemment et bien entendu, ce n'est pas de cette façon que le surplus de poids va disparaître. Son corps lui dit plutôt: *"Au secours, je ne suis plus capable d'en prendre."* Il est grand temps que cette personne fasse quelque chose et change sa façon de penser. Ceci est évident surtout chez les personnes grasses qui s'habillent de façon très serrée, qui portent des vêtements moulants, les faisant paraître encore plus comme étant sur le point d'éclater.

Un facteur commun aux personnes à caractère masochiste est que plus elles se disent capables d'en prendre, plus elles ont de la difficulté à recevoir parce qu'elles n'aiment pas être perçues comme des personnes qui aiment prendre, n'étant pas conscientes qu'elles le font sans cesse. Lorsqu'on leur donne quelque chose, au lieu de penser: *"C'est bien, je viens de recevoir quelque chose"*, elles pensent: *"Je viens de prendre quelque chose."* Elles croient que plus elles en prennent, plus elles seront obligées de donner en retour. Elles ne sont même pas capables de se donner le plaisir de recevoir; elles doivent toujours donner davantage pour se faire aimer et pour se racheter. C'est pour cela qu'on dit de ces personnes qu'elles sont masochistes.

On peut facilement déceler la honte chez elles car si elles se font le moindrement plaisir, que se soit en s'achetant un vêtement ou en mangeant un bon dessert, le plaisir ne dure que quelques secondes parce que tout de suite après, la honte prend le dessus. Elles ne le disent peut-être pas à voix haute mais elles pensent souvent: *"Je devrais avoir honte d'avoir mangé ce dessert quand c'est la dernière chose dont mon corps a besoin."* Une personne masochiste éprouve donc rarement du plaisir, car celui-ci est tout de suite étouffé par la honte.

Elle a besoin de continuellement se sentir aimée, surtout pour ce qu'elle fait. Quand quelqu'un d'autre n'est pas d'accord ou critique ce qu'elle fait, elle dit ou pense tout de suite que c'est de sa faute et qu'elle n'est pas correcte, plutôt que de simplement constater qu'il est impossible que tous soient d'accord avec elle.

Es-tu du genre à prendre du poids, à le perdre très vite, à le reprendre à nouveau suite à différents régimes ou en faisant attention à ce que tu manges? Si c'est ton cas, ceci indique qu'une partie en toi est masochiste et qu'une autre partie est rigide. La personne rigide est celle qui se contrôle beaucoup et qui a généralement un beau corps bien proportionné. Toutes les personnes ayant un beau corps ne sont pas automatiquement rigides mais plusieurs maintiennent leur beau corps en faisant beaucoup de contrôle. Elles se contrôlent dans ce qu'elles mangent, dans ce qu'elles font, ce qui demande beaucoup d'efforts et d'énergie. Très jeunes, ces personnes ont décidé, suite au contrôle exercé par l'un des parents ou par les deux parents: *"Moi, je ne veux pas montrer à quel point je suis vulnérable et je ne veux pas vivre d'émotions."* Comme la plupart des gens confondent émotion et sentiment, en se coupant de leurs émotions, elles se coupent aussi de leur senti.

Les personnes rigides ont toujours l'air d'être au-dessus de tout parce qu'elles font du contrôle, surtout face à elles-mêmes. Qu'il leur arrive n'importe quel problème, que n'importe quel obstacle survienne dans leur vie, lorsque quelqu'un leur demande: *"Comment vis-tu cela? Comment te sens-tu là-dedans?"*, elles répondent: *"Pas de problème, je suis très bien là-dedans. Ça ne me dérange pas."* Elles donnent l'impression de ne jamais avoir de problèmes.

C'est ce qui explique le fait qu'une personne ayant eu un beau corps pendant plusieurs années, commence soudainement à prendre du poids à un certain âge. Ayant fait du contrôle pendant plusieurs années, elle n'arrive plus à se contrôler et son côté masochiste prend le dessus. C'est la raison pour laquelle seul un faible pourcentage de régimes et de diètes ont les résultats escomptés. Selon des statistiques, on dit que 98,5 % des gens qui maigrissent grâce à un régime reprennent les kilos perdus et un peu plus dans les deux années qui suivent le régime.

Comme tu peux voir, la plupart des humains portent des masques. C'est une façon de cacher nos peurs, nos émotions, notre vulnérabilité. Nous prenons des décisions très jeunes et nous croyons sincèrement à cet âge qu'adopter telle attitude va nous éviter de souffrir davantage. En effet, c'est toujours suite à une souffrance que nous prenons le genre de décisions mentionnées dans ce chapitre. C'est lorsque le masque cause lui-même de la souffrance que la plupart des gens décident de ne plus vivre avec et c'est à ce moment qu'ils commencent à faire une démarche personnelle, une démarche intérieure.

Chacun veut retrouver son âme pure de petit enfant qui savait ce qu'il était et ce qu'il voulait être: lui-même! C'est parce qu'il a voulu être lui-même qu'il a été contrôlé, disputé, humilié, trahi et qu'il a décidé: *"Quand je suis moi-même, je ne suis pas accepté par les adultes ou par mes parents. Alors, je vais mettre un masque pour me rendre acceptable."* Rendu à l'âge adulte, nous devons enlever nos masques l'un après l'autre. C'est ce qu'on appelle faire du développement personnel. Se développer, c'est enlever les couches que nous avons placées les unes par-dessus les autres depuis notre enfance. L'intention était bonne à ce moment-là, mais ce qui n'est pas bon pour soi, c'est de les garder toute notre vie.

En apprenant que le corps est l'expression extérieure de ce que nous sommes à l'intérieur de nous-mêmes, il est facile de comprendre pourquoi une personne toute petite, maigre, peut manger deux et trois fois plus qu'une personne plus grasse. Ceci est en général très frustrant pour la personne grasse qui aime manger. Quand elle était plus jeune, la personne très maigre a décidé qu'elle n'en avait jamais assez. Même si elle mange énormément, rien ne s'accumule dans son corps puisqu'elle croit ne pas en avoir assez. Son métabolisme transforme tout ce qu'elle mange rapidement. Par contre le corps de cette personne s'use plus vite.

C'est pour cette raison qu'une personne plus grasse a souvent l'air plus jeune qu'une personne maigre. C'est aussi ce qui explique les relations entre un homme maigre et une femme grasse, ou vice-versa; un est capable d'en prendre et veut toujours tout faire pour l'autre alors que l'autre n'en a jamais assez.

L'apparence physique a toujours été très importante pour l'être humain en général, depuis le début des temps. Cette situation perdure pour que chaque génération transmette cette valeur à la prochaine. C'est une chose sur laquelle il n'est pas facile de lâcher prise. Tu as sûrement constaté que plus un bébé est beau, plus il obtient de l'attention de sa famille et de son entourage. Quand quelqu'un fait une demande d'emprunt ou d'emploi, il a plus de chances de l'obtenir s'il est beau.

Comme cette croyance populaire est très forte, il est difficile de se dire: *"Même si mon corps n'est pas beau, je dois avoir confiance en moi."* Tu dois tout de même te donner le droit d'avoir le corps que tu as pour le moment. L'acceptation inconditionnelle inclut la forme de ton corps.

J'ai lu dernièrement qu'une personne est considérée grosse seulement si sa grosseur gêne certaines fonctions dans sa vie quotidienne, si ça met sa santé en péril ou si ça déclenche une répulsion sexuelle. Beaucoup de personnes se trouvent trop grosses mais n'ont aucun de ces trois facteurs. Elles se voient tout simplement de cette façon.

C'est le cas en particulier des personnes anorexiques et boulimiques. Les deux ont des problèmes d'acceptation face à leur mère. En effet, la nourriture est reliée à la Terre, et la Terre est le symbole de la mère nourricière tout comme le cosmos est le symbole du père. La personne boulimique commence à manger et telle une machine, elle dévore tout ce qui lui tombe sous la main. Elle ne peut pas s'arrêter. Elle veut "bouffer" sa mère. Pour la personne anorexique, c'est l'opposé. Elle se prive, se coupe presque totalement de nourriture. Elle veut se couper de sa mère, de tout soutien affectif de la part de sa mère. Elle peut être extrêmement maigre et se voir encore grosse. C'est comme si elle voulait disparaître.

L'anorexie se retrouve surtout chez la femme. Celle-ci ne veut tellement pas ressembler à sa mère qu'elle s'en coupe complètement. Quand elle n'en peut plus d'être coupée de sa mère, elle passe à la boulimie, voulant alors dévorer sa mère. Le support affectif de sa mère lui manque, elle voudrait avoir une mère, mais elle ne se le permet pas très longtemps. Quand l'anorexique devient boulimique, elle se fait vomir tout de suite après avoir mangé, par peur d'engraisser.

En devenant plus sage, on réalise que le corps physique est là pour nous aider à devenir conscient de notre être et que son existence est temporaire. Nous savons tous que le corps physique va mourir un jour. Je te suggère donc fortement de l'utiliser afin de mieux te connaître, de le remercier d'être le miroir de ce que tu ne veux pas voir de toi et de lui en être reconnaissant plutôt que de lui en vouloir et de le maltraiter. L'important est de devenir conscient de ta beauté intérieure et de ton degré d'acceptation.

T'accepter, c'est donner le droit à ton corps d'être tel qu'il est présentement.

Il fait son travail à la perfection, il ne manque jamais à ce qu'il doit faire. Lui en vouloir d'être tel qu'il est nourrit indûment un sentiment d'injustice. Le temps passé à lui en vouloir est du temps perdu. Ton corps est un guide qui peut t'aider à reprendre contact avec certains aspects de toi, avec les masques que tu t'es mis quand tu étais plus jeune et qui ne te sont plus nécessaires aujourd'hui. Ces masques bloquent ton évolution, ton bonheur, l'harmonie en toi et avec les autres.

Pour le moment, même si ton corps n'est pas selon les normes établies par la société, tu dois accepter l'idée qu'il va avec ta nature, c'est-à-dire avec ce que tu vis à l'intérieur. Vouloir qu'il soit "normal", c'est vouloir contrôler et plus tu voudras contrôler, moins tu iras dans la direction idéale pour toi. Contrôler, c'est chercher à aller dans une direction dictée par ta tête, par ton mental, par ce que tu as appris dans le passé. En attendant d'avoir fait toutes les démarches et les expériences nécessaires pour redevenir la personne que tu es véritablement, tu dois donner le temps à ton corps de se replacer graduellement et d'aller avec ce que tu vis intérieurement, ce qui peut prendre plusieurs mois. Les transformations physiques suivront les transformations intérieures.

Toutefois rien ne t'empêche de dorloter ton corps! Lui dire merci, l'aimer, le cajoler, le caresser, lui mettre des crèmes adoucissantes, etc. lui fera sûrement plaisir. Tu peux le vêtir de beaux vêtements, bien assortis à ta taille en lui disant: *"Je te remercie de vouloir m'aider et moi, en retour, je vais t'aimer tel que tu es."*

Certaines personnes peuvent avoir besoin de demeurer grosses toute leur vie pour des raisons d'acceptation. Il se peut, par exemple, que dans une vie précédente, elles aient tellement méprisé les personnes grasses, qu'elles doivent maintenant vivre cette expérience. Mais puisque personne ne peut être certain du pourquoi de cette expérience, si c'est ton cas, il serait plus avantageux pour toi de te faire à l'idée d'être gros et de te dire: *"Je vais apprendre à m'aimer, à me donner le droit d'être tel que je suis et ensuite, il arrivera ce qu'il arrivera. Je fais confiance à mon corps, il sait ce dont il a besoin dans cette vie-ci."*

Accepte le fait que la vie continue toujours. Un jour, ton corps retournera à l'énergie de la Terre. Mais si tu n'as pas changé les croyances mentales causant ton surplus de poids et si tu continues à avoir honte et d'en prendre autant sur tes épaules, tu reviendras dans une prochaine vie avec les mêmes processus à faire et les mêmes croyances à changer, puisque ce n'est que ton corps physique qui meurt.

Alors, voici mes suggestions pour clôturer ce chapitre. Que tu sois très maigre, que tu aies un surplus de poids ou que tu n'aies pas le corps que tu désires, je te suggère de regarder dans quelle catégorie tu te retrouves et de faire des actions en conséquence, c'est-à-dire des actions différentes de celles que tu as faites jusqu'à maintenant, afin d'arriver à croire à autre chose.

Si tu es dans la catégorie des personnes plus grasses, il est grand temps que tu commences à faire au moins une action à chaque jour pour te faire plaisir. Si c'est de manger quelque chose dont tu n'as pas besoin, fais-le en ayant du plaisir à le manger. Remercie notre mère, la nature, de nous donner d'aussi bonnes choses ainsi que ceux qui les ont apprêtées. De plus, donne-toi le droit d'aimer les belles choses, de te faire plaisir, d'aimer le monde physique sans avoir honte de cela. En différents endroits chez toi place une affirmation disant: *"Je me donne le droit de ne pas être capable de tout prendre sur moi."*

Par contre, si tu te vois comme étant très maigre, prends le temps à tous les jours de constater à quel point tu es une personne importante. Pratique-toi à être plus maître de ta vie, de tes décisions. Lorsque tu te sens rejeté, souviens-toi que les autres ne te rejettent pas, mais qu'ils expriment plutôt leurs limites.

Si tu es plutôt du tempérament rigide, prends le temps à tous les soirs de faire le bilan de ta journée et de te demander comment tu t'es senti dans telle ou telle situation ou quand on t'a dit telle ou telle chose. Ceci t'aidera à développer davantage ton senti.

CHAPITRE 5
AVOIR DE L'ARGENT ET DES BIENS

Avec la nouvelle époque de l'ère du Verseau qui s'annonce, le sujet de l'argent est un sujet d'actualité et souvent au cœur des préoccupations quotidiennes. Plusieurs personnes se demandent: *"Maintenant que je me sens plus attiré vers le spirituel, serait-il préférable pour moi de me débarrasser de mes biens matériels et de ne pas être attaché à l'argent?"* Devenir spirituel ne veut pas nécessairement dire de se priver de matériel. Par contre, il est vrai que plus une personne est spirituelle, plus elle est en contact avec son être, qui elle est véritablement et plus elle est détachée du matériel.

Être détaché du matériel et de l'argent ne veut pas dire de renoncer au matériel, mais plutôt d'aimer avoir des choses matérielles, sans y être attaché. On peut facilement vérifier notre degré d'attachement aux biens matériels en observant notre réaction quand on perd quelque chose (de l'argent par exemple) ou quand quelqu'un endommage un de nos biens comme notre auto, un meuble ou quelque chose qui nous est précieux.

Depuis l'ère des Poissons, on a cru qu'il était plus facile pour un pauvre que pour un riche d'être près de **DIEU**. La personne riche peut tout avoir plus facilement: plus d'amis, de distractions, de consolations, de biens. Avec son argent, elle peut s'acheter toutes ces choses. À cause de tout ce qui l'entoure dans son monde matériel, elle pourrait être plus portée à oublier **DIEU.**

La personne très pauvre qui se sent seule, qui n'a rien, qui est sans travail ou qui a faim, sera plus portée quant à elle à prier et reprendre contact avec **DIEU** qui est sa seule source de support et de consolation. Voilà pourquoi on a longtemps cru qu'il était plus facile pour un pauvre que pour un riche de devenir une personne spirituelle.

Mais maintenant, l'énergie de l'ère du Verseau nous pousse à ressentir **DIEU** dans le plan matériel, c'est-à-dire utiliser tout ce qui est dans les mondes physique, émotionnel et mental pour nous rapprocher de **DIEU**. Nous avons encore beaucoup de chemin à faire parce que les gens riches semblent encore plus près de leur argent que de **DIEU**. Ils sont tellement occupés à faire de l'argent, à ne pas le perdre et à le faire fructifier qu'ils finissent par développer la peur de le perdre.

> ***Le seul moment où il n'est pas bénéfique d'avoir des biens ou de l'argent, c'est lorsque ça nous éloigne de* DIEU, *c'est-à-dire lorsque ça accentue nos peurs.***

Il est plus avantageux pour nous de développer un état de prospérité ce qui n'est pas nécessairement synonyme d'avoir de l'argent. Une personne prospère sait qu'elle aura toujours ce dont elle a besoin, au moment où elle en a besoin. L'opposé de l'état de prospérité est l'état de pauvreté. Une personne peut avoir de l'argent, mais vivre dans un état de pauvreté: elle s'inquiète par peur d'en manquer ou de perdre ce qu'elle a déjà. Une personne peut ne pas avoir d'argent et être prospère et une autre en avoir et être pauvre. Il y a une différence entre avoir et être. Cette différence est basée sur les croyances que nous avons développées étant plus jeunes.

Dans le domaine de l'argent, bon nombre de croyances ont été transmises d'une génération à l'autre. Les humains ont été fortement affectés par ceux qui voulaient avoir le pouvoir sur eux en tentant de les garder dans un état de pauvreté pour qu'ils aient peur et qu'ainsi, ils soient plus faciles à dominer. Il est donc important pour nous de retrouver un état intérieur de prospérité même si cette tâche apparaît difficile.

Pour ce faire, tu dois d'abord devenir conscient des différentes croyances que tu as acceptées de tes parents ou de ceux qui ont eu de l'influence sur toi quand tu étais jeune, et qui sont très souvent inconscientes. Voici quelques-unes de ces croyances. Vérifie si tu les as, si tu y as déjà pensé ou si tu as entendu quelqu'un dans ta famille dire:

- "L'argent ne fait pas le bonheur."
- "Je ne suis pas riche, mais au moins j'ai la santé."
- "Je suis né pour un petit pain."
- "L'argent ne pousse pas dans les arbres."
- "L'argent corrompt les gens."
- "Je ne suis pas riche, mais au moins je suis une bonne personne."
- "Les riches sont tous des voleurs."
- "Ceux qui ont de l'argent se prennent pour quelqu'un d'autre."
- "Je n'ai pas l'instruction nécessaire pour faire beaucoup d'argent."
- "L'argent part plus vite qu'il n'arrive."
- "Il ne faut pas dire aux autres que j'ai des économies parce qu'ils vont me les demander."

– “Il ne faut pas prêter d’argent ou endosser une dette de quelqu’un d’autre.”
– “Il faut économiser pour les mauvais jours.”
– “Il faut travailler dur pour faire de l’argent.”
– “L’argent me glisse entre les doigts.”
– “Plus j’en fais, plus je dois en donner au gouvernement.”
– “Trop dépenser n’est pas raisonnable.”

Je n’ai mentionné que quelques-unes des croyances les plus populaires face à l’argent. Plusieurs autres existent bloquant tout autant l’état de prospérité. Ces croyances se sont infiltrées en toi inconsciemment et elles dirigent maintenant ta vie. Si tu n’as pas l’argent que tu désires ou que tu as besoin, il est important de te rappeler que ce que tu crois mentalement est plus fort que ce que tu désires et gagnes immanquablement.

Tu dois donc changer ta vision de l’argent. L’argent n’est pas un bien mais plutôt un moyen d’échange pour obtenir des biens, pour te procurer ou te payer des choses dans le monde physique. Les moyens d’échange ont toujours existé. Un échange de services est un de ces moyens. Tu peux te procurer quelque chose en payant avec un service plutôt qu’avec de l’argent.

Comme toute personne vivant sur la planète Terre a besoin de biens, d’un toit sous lequel vivre, de nourriture, de vêtements, de payer son électricité et les autres frais quotidiens, chacun doit donc trouver un moyen pour y arriver. Avoir un moyen d’échange commun à tous fait partie de la vie sur cette planète et, présentement, l’argent est le moyen d’échange le plus répandu.

Ceux qui font une recherche spirituelle semblent avoir plus de difficulté à accepter la notion d’avoir des biens et de l’argent.

J'explique mon expérience à ce sujet dans mon autobiographie *Je suis Dieu, WOW!*. Le travail que je faisais dans la vente était un travail très matériel. Je vendais des produits et je trouvais tout à fait normal de faire de l'argent. Ce que les gens croient dans le domaine de la vente et ce que j'y ai appris, est que plus tu es un bon vendeur, plus tu fais de l'argent. Comme je croyais en mes capacités de vendeuse, il était tout à fait normal pour moi de faire de l'argent. Le fait de ne pas avoir un salaire régulier ne m'inquiétait pas. Je savais qu'en travaillant plusieurs heures par semaine, l'argent arriverait automatiquement. De plus, je savais que si je voulais faire deux fois plus d'argent, je devais y mettre deux fois plus d'heures. C'est effectivement ce que je faisais parce que j'avais appris qu'être payé selon l'énergie qu'on y mettait faisait partie du métier de vendeur.

Sans m'en apercevoir, j'ai commencé à devenir consciente que l'argent pouvait être une énergie en mouvement parce que plus je faisais bouger l'énergie dans mon travail, plus l'argent entrait. Mais c'était encore vague dans mon esprit, je n'avais pas réalisé que c'était ce qui se passait. Je croyais plutôt que si je vendais un produit dans le monde matériel, il était normal d'avoir quelque chose de matériel en retour.

Quand j'ai laissé ce travail pour créer Écoute Ton Corps, je n'offrais plus rien de matériel. J'ai pris deux ans pour réaliser que mes croyances étaient demeurées les mêmes. J'étais encore aux prises avec la croyance qui disait que faire de l'argent appartenait au plan physique. Je me sentais coupable de demander de l'argent en retour des cours. Je me disais: *"Si je le pouvais, je ne chargerais presque rien pour donner mes cours."* J'aurais voulu enseigner l'amour à tout le monde. Ça me touchait lorsque des gens ne pouvaient s'offrir les cours à cause d'un manque d'argent.

J'ai donc eu de graves difficultés financières pendant ces deux premières années. Parce que je n'offrais rien de physique, je ne me donnais donc pas le droit de faire de l'argent. Ce n'est que lorsque je suis devenue consciente que ce n'était pas le produit que j'offrais, mais plutôt l'énergie que je fournissais en tant que vendeuse qui me rapportait de l'argent, que j'ai commencé à avoir un peu plus d'abondance dans ma vie.

Aujourd'hui, il est très clair que le domaine de la spiritualité doit composer avec les mêmes moyens matériels utilisés par le reste du monde pour prendre plus d'ampleur. C'est ainsi que les choses fonctionnent sur notre planète matérielle. Ceux qui vendent de la pornographie, qui encouragent la violence ou la peur par le biais de films, d'émissions de télévision, de journaux, utilisent l'argent pour le faire. Pour arriver à avoir le plus de compétition possible, tous ceux qui se dirigent vers la spiritualité et qui veulent aider les gens à s'orienter davantage vers la paix, l'harmonie et l'amour, doivent utiliser les mêmes moyens en investissant pour se faire connaître et ainsi faire la diffusion de leurs connaissances et enseignements. C'est la seule façon de ne pas être envahis par cet autre monde de peur et de violence.

Avoir de l'argent est aussi très utile pour t'aider à découvrir ta beauté intérieure. En acceptant l'idée que tout ce qui existe à l'extérieur de toi est un reflet de ce qui est à l'intérieur de toi, t'entourer de beauté dans ton monde physique t'aidera à reprendre contact avec ta beauté intérieure. Quand tu t'entoures de gens qui ont confiance en eux-mêmes, il est beaucoup plus facile pour toi de développer ta propre confiance. Quand tu t'entoures de gens positifs, tu as un modèle à suivre pour reprendre contact avec ton côté positif. C'est donc la même chose avec ta beauté intérieure. Mais pour être entouré de beauté, pour t'acheter de belles choses, ça prend de l'argent.

Donne-toi le droit d'avoir ces belles choses autour de toi plutôt que de penser que tu ne les mérites pas, que tu n'as pas travaillé assez fort, que c'est seulement les gens riches qui y ont droit. Je te suggère de t'en acheter moins et de commencer par celles qui font ouvrir ton cœur quand tu les regardes. Il est mieux d'en avoir peu mais d'avoir des choses importantes et utiles pour toi. Graduellement, tu arriveras à te donner le droit d'en avoir de plus en plus, en autant que tout ce que tu te procures, tout ce que tu veux dans ton monde physique t'aide à reprendre contact avec ta beauté intérieure et celle des autres, avec **DIEU** qui t'habite, avec ton pouvoir de créer. Tout cela est très bénéfique pour toi.

Toutes les belles choses qui ont été créées sur la Terre, telles les belles pierres, les beaux tissus, la soie, les belles maisons, enfin tout ce qui t'apparaît beau autour de toi, a été créé par la force de création divine qui réside en chaque personne. Une personne très créative, véritablement centrée dans son pouvoir, ne peut créer que de belles choses. Par contre, une personne qui "est dans la peur" ne peut créer que des situations qui vont engendrer la peur chez les autres car elle n'est pas centrée, elle n'évolue pas dans l'harmonie.

En acceptant l'idée que l'argent est tout simplement un moyen d'échange et que c'est précisément ton pouvoir de créer qui attire à toi tout ce dont tu as besoin dans ta vie, tu n'as par conséquent plus besoin d'avoir peur de perdre et de manquer de quoi que ce soit. En effet, le pouvoir créatif est illimité: si tu es capable de créer le fruit de tes désirs une fois, tu es capable de le refaire. C'est ce qui explique que certaines personnes qui ont perdu plusieurs millions de dollars ont refait fortune. Elles n'ont pas arrêté de croire en leur pouvoir créatif.

> ***Plus tu es centré, plus tu es capable d'écouter tes vrais besoins et ton intuition, et plus l'Univers fait en sorte que tu te retrouves au bon endroit au bon moment.***

Le plus malheureux, pour certaines personnes qui entreprennent une démarche quelconque après avoir suivi leur intuition, est que peu de temps après, leur tête, leur mental reprend le dessus et tend à leur dire: *"Tu n'aurais pas dû. Tu aurais peut-être dû attendre plus longtemps; si jamais ta démarche ne fonctionnait pas, tu perdrais ton investissement!"* Les peurs s'installent et les problèmes débutent. Cette attitude bloque l'état de prospérité et empêche l'énergie "argent" de circuler.

En acceptant le fait que l'argent est de l'énergie en circulation dans l'Univers et en sachant que cette énergie sera présente à jamais, tu arrêteras de croire à l'urgence de t'y accrocher. À chaque fois que tu utilises l'argent pour défrayer le coût de quelque chose, réalise que tu l'envoies à quelqu'un et qu'il te reviendra un jour sous une forme ou une autre. Tu ne sais pas à l'avance sous quelle forme, mais souviens-toi que ce qui sort de toi te revient toujours; car ce va-et-vient fait partie intégrante de la vie. Ta vie est à l'image d'un boomerang: tout te revient. La loi spirituelle de cause à effet s'en occupe.

Par exemple, lorsque j'envoie de l'argent, à la fin de chaque mois, à la compagnie qui me permet l'usage de mon téléphone, je sais que je paie ainsi pour un service rendu. Avec cet argent, cette compagnie rémunère ses employés, et l'un d'eux viendra éventuellement s'inscrire à un des cours offerts par le centre Écoute Ton Corps. L'argent circule et nous revient toujours; rien n'est jamais perdu. L'énergie circule sans arrêt, partout dans le monde.

Lorsqu'on croit que l'argent gagné nous appartient, il est difficile de s'en départir car on croit en la possibilité d'en manquer. Croire en cette possibilité fait peur. J'ai souvent eu ce sentiment dans le passé et ces moments de peur ont été éprouvants pour moi. Maintenant, à chaque fois que j'encoure une dépense pour le centre Écoute Ton Corps ou pour moi-même, je sais que cet argent ne m'appartient pas. L'argent reçu par le biais des cours et des livres vendus n'est que de passage entre mes mains. J'envoie cet argent à quelqu'un d'autre qui l'enverra ailleurs lui aussi et ainsi de suite. La roue tourne sans cesse. Quand je suis dans cet état d'être, mon quotidien est beaucoup plus facile et la vie m'apporte ce dont j'ai besoin au moment où j'en ai besoin.

Lorsque tu deviens capable de manipuler des sommes d'argent de plus en plus importantes, c'est signe que ton processus avec l'argent progresse graduellement et que tu développes de plus en plus ton sentiment de prospérité. Il y a quinze ans, je considérais une dette de 5,000 $ comme étant énorme. Aujourd'hui, il m'est possible d'avoir une dette de 500,000 $ sans m'inquiéter et sans que son existence m'empêche de dormir. En me posant la question: *"Avec une telle dette, quelle est la pire des situations qui pourrait se présenter à moi?"*, je me rends compte que le pire des scénarios serait que tout ne se déroule pas tel que prévu et que je sois obligée de tout recommencer en vivant des nouvelles expériences. Qui sait? Ces nouvelles expériences pourraient être très excitantes et enrichissantes.

En réalité, quand on regarde la vie de plus près, on constate qu'on est constamment en train de commencer quelque chose car une personne en évolution est une personne qui aspire au changement, à du nouveau.

Si tu es du genre à vouloir ignorer l'argent et à te dire: *"L'argent n'est pas important car je suis une personne davantage spirituelle. Je ne m'intéresse qu'aux choses plus profondes de la vie, le matériel ne m'intéresse pas"*, tu auras peut-être la surprise d'avoir à te donner le droit de vouloir des biens matériels pour que tu puisses trouver ton équilibre entre le monde spirituel et le monde matériel.

N'oublie pas, le détachement n'est pas synonyme de renoncement.

Plusieurs personnes croient que leur seule source d'argent provient de leur travail. Pourtant, c'est seulement un des moyens parmi plusieurs autres. Il demeure important de t'ouvrir à ces autres moyens souvent inattendus car la source est universelle. Si tu éprouves des difficultés à recevoir, tu te bloques ainsi à plusieurs de ces moyens. Si tu bloques une rivière en construisant un barrage, beaucoup moins d'eau peut circuler, n'est-ce pas? De même, beaucoup moins d'abondance se dirige vers toi à cause de tes blocages.

De plus, comme nous récoltons toujours ce que nous semons, un moyen très efficace pour récolter de l'argent et des biens est d'en donner. En donnant, tu as l'attitude d'une personne prospère, qui n'est pas en état de manque. Je ne parle pas ici de donner une chose qui ne te plaît pas et à laquelle tu ne tiens plus. Je parle plutôt de donner quelque chose qui a une certaine valeur pour toi. Donne-le seulement pour le plaisir de faire plaisir à quelqu'un d'autre. Ainsi, tu fais de la place pour du nouveau. C'est une autre façon d'enlever les barrages intérieurs créés par la peur du manque et de laisser couler librement le courant de ta rivière d'abondance.

À ton boulot, il est important de ne pas travailler seulement pour le salaire que tu en retires. Tu dois analyser de quelle manière ce travail t'aide à développer ta créativité. D'autre part, plus tu t'investiras dans ton travail, plus tu auras envie de prendre part à des réalisations importantes et plus tu ouvriras ton canal intérieur, faisant ainsi place à davantage d'abondance dans ta vie. Je te suggère fortement d'en faire l'expérience puisque la vraie compréhension ne vient seulement qu'avec l'expérience.

J'ai connu un homme qui débuta sa carrière à quinze ans en plaçant des fruits dans les étalages d'un supermarché. Il s'avérait très dévoué et il inventait continuellement de nouvelles façons de mieux disposer les fruits afin qu'ils soient davantage accessibles et plus attirants pour les clients. Peu de temps après, on l'engagea comme chef du département des fruits et légumes et quelques années plus tard, il devint gérant de ce magasin alors qu'il était encore très jeune. Ce jeune homme avait très peu d'instruction mais travaillait avec cœur, avec dévouement et il ne comptait pas ses heures. Par la suite il est devenu directeur pour tout le Québec d'une des plus grandes chaînes de supermarchés. Il vivait dans l'abondance. Pourquoi? Parce que son travail était plus qu'un simple travail. Il aurait pu se dire: *"Je ne suis rien, je ne fais que placer des pommes et des oranges dans un magasin"*, mais il a refusé d'entretenir cette pensée. Il s'est plutôt investi à plein dans son travail, il a utilisé sa créativité, s'ouvrant ainsi à l'abondance.

J'ai également connu un Américain qui, après la Deuxième Guerre Mondiale, à l'âge de vingt-quatre ans, était sans travail et devait subvenir aux besoins de sa femme et de leur enfant. Un jour, alors qu'il se promenait en campagne en admirant de belles grosses fermes, il eut l'idée d'offrir aux fermiers de peindre leurs boîtes aux lettres de la couleur gris-argenté et d'y inscrire leur nom au moyen d'un beau lettrage noir. Il demandait à en être payé 5$, ce qui constituait une somme importante; à l'époque les fermiers disposaient de l'argent mais non du temps nécessaire pour le faire eux-mêmes. Toutefois, le fait de voir leur nom sur une belle boîte aux lettres argentée les flattait.

En faisant ainsi le tour des propriétés, il remarqua que le toit de plusieurs de ces bâtiments nécessitait des réparations. Il s'équipa donc d'un camion pouvant chauffer le goudron nécessaire à la réparation des toitures et il leur offrit ce service. Il répara ainsi le toit de l'ensemble de ces fermes. Après quelques années de ce genre de travail, il pensa que ces fermiers aimeraient mieux une entrée de cour pavée d'asphalte plutôt que couverte de gravier. Il s'équipa alors d'un camion permettant la préparation et l'épandage de l'asphalte et offrit encore une fois ses services à tous les fermiers des environs.

Au fil des années, il devint très prospère. Au moment où j'ai connu cet homme, il était âgé d'environ cinquante ans et sa compagnie possédait la plus grosse flotte de camions des États-Unis. Quand je lui ai demandé de me raconter son histoire, il m'a dit: *"Ce qui résume ma vie, c'est que je n'ai jamais eu peur d'oser faire quelque chose. Aussitôt que j'ai eu une idée, j'ai foncé. J'y suis allé à fond de train car j'étais convaincu qu'il y aurait toujours des boîtes aux lettres à peinturer."*

J'ai trouvé l'histoire de sa vie très édifiante. La possibilité de tout perdre ne le dérangeait pas puisqu'il savait qu'il pouvait recommencer à tout moment. Intéressant, n'est-ce pas? Cet homme, quoique multimillionnaire, était d'une grande simplicité et s'ouvrait constamment à la vie. Une belle lumière l'entourait. On constatait que l'argent ne dominait pas sa vie et qu'il l'utilisait tout simplement pour être de plus en plus créatif. Il développait toujours davantage son grand pouvoir de créer.

C'est dans cette direction que nous pousse présentement l'ère du Verseau. Les personnes refusant les énergies de créer leur vie en ignorant tous les moyens mis à leur disposition développeront de plus en plus de peurs et de maladies. Leur intuition ne peut les guider parce qu'ils refusent de créer.

Plusieurs maladies sont reliées aux problèmes d'argent et aux inquiétudes face à l'argent. Elles se manifestent principalement dans la partie inférieure du corps sous forme de maux de jambes et de pieds, de douleurs dans le bas du dos, au ventre et au niveau du nerf sciatique ainsi que par des problèmes de digestion (inquiétude) et d'intestins (peur de perdre). En général, les gens qui s'accrochent à leurs biens s'accrochent aussi à leur nourriture. Ils éprouvent donc des difficultés à éliminer et souffrent souvent de constipation.

Plusieurs pensent qu'avoir des dettes "n'est pas correct" C'est vrai qu'il est préférable de ne pas trop en avoir. Certains s'endettent tellement que le fardeau de leurs dettes finit par les étouffer.

Au moment de te créer une dette, c'est-à-dire au moment de te procurer un bien ou un service que tu ne peux pas payer intégralement au moment de son achat, tu dois vérifier si cette situation t'aide à créer du nouveau dans ta vie. Si elle t'aide à reprendre davantage contact avec ton pouvoir intérieur, elle ne doit pas être considérée comme une dette mais plutôt comme de l'aide envoyée par l'Univers qui contribue à une plus grande manifestation de ta créativité.

Si cet achat ne sert qu'à la satisfaction de tes sens ou si une peur te motive, cette dette t'accablera. Tant et aussi longtemps que ta créativité motivera tes achats, tu n'auras aucune difficulté à repayer ce que tu dois. J'aime bien la définition suivante d'une dette: *"Une dette est le degré de confiance que l'Univers a en toi dans le moment."* En réalité, c'est vrai. Quand tu complètes une demande d'emprunt et qu'elle est acceptée, le gérant de banque est en train de te dire: *"On juge qu'on peut te faire confiance en te prêtant cet argent."*

Souviens-toi que lorsque tu désires quelque chose que tu n'arrives pas à manifester dans ta vie, c'est que des croyances non bénéfiques bloquent ton désir. Réfère-toi au chapitre des croyances pour revoir les explications à ce sujet. Si tu attends que le déblocage s'effectue à partir de l'extérieur, tu attendras pour le reste de tes jours puisqu'il ne peut venir que de l'intérieur de toi.

Finalement, plusieurs considèrent qu'avec beaucoup d'argent, ils pourront acheter l'amour des gens. Ils croient que l'argent est gage de prestige et que leur entourage aime les gens prestigieux. Faire de l'argent est, pour eux, synonyme d'être aimables. Généralement, ils parviennent à en gagner beaucoup. Ils ont un besoin presque maladif de démontrer qu'ils en ont beaucoup. L'argent devient un substitut symbolique dans lequel ils déversent tout leur amour. Parce qu'ils aiment l'argent, ils pensent que ceux qui recevront cet argent l'aimeront. Quand ils gagnent un important montant d'argent, ils ne peuvent s'imaginer le garder parce qu'ils croient sincèrement que s'ils n'en donnent pas aux autres, ceux-ci croiront qu'ils ne les aiment pas. C'est ainsi que plusieurs personnes associent argent et amour.

Une telle attitude débute généralement en bas âge grâce à des parents qui utilisent l'argent comme seul moyen de récompense. Ils font ainsi comprendre à leurs enfants: *"Lorsque tu agis de façon gentille et raisonnable, je t'aime beaucoup. Par conséquent, je te donne de l'argent. Quand je t'aime moins, je ne t'en donne pas."* Cette approche n'encourage pas l'estime de soi basée sur l'acceptation inconditionnelle. Ces personnes ne gagnent pas de l'argent pour développer leur créativité et reprendre contact avec **DIEU** mais plutôt pour acheter de l'amour. Voilà une belle illusion!

> ***N'oublie pas que si tu ne désires de l'argent et des biens matériels que dans ton monde physique, tu ne seras jamais satisfait. Ce n'est qu'en désirant que ces choses physiques te rapprochent de ton*** **DIEU** ***intérieur que tu seras satisfait et heureux.***

Pour terminer ce chapitre, je te suggère de noter, par écrit, pendant toute une semaine, chacune des pensées que tu auras, des actions que tu feras et des paroles que tu diras concernant l'argent ou tes biens matériels. Je te suggère aussi de demander aux gens qui te côtoient quotidiennement de t'en faire la remarque afin que tu sois conscient des croyances qui t'influencent.

Après avoir tout noté, identifie la peur qui se cache derrière chacune de ces croyances et devient conscient que ce sont ces peurs qui freinent l'abondance dans ta vie, en bloquant tes désirs. Elles t'empêchent même de répondre aux besoins fondamentaux qui sont de suivre ton intuition et d'être un canal ouvert permettant que t'arrive tout ce dont tu as besoin dans ta vie.

Voilà pourquoi il est si important de réaliser que ta capacité de créer l'abondance dans ta vie et d'être prospère est tout simplement un reflet de ta croyance en tes capacités intérieures, de la foi que tu nourris en toi et en ton **DIEU** intérieur.

CHAPITRE 6
AVOIR DES ENFANTS

Pourquoi avoir des enfants? La plupart des gens décident d'avoir des enfants sans même se poser cette question. Malheureusement, leur motivation est rarement la bonne. Voici différents exemples et/ou croyances qui poussent les gens à élever une famille:

- Ils croient qu'en se mariant, il va de soi d'en avoir.
- Ils désirent faire plaisir à leurs parents qui ont hâte de compter des petits enfants dans leur vie, principalement un garçon afin de perpétuer la lignée paternelle.
- Ils veulent réaliser leurs désirs par l'intermédiaire de leurs enfants. Ils se disent: *"Moi, je n'ai jamais eu la chance d'avoir des jouets, de l'attention ou des études universitaires. Mes enfants vont obtenir ce que je n'ai pas eu."*
- Ils croient ainsi pouvoir retenir le conjoint. On retrouve ce cas surtout chez les femmes qui ont peur d'être abandonnées.
- Ils veulent manipuler le conjoint afin qu'il accepte de se marier.
- Certaines femmes croient que pour être une vraie femme, elles doivent enfanter; pour elles, une femme n'est pas complète tant qu'elle n'a pas eu un enfant.
- Ils désirent dominer quelqu'un. Ces parents ne sont pas du tout en contact avec leur pouvoir et ne se sentent puissants

qu'en dominant un enfant. Aussitôt que l'enfant commencera à développer son propre caractère, ils auront alors souvent envie d'avoir un autre bébé afin de ne pas perdre ce sentiment de pouvoir.

Aucune de ces raisons n'est valable. Elles font partie du monde ancien, de l'ère des Poissons alors qu'on avait des enfants sans être conscient de la motivation.

Le processus déclenché par la naissance dans le plan physique d'une âme est beaucoup plus complexe qu'on ne le croit généralement. L'âme est attirée vers ses futurs parents par la loi d'attraction. Si une jeune femme ou un jeune homme fait l'amour avec n'importe qui, sans être conscient des conséquences de son geste, ils donnent la possibilité à n'importe quelle âme de se réincarner. Une grande quantité d'âmes attendent présentement dans le monde astral pour se réincarner.

La raison principale qui doit motiver une personne à avoir un enfant, c'est de vouloir utiliser sa présence pour se conscientiser davantage à travers lui.

Grâce à un enfant, les parents peuvent apprendre davantage sur eux-mêmes puisque, jusqu'à l'âge de sept ans, les enfants imitent leurs parents dans tout ce qu'ils font. Les parents désireux de mieux se connaître à travers leurs enfants attireront, par la loi d'attraction, une âme désireuse de se connaître à travers ses parents. Cette mutualité crée un contexte extraordinaire où la possibilité d'une véritable croissance spirituelle est réelle. Une rencontre porteuse d'une riche lumière! Une telle ouverture crée, dès le départ, une base solide pour de bonnes relations entre parents et enfants.

Le passage d'un enfant dans la vie de ses parents est similaire au passage d'un invité dans la maison d'un ami. Les enfants doivent cesser de croire que tout leur est dû. Ils ont la possibilité de jouir davantage de leur passage en étant reconnaissants envers ceux qui se sont offerts pour leur permettre de revenir sur la planète Terre.

Les parents ne sont en aucun cas responsables de l'évolution spirituelle de l'âme réincarnée. Leur seule responsabilité se limite à combler, au meilleur d'eux-mêmes, les besoins de l'enfant au plan matériel, c'est-à-dire aux niveaux physique, émotionnel et mental. Socialement, nous avons promulgué des lois afin d'éviter, autant que possible, que les parents se désistent de cette responsabilité jusqu'à ce que l'enfant ait atteint un certain niveau de maturité.

Souviens-toi que voir aux besoins physique, émotionnel et mental de l'enfant ne veut pas dire que tu dois accéder à tous ses caprices, mais plutôt que tu dois subvenir à ses besoins de base. Tout surplus doit être considéré comme un don inconditionnel de ta part, plutôt que d'être motivé par un sentiment d'obligation. De plus, n'oublie pas qu'une âme venant s'incarner se présente avec un bagage d'expériences accumulées tout au long de ses maintes incarnations.

En tant que parent, tu ne peux être tenu responsable des décisions prises par cette âme au cours d'une incarnation précédente. Tu ne seras tenu responsable que de tes actions et réactions face à elle.

Avant de s'incarner, l'âme vivait dans le monde astral, c'est-à-dire dans le monde des désincarnés. Revenir dans le monde physique est un processus douloureux pour l'âme, plus douloureux que lorsqu'elle le quitte puisqu'elle retourne alors dans son habitat naturel, le monde astral.

Quand les parents sont des êtres conscients, ils sont davantage en mesure d'aider le futur bébé à se préparer à son nouvel environnement. Pendant la grossesse, s'il règne un climat d'amour et d'harmonie dans le couple et que la mère surveille son alimentation ainsi que les pensées qu'elle a et les émotions qu'elle ressent, elle met toutes les chances de son côté pour que l'âme en question ait envie de revenir sur Terre et qu'elle arrive avec une attitude très favorable.

Malheureusement, il arrive beaucoup plus fréquemment que lorsqu'elle commence à prendre contact avec sa future mère, l'âme entend tous les problèmes anticipés par ses futurs parents. Des réflexions du genre: *"Ah non, pas encore enceinte"* ou *"J'espère que ce sera un garçon."* ne créent pas un climat chaleureux pour l'arrivée de cette âme. Imagine son désarroi alimenté par le fait de ressentir le désir de ses parents d'avoir un garçon quand elle sait qu'elle s'incarnera en petite fille. Dès lors commence la crainte de décevoir ses parents.

Une âme qui, dès la conception et les premiers mois de sa vie sur Terre, éprouve des regrets ou des doutes quant au bien fondé de sa venue, nourrit des pensées telles que: *"Qu'est ce que je viens faire ici?"* ou *"Qu'est-ce que ça donne d'être ici?"* Ne sachant pas sur quel pied danser, elle grandira en étant à moitié sur Terre et à moitié dans le monde astral. Une partie d'elle veut y être parce qu'elle sait qu'elle a besoin de vivre des expériences mais une autre partie ne veut pas y rester. Par conséquent, il lui sera difficile de vivre sa vie pleinement.

Quand les parents reconnaissent et acceptent que chacun est responsable de créer son propre bonheur, ils respectent davantage l'individualité de leur enfant. Créer son bonheur sous-entend faire des choix. Choisir, c'est exercer son libre arbitre. L'art de faire des choix judicieux se développe; il n'est pas inné.

Pour entretenir une bonne relation avec ton enfant, respecte son individualité, encourage-le à utiliser sa créativité, à faire des choix et des efforts. Au tout début, lorsqu'un bébé essaie de se tourner dans son lit ou de s'asseoir, ne le bouscule pas en voulant le faire pour lui. Laisse-lui un peu d'espace pour qu'il apprenne quel moyen choisir pour arriver à ses fins et à faire les efforts en conséquence. Tu l'aides ainsi à développer sa créativité et à exercer son libre arbitre.

Il apparaît évident que c'est ce que les enfants nouveaux veulent. Alors qu'ils parlent à peine, ils manifestent déjà le désir de faire les choses par eux-mêmes. Ils nous font comprendre qu'ils sont capables seuls. Il est temps que les adultes cessent de toujours vouloir les dominer et tout faire pour eux. Ils se développeront ainsi plus rapidement et deviendront des enfants autonomes. Les parents qui font tout pour leurs enfants, qui veulent tout prévoir pour eux et qui leur disent quoi faire, quand le faire et comment le faire, sont ceux qui se plaignent plus tard d'avoir des enfants dépendants, qui ont les deux pieds dans la même bottine et qui ne peuvent progresser par eux-mêmes. Il est évident que tant et aussi longtemps qu'on porte quelqu'un sur notre dos ou sur nos épaules, il ne peut apprendre à marcher par ses propres moyens.

Si tu insistes à vouloir agir avec ton enfant comme tu l'as appris par le passé, tu rencontreras des problèmes. Ces méthodes sont désuètes; elles ne sont plus efficaces avec les enfants de l'ère du Verseau. C'est la raison pour laquelle autant d'enfants aujourd'hui sont révoltés, se réfugient dans l'alcool et la drogue pour fuir ce monde d'adulte qui leur apparaît tellement incohérent et illogique. Certains vont même jusqu'au suicide. Comme je l'ai déjà mentionné, si tu veux apprendre sur toi-même, tu as grand intérêt à observer ton enfant davantage, surtout jusqu'à l'âge de ses sept ans puisqu'il t'imite beaucoup durant cette période.

Les enfants d'aujourd'hui ont un très grand besoin d'avoir des parents cohérents et vrais parce qu'eux-mêmes sont très ouverts, conscients et vrais. Lorsque ce que tu dis n'est pas cohérent avec ce que tu fais et vice versa, l'enfant devient désorienté et troublé. Il ne peut alors te respecter. Pour Daniel Kemp[1], les enfants nouveaux sont des enfants "téflons". Le téflon est un matériel sur lequel rien ne colle. Les enfants nouveaux semblent être ingrats et égoïstes parce que les méthodes éducatives du passé ne collent pas sur eux. D'après ses recherches et sa synthèse sur l'enfant téflon, Daniel Kemp explique que le plus grand besoin des enfants nouveaux est le respect. Viennent ensuite par ordre d'importance la communication, l'affection, puis la sécurité. Chez les personnes plus traditionnelles, l'ordre de ces besoins est inversé; le premier

1 Auteur de la serie des livres sur les enfants Téflon aux Éditions $E=MC^2$.

besoin est la sécurité, ensuite l'affection et la communication, puis le respect.

Les enfants nouveaux se sentent respectés lorsqu'ils sont reconnus comme des individus à part entière, comme des êtres humains. C'est pour cette raison qu'ils disent souvent: *"Je ne suis pas un bébé."* Ils acceptent difficilement d'être traités comme des bébés. En les observant, on s'aperçoit qu'ils sont déjà très matures, même s'ils ont un petit corps d'enfant. Ils apprécient davantage les parents ou les adultes qui sont vrais, ce qui est difficile pour la plupart des parents car ils croient devoir protéger leurs enfants des problèmes de la vie courante. Les enfants sont tellement clairvoyants et tellement sensibles qu'ils savent ce qui n'est pas vrai.

Un enfant se rend compte rapidement qu'un de ses parents ne va pas bien. S'il demande à sa mère par exemple: *"Qu'est ce que tu as aujourd'hui maman?"* et que cette dernière lui répond: *"Je n'ai rien, tout va bien"*, l'enfant se dira alors: *"Elle me prend pour un idiot, je ne suis pas fou, je sais qu'elle a un problème. Pourquoi ne me dit-elle pas la vérité?"* L'enfant nouveau appréciera et respectera davantage sa mère si elle lui dit la vérité, comme: *"Oui, aujourd'hui ça ne va pas. J'ai des inquiétudes au niveau de l'argent"* ou *"J'ai des inquiétudes face à ma relation avec ton père. Cela m'appartient, ce sont mes inquiétudes: ça n'a rien à voir avec toi et mon amour pour toi. Mais que veux-tu, c'est ça la vie: parfois on est habité par des inquiétudes."*

Cela ne veut surtout pas dire de te décharger le cœur sur ton enfant, d'en faire ton confident, de vouloir qu'il t'aide à régler tes problèmes. Il suffit seulement d'être vrai avec lui lorsqu'il te pose des questions. Tu le prépares ainsi beaucoup mieux à faire face à sa vie. Quand les parents sont tendus, stressés, quand ils se retiennent et qu'ils ne veulent pas parler franchement, cette tension affecte l'enfant qui lui aussi deviendra stressé et tendu. Quand tu te donnes le droit d'être ainsi et que tu en parles ouvertement avec lui, il demeure lui-même ouvert et détendu.

Un autre avantage à avoir des enfants est qu'ils aident les parents à faire la transition entre l'ère des Poissons et l'ère du Verseau. C'est-à-dire entre l'époque où les adultes essayaient d'être normaux et de fonctionner selon les normes établies, vers l'époque où les gens doivent apprendre à vivre leur moment présent et être naturels.

Pour un enfant nouveau, manger quand il n'éprouve pas la faim ne fait aucun sens. Pour lui, évoluer selon l'orde naturel des choses, c'est manger quand son corps en a besoin. Quand un parent dit à son enfant: *"Range ton jouet. Cesse de jouer car c'est l'heure de manger"*, alors qu'il n'a pas faim, le parent ne devrait aucunement être surpris du refus total de l'enfant d'obtempérer.

C'est la même chose pour l'heure du coucher. J'imagine facilement que si tu as deux, trois ou quatre enfants à la maison, tu te dis probablement: *"Mon dieu, si chaque enfant mange à l'heure qui lui convient et se couche à l'heure de son choix, quelle sorte de famille cela va faire!"* Tu dois absolument expérimenter ce que je viens de suggérer pour que tu puisses te rendre compte par toi-même que tu t'inquiètes inutilement. Cette approche est beaucoup plus facile à mettre en pratique que tu ne le penses. Dis aux enfants: *"Je ne peux pas me permettre de simplement préparer des repas à votre convenance. Si vous n'avez pas faim à l'heure d'un repas donné, la nourriture que je vous aurai préparé sera rangée au réfrigérateur: vous n'aurez qu'à manger froid ou réchauffer le tout quand la faim se fera sentir."* La valeur nutritive de la nourriture est la même, que le repas soit frais cuisiné ou réchauffé. C'est simplement une croyance mentale qui dit qu'un repas devrait être mangé sur-le-champ.

Je me suis rendue compte que bien souvent, un enfant refuse intentionnellement de manger au moment où le parent sert le repas, simplement pour lui montrer qu'il ne veut pas se faire contrôler ou manipuler. En général, un enfant a faim à l'heure des repas s'il n'a pas trop grignoté car il est en pleine croissance. S'il sent qu'il a la liberté de manger quand il en éprouve le besoin, il mangera plus souvent à l'heure du repas.

En rapport avec le coucher des enfants, les parents doivent être vrais dans ce domaine également car la plupart disent aux enfants: *"Il est l'heure de te coucher"*, alors qu'en réalité ce qu'ils pensent c'est: *"L'heure où je désire avoir la paix et où j'ai besoin d'être seul est maintenant arrivée."* Ainsi, les parents essaient de faire accroire à l'enfant qu'ils se préoccupent de son bien-être en lui disant de se coucher tôt pour être en bonne santé. Ce n'est pas la vérité et l'enfant le ressent.

Alors pourquoi ne pas dire à l'enfant: *"Il est 20 h, j'ai ma journée dans le corps, je suis fatigué et j'ai besoin de me reposer. J'aimerais maintenant que tu te rendes dans ta chambre. Tu n'es pas obligé de dormir si tu n'as pas sommeil, tu peux jouer avec tes jouets ou tes livres et quand tu auras sommeil, tu te coucheras pour dormir. La seule chose que je te demande, c'est de ne pas faire de bruit."* Je connais plusieurs parents qui obtiennent des résultats fantastiques avec cette méthode car l'enfant ne se sent ni manipulé, ni contrôlé. Il se sent respecté. En étant vrai et cohérent, la famille entière est gagnante.

Avoir des enfants nous aide aussi à pratiquer l'affirmation de soi. Les enfants nouveaux sont tellement perspicaces qu'ils cernent rapidement les faiblesses des adultes et dès qu'ils en voient une, ils font tout pour essayer de les manipuler, pour voir jusqu'où ils peuvent aller. Plusieurs pourraient y voir de la méchanceté mais tel n'est pas le cas. Pour eux, la manipulation est liée à la créativité; ils sont en recherche continuelle de nouveaux moyens pour dépasser des limites qu'ils savent temporaires.

Ce dont ils ne sont pas toujours conscients, c'est qu'ils utilisent parfois des moyens non écologiques pour arriver à leurs fins. Sachons reconnaître leur créativité et leur sens de l'initiative tout en utilisant la loi de cause à effet pour les ajuster, c'est-à-dire les laisser expérimenter les conséquences de leur manipulation.

De plus, les parents bénéficient d'une telle interaction parce qu'ils n'ont pas à chercher leurs propres faiblesses; ils les découvrent rapidement grâce aux attitudes dérangeantes de leurs enfants. Une fois la faiblesse identifiée, je conseille au parent de faire son processus d'acceptation de soi, ce qui enlève toute force à la manipulation. L'enfant apprend par l'exemple de son parent qu'il est normal d'avoir des faiblesses. La personne surhumaine sans faiblesses n'existe pas. De plus, toute transformation d'un état débute après l'acceptation de ce même état. Grâce à cette transformation, le parent et l'enfant sortent gagnants d'une situation qui dégénère trop souvent en conflit et drame familial.

La communication avec un enfant nouveau, son deuxième besoin par ordre d'importance, est un élément très important. Comme l'ère du Verseau est une ère de communication, le fait d'avoir des enfants représente un moyen extraordinaire pour développer ta capacité de communiquer. Si tu n'as pas d'enfant, tu pourras quand même te pratiquer en prenant avantage des autres occasions placées sur ta route.

La meilleure manière de communiquer avec ton enfant est de le faire simplement, sans tout compliquer. Les enfants écoutent beaucoup les mots que les adultes utilisent. Par exemple, lorsque je téléphone à une amie et que son enfant répond, j'ai tendance à lui dire: *"Est-ce que ta mère est là?"*. Souvent, l'enfant me répond: *"Oui"* et attend au bout du fil. Après quelques secondes, j'ajoute: *"Dis-lui que j'aimerais lui parler"*, et il me répond: *"Ah, vous voulez lui parler!"* Il me fait ainsi réaliser que les mots que j'utilisent sont différents du message que je veux transmettre. Je ne peux m'empêcher de sourire devant autant de perspicacité. En disant: *"Est-ce que ta mère est là?"*, je présume que l'enfant devinera ce que je veux dire.

Autre exemple: quand tu demandes à un enfant nouveau: *"As-tu l'heure?"* il te répondra: *"Oui"*, s'il possède une montre mais n'enchaînera pas en te donnant l'heure car ce n'est pas ce que tu lui as demandé. Si tu veux connaître l'heure, tu dois lui demander *"Quelle heure est-il?"*. Voici un troisième exemple: ton enfant arrive de l'école et n'a pas l'air "dans son assiette". Si tu lui demandes: *"As-tu eu une bonne journée à l'école aujourd'hui?"*, l'enfant te répondra: *"Non"*, Tu attends la suite mais elle ne vient pas. Finalement, tu lui dis: *"Pourquoi refuses-tu de m'en parler? Aujourd'hui, je sens que tu n'as pas eu une bonne journée et j'aimerais que tu m'en parles!"* L'enfant lui répondra: *"Tu ne me l'as pas demandé!"* Ce n'est pas de l'insolence. Ils nous apprennent et nous incitent à être précis, simples et efficaces et à formuler nos demandes très clairement.

Si tu es incertain quant à la façon de t'y prendre avec ton enfant, dis-lui: *"Je t'avoue que je ne sais pas comment me comporter avec toi. Je t'ai pour enfant mais je ne suis pas sûr d'avoir la bonne attitude à ton égard car je n'ai jamais suivi de cours qui enseigne comment être un bon parent. Si tu étais le parent et moi l'enfant qui vient de faire ce que tu viens de faire, comment te comporterais-tu avec moi?"* Écoute bien sa réponse, surtout si tu n'es pas en accord avec elle. L'enfant va souvent t'aider à découvrir des moyens nouveaux auxquels tu n'aurais jamais pensé toi-même. Je te suggère fortement d'expérimenter ce que l'enfant te suggère même si cela te fait peur ou que tu hésites. Tu peux par contre lui partager qu'il est difficile pour toi d'expérimenter ce qu'il a suggéré à cause de tes craintes mais que tu en feras néanmoins l'expérience parce que tu consens à apprendre avec lui.

Il est important de reconnaître tes limites en tant que parent.

En te donnant le droit d'avoir des limites, tu seras capable de donner le droit à ton enfant d'en avoir lui aussi. Par exemple, à l'adolescence, mes enfants aimaient écouter une catégorie de musique criarde que je ne tolérais pas. Quand j'entrais dans la maison et que j'entendais cette musique, je me sentais agressée et je venais hors de moi. Écouter cette musique allait au-delà de mes limites. Je leur ai alors partagé que je n'aimais pas le type de musique qu'ils écoutaient, mais que ce n'était pas de mes affaires. D'ailleurs, ils n'aimaient pas non plus mon genre de musique. Nous avons alors pris un arrangement. Dès mon arrivée à la maison, c'était ma musique qui primait alors qu'en mon absence, ils pouvaient écouter la leur, au niveau de décibels de leur choix.

Comme j'étais une personne très occupée et que j'étais peu souvent à la maison, je n'ai eu aucun problème à prendre cet arrangement et à le faire respecter. Dès que j'entrais dans la maison, l'un d'eux s'empressait de changer le poste de la radio. Ils respectaient mon choix de musique et je respectais le leur. Je n'ai pas essayé de changer leur goût, je leur ai tout simplement exprimé mes limites puis négocié une entente avec eux.

Exiges-tu des choses de ton enfant? Es-tu de ceux qui disent: *"Cet enfant, je vais l'élever!"* Élever un enfant, c'est le forcer à se conformer de façon qu'il soit selon ce que tu considères acceptable. Les enfants d'aujourd'hui veulent être instruits et non élevés ou éduqués. Ils ont soif de connaissances et ils apprécient davantage les adultes qui prennent le temps de les instruire sur ce qui est nouveau pour eux.

En plus, ils apprennent très rapidement. Il va sans dire qu'une telle rapidité d'apprentissage cause des problèmes d'ajustement pour l'enfant par rapport aux programmes scolaires actuels et pour les professeurs ayant à composer avec un enfant qui décroche très rapidement lorsque son intérêt n'est pas soutenu. Lorsqu'il s'ennuie à l'école, il se désennuie souvent en taquinant les autres ou en partant en astral, "dans la lune".

Le système scolaire étant une institution imposante, elle ne pourra être ajustée rapidement aux besoins des enfants nouveaux mais des efforts en ce sens doivent être faits. Pour se convaincre du bien-fondé de la nécessité d'effectuer des changements, regardons ensemble le prix à payer de ne pas les faire: décrochage scolaire encore plus prononcé aujourd'hui suivi par une augmentation toute aussi marquée de la délinquance parmi ces jeunes décrocheurs. Les jeunes ont le goût du risque et de l'aventure parce qu'ils apprennent ainsi. Sauf qu'en n'ayant pas suffisamment d'expérience de la vie, ils ne font pas toujours des choix judicieux. Une expérience en amenant une autre, ils se retrouvent parfois pris dans un engrenage d'où il leur est difficile d'en sortir.

Quand un enfant devient révolté et blasé du système scolaire, on l'entend souvent dire: *"Je n'aime pas aller à l'école. Je n'y apprends rien. C'est "plate" et le professeur est ennuyant."* Le parent ne doit surtout pas lui faire la morale en lui disant que son raisonnement n'est pas acceptable. Des paroles comme: *"Pour qui te prends-tu pour t'exprimer ainsi!"*, ne servent à rien, ne menant à aucun résultat positif. Il est important de respecter son opinion.

Si tu vis ce problème, je te suggère de lui dire: *"Je suis d'accord avec toi, ça ne va pas toujours comme on le désire dans la vie. C'est vrai qu'à l'école, des matières plus intéressantes pourraient t'être offertes, mais, pour le moment, fais de ton mieux avec le système actuel. Va y chercher ce qui t'intéresse davantage alors que plus tard dans ta vie, tu prendras tes propres dispositions pour faire ce qui te plaît."* Il est préférable d'aller dans le sens des commentaires de l'enfant plutôt que de lui faire la morale ou de lui dire qu'il est dans l'erreur. Ce moyen aide à réduire la possibilité que l'enfant devienne révolté au point qu'il s'ajoute au nombre des décrocheurs scolaires déjà trop élevé!

Une autre raison intéressante d'avoir des enfants est qu'ils te permettent de constater ce qui n'a pas été réglé avec tes parents. La loi du retour existe pour tout le monde; alors si tu as souvent jugé tes parents d'être injustes, par exemple, attends-toi qu'au moins un de tes enfants te traite d'injuste à son tour. J'admets que ce commentaire n'est pas facile à prendre sur le coup mais c'est de cette façon que tu peux te rendre compte que des choses non réglées subsistent avec tes parents.

Plus tu communiqueras avec tes enfants, plus tu leur demanderas comment ils se sentent en tant que petit garçon ou petite fille, quels sont leurs espoirs et leurs rêves pour plus tard, comment ils se sentent à l'idée de devenir adultes, quels sont leurs sentiments quand ils se retrouvent seuls avec leur père ou seuls avec leur mère, plus tu y découvriras des aspects de toi-même. En "réglant" certaines émotions refoulées en toi face à tes parents, tu régleras également ces mêmes émotions avec tes enfants.

Le pouvoir libérateur du pardon est merveilleusement puissant; il n'est cependant vérifiable qu'une fois le pardon fait en toi.

Selon moi, c'est davantage pour cette dernière raison que l'on devrait avoir des enfants. J'ai pu me rendre compte à maintes reprises à quel point le lien enfant-parent reflète ce qui n'est pas encore réglé en soi. Quand un enfant règle quelque chose avec un de ses parents, ceci crée un contexte dans lequel il est plus facile pour ce parent de régler la même situation avec ses propres parents. L'inverse s'avère tout aussi vrai. Voilà la grande puissance du pardon. Un premier pardon peut en engendrer plusieurs autres dans la même cellule familiale. Là ou régnait le ressentiment règnent dorénavant chaleur humaine et partage.

Les parents trop occupés à tout organiser pour le bonheur de leurs enfants oublient malheureusement la raison première d'avoir un enfant, à savoir de se conscientiser à travers eux. Si tu fais partie de cette catégorie de parents, réalise que lorsque tu t'occupes des affaires des autres, tu négliges tes propres affaires. Cette attitude engendre quantité de révolte chez les enfants.

Sans être sévère et moralisateur, tu peux établir une certaine discipline. Il est important d'enseigner à ton enfant que la loi de cause à effet existe pour tout le monde et quoiqu'il décide de faire et de dire dans sa vie, il aura à en supporter les conséquences. Il s'agit de l'aider à réaliser ce que peuvent être ces conséquences et de l'interroger à savoir s'il est prêt à en payer le prix. Au lieu de le gifler ou de lui infliger des punitions trop sévères, il est préférable d'aider ton enfant à prendre conscience des conséquences de ses actes.

Par exemple, si ton enfant laisse tout traîner dans la maison et qu'il manque de respect envers les autres membres de la famille en agissant de la sorte, il ne te sert à rien de lui faire la morale et de lui répéter inlassablement de ne pas tout laisser traîner. Tu sais sûrement que cette méthode ne débouche sur aucun résultat. Comme conséquence à sa décision, je suggère aux parents de trouver quelque chose qui lui fera vivre et ressentir la manière dont les autres se sentent quand lui-même laisse tout traîner.

Voici comment un parent a procédé, après maints avertissements sans résultats: il prit ses propres sous-vêtements sales et certains biens dont il n'avait plus besoin et les "laissa traîner" dans la chambre de son enfant. L'enfant, ouvertement mécontent, s'adressa à lui en lui disant: *"Comment oses-tu laisser traîner tes affaires dans ma chambre?"* Le parent improvisa un petit air surpris et lui dit: *"Ça te dérange véritablement quand je laisse traîner mes affaires dans ton espace? Je ne l'aurais jamais cru."* Le problème fut réglé; l'enfant venait de comprendre. Pas de morale, pas de long discours; que d'énergies épargnées! C'est une méthode très efficace pour que ton enfant devienne conscient des conséquences tributaires de ses actes. Il devrait par contre conserver la possibilité de tout laisser traîner dans sa chambre car cet endroit constitue son espace à lui seul.

La majeure partie des parents dits "traditionnels" éprouvent des difficultés avec cette méthode. Ils prétendent que ça ne se fait pas. Sur quoi se base-t-on pour affirmer qu'une chose ne se fait pas? On se réfère normalement à des éléments du passé, donc qui proviennent des mémoires de l'intellect. On recherche à se comporter de façon "normale", donc selon les normes établies par le passé. Les enfants d'aujourd'hui ne veulent pas des parents dits "normaux": ils recherchent des parents intelligents, naturels, qui vivent leur moment présent. S'ouvrir pour expérimenter de nouvelles méthodes est plus avantageux que de rester ancré dans les anciennes. Préfères-tu créer du nouveau ou copier l'ancien?

Par exemple, concernant la fameuse "paie" ou l'argent de poche qu'un parent donne à son enfant à partir d'un certain âge. Un enfant qui atteint l'âge de la pré-adolescence ne devrait pas recevoir un montant fixe d'argent chaque semaine sans en connaître la raison. La paie de l'enfant devrait être conséquente à ses agissements durant la semaine, tout comme les parents sont rémunérés lorsqu'ils travaillent. Le plus important travail de l'enfant étant ses études, en tant que parent, je te suggère donc de lui dire: *"À chaque semaine, je te paie selon tes résultats scolaires, selon ton implication dans tes études."* Ton enfant ne devrait pas recevoir de l'argent parce qu'il voit à la propreté de la maison ou parce qu'il "sort les vidanges". Il est important de lui faire réaliser que si quatre personnes salissent une maison, ces mêmes quatre personnes doivent la nettoyer. Fais-lui remarquer que lorsque tu laves la vaisselle et les vêtements de chacun, personne ne te paie pour ces tâches. Comme chacun doit faire sa part, je te suggère de réunir chaque semaine tous les membres de la famille afin de décider ensemble de l'attribution des tâches à chacun.

Ton enfant sera donc payé pour ses études, c'est-à-dire son travail à temps plein, sauf si tu lui demandes d'accomplir certaines tâches pour lesquelles tu paierais normalement quelqu'un d'autre pour le faire, comme effectuer une réparation quelconque, tondre le gazon, garder les enfants, etc. Ton enfant mérite d'être payé autant qu'une autre personne. C'est également une belle occasion de lui enseigner le mérite d'une tâche bien accomplie et la satisfaction personnelle de se sentir valorisé par un adulte qui lui fait confiance.

L'évolution de ton enfant doit être suivie de proche. Pendant les sept premières années de sa vie terrestre, l'âme s'adapte graduellement à son nouveau contexte par l'intermédiaire des expériences qu'elle vit dans ce nouveau corps. Jusqu'à sept ans, l'enfant est plutôt égocentrique. Il ne pense qu'à lui-même, il veut tout attirer à lui, il recherche l'attention de tous. Il a besoin de découvrir la vie à travers ce qu'il découvre sur lui-même:

les formes et les sensations de son corps, la sensation de la nourriture et de tout ce qui vit et respire.

De sept à quatorze ans, il devient davantage conscient des autres. Il commence donc à poser des gestes pour les autres mais en autant que ça lui rapporte en retour. De quatorze à vingt-et-un ans, autrui passe avant lui. Il commence à “faire des pirouettes” pour être aimé car l’amour des autres devient très important. À partir de vingt-et-un ans, donc à l’âge adulte, un être en harmonie développe de plus en plus l’envie de vouloir donner et de vouloir aimer. C’est l’évolution normale de l’être qui a eu une enfance naturelle, harmonieuse, avec des parents qui le respectaient et qui acceptaient ses différences.

Dans le cas contraire, l’être demeurera un enfant toute sa vie, à moins de travailler sur lui-même. Certains ont trente ou quarante ans et demeurent égocentriques. Étant plus jeunes, ils ont décidé de se laisser dominer par leurs parents, pour être aimés et acceptés d’eux. Ils sont ainsi devenus des êtres dépendants, cherchant sans cesse à être aimés et vivant nombre d’émotions causées par leurs nombreuses attentes.

L’enfant qui a été laissé davantage libre et autonome, malgré le fait que cela causait parfois certains conflits d’opinions, devient un adulte qui s’aime et qui n’a besoin que de lui-même pour être heureux. Ce que les autres lui apportent comme joie et tendresse ne font qu’ajouter au bonheur déjà présent en lui. Les autres n’étant pas la source de son bien-être, les attentes disparaissent. Quelle belle autonomie.

Pour terminer ce chapitre, je te suggère de prendre le temps cette semaine de communiquer avec trois enfants différents. Si tu n’as pas d’enfants, tu peux communiquer avec les enfants de quelqu’un d’autre.

Prends le temps de parler au moins une heure avec un enfant âgé de sept ans ou moins. Communiquer, c'est lui parler, l'écouter, lui poser des questions sur la façon dont il se sent, la manière dont il voit la vie.

Par la suite, parle de la même façon avec un enfant qui est âgé entre sept et quatorze ans. Observe tout ce que tu découvres en communiquant véritablement ainsi. Si l'enfant te pose des questions, dis-lui la vérité; sois vrai et cohérent.

Finalement, communique de la même façon avec un adolescent ou un jeune adulte âgé entre quatorze et vingt-et-un ans. Ces expériences te réservent d'agréables surprises. Ouvre-toi et ose le faire!

2ième PARTIE:

FAIRE

CHAPITRE 7
SE COMPARER

La grande majorité des gens éprouvent beaucoup de difficulté à ne pas se comparer à d'autres personnes ou à ne pas comparer d'autres personnes entre elles. Pourquoi? Parce que ces gens manquent beaucoup d'estime face à eux-mêmes. S'estimer, c'est reconnaître sa propre valeur. Quand tu ne reconnais pas ta valeur, il te devient difficile d'agir selon ce que tu es et ce que tu veux. Tu es facilement porté à te comparer.

Il existe différentes façons de se comparer. Tu peux te comparer favorablement aux autres ou défavorablement. Tu peux te comparer à toi-même ou être constamment sur un pied d'alerte parce que tu te sens comparé par les autres. La comparaison est habituellement accompagnée d'un jugement. Te comparer de la sorte t'empêche d'être vraiment toi-même, d'être naturel.

Une personne qui compare son corps à celui des autres, est souvent portée à poser des gestes pour que son corps soit plus beau que celui des autres. En général, quand une personne se compare en "mieux", elle se compare aussi en "moins". Par exemple, quand tu n'acceptes pas ton corps, lorsque tu regardes quelqu'un qui, selon toi, a un corps moins beau que le tien, tu peux être porté à dire: *"Regarde-lui donc le corps, il est bien trop gros (ou mal proportionné)."* Tu agis ainsi seulement pour t'aider à te sentir mieux parce que tu ne t'acceptes pas. Tu es aussi porté à comparer ton corps avec ceux qui, toujours selon toi, ont un plus beau corps que le tien et à te dévaloriser. Pendant tout ce temps, tu n'apprends pas à t'accepter!

La comparaison ne se fait pas seulement au niveau du corps physique, mais aussi au niveau des actions. Par exemple, une personne qui travaille beaucoup, peut dire, en regardant les autres travaillant avec elle: *"Mon Dieu, je travaille beaucoup plus qu'un tel ou mieux qu'une telle et c'est injuste que cette personne gagne un salaire égal ou supérieur au mien."*

Le contraire peut aussi être vrai: tu peux penser que tu n'en fais pas assez comparativement à une personne qui travaille plus que toi. Si tu te sens ainsi coupable, tu es injuste envers toi-même parce que tu te compares à une personne qui a une capacité de travail plus grande que la tienne. Encore là, cet état d'esprit ne t'est pas bénéfique puisque cela affecte ton bonheur, ton acceptation intérieure.

Les gens se comparent dans tous les domaines. Un parent peut se comparer aux autres parents dans sa façon d'éduquer ses enfants. Une autre personne peut se comparer dans sa façon de gérer son argent: elle se considère trop dépensière et se culpabilise, ou bien elle considère les autres trop dépensiers comparativement à elle, ce qui la porte à critiquer.

D'autres se comparent à leur conjoint et affirment: *"Il est beaucoup mieux que moi, je devrais en faire plus, je me sens coupable de le voir travailler davantage que moi."* Il existe aussi des personnes qui n'acceptent pas le fait de ne pas avoir obtenu un diplôme quelconque. Elles ont souvent tendance à se comparer en disant: *"Cette personne a plus de diplômes que moi; voilà pourquoi elle réussit!"*

Les gens se comparent aussi abondamment en rapport avec leur vitesse d'action, de compréhension, etc. Une personne dite "rapide" se compare souvent aux autres en affirmant: *"Je suis bien plus rapide que lui."* Par le fait même, elle éprouve des difficultés à accepter qu'une autre personne soit lente car elle se considère meilleure. Une personne lente, pour sa part, a tendance à se comparer à des personnes qui sont rapides et elle parvient ainsi à se culpabiliser et à se dévaloriser. Voilà pourquoi se comparer n'est jamais bénéfique. Les gens qui se croient meilleurs que d'autres deviennent de grands critiqueurs et manquent de tolérance. D'autre part, ceux qui se sentent inférieurs se culpabilisent beaucoup: plus ils essaient de se changer, moins ils changent et plus ils se rejettent.

> ***Une personne qui se compare beaucoup est très souvent décentrée; elle n'est pas branchée à son DIEU intérieur.***

Sur quoi nous basons-nous pour comparer? Sur notre passé, sur ce que nous avons appris, sur notre mémoire qui vient de notre mental. Quand le mental devient notre maître et que nous oublions notre **DIEU** intérieur, nous sommes décentrés. Nous devons nous souvenir que le mental doit être au service de notre **DIEU** intérieur et non le remplacer. Une personne centrée est une personne qui est en contact avec sa valeur personnelle. Quand elle observe quelqu'un d'autre qui en fait moins ou davantage qu'elle, elle se base aussi sur ce qu'elle a déjà vu et appris. Mais ceci n'est qu'une observation et non pas une comparaison, un jugement ou une critique qui la fait se sentir moins bien ou mieux par rapport aux autres. Cette personne centrée ne vit pas d'émotions. Il est donc avantageux et sage d'observer plutôt que de comparer.

Pourquoi avons-nous tendance à comparer? Parce que dans notre enfance, nos parents agissaient ainsi. Nous avons entendu nos parents se comparer à d'autres personnes, nous comparer à notre frère, à notre sœur ou à nos cousins, en affirmant qu'un tel était meilleur ou que nous étions meilleurs qu'un tel. C'est ainsi que nous avons appris à comparer. Étant donné que ce que nous avons appris semble dominer notre vie, nous conservons cette même mauvaise habitude de comparaison au cours de notre vie d'adulte. Il s'avère très important et urgent de réaliser que tant que nous utilisons la comparaison, la non-acceptation ne fait que s'amplifier.

Pour devenir conscient à quel point tu te compares aux autres, observe de quelle manière tu compares les autres personnes entre elles. T'arrive-t-il souvent de comparer deux personnes, comme par exemple ton enfant avec celui de ta sœur ou encore deux compagnons de travail? Si tu le fais avec les autres, c'est signe que tu le fais aussi avec toi-même.

En plus de se comparer aux autres, plusieurs personnes vont même jusqu'à se comparer à elles-mêmes, en affirmant par exemple: *"Je ne comprend pas, j'étais beaucoup mieux organisé par le passé que je ne le suis maintenant. Auparavant, j'avais beaucoup plus d'énergie. Pourquoi ai-je autant de difficulté aujourd'hui à être comme avant?"* En se comparant, elles restent prises dans leur mémoire, dans leur passé. Elles ne vivent pas leur moment présent.

Un autre moyen pour savoir si tu te compares, tu peux observer les mots que tu utilises. Des mots comme "plus", "moins", "trop" et "pas assez" sont souvent des signes de comparaison. Les gens qui commencent leurs phrases par: *"Moi je.."* sont souvent en train de se comparer à ce qui vient de se produire ou d'être dit. Certains parlent des autres en disant qu'ils sont chanceux ou malchanceux. Ils comparent ainsi leur chance ou leur malchance. Les mots "pareil" et "comme" dénotent aussi une comparaison. Par exemple, la mère qui dit à son enfant qu'il est pareil comme son père démontre qu'elle est en train de le comparer.

Plus tu te compares, plus tu seras comparé par les autres et surtout, plus tu te sentiras comparé: davantage comparé que tu ne l'es véritablement. Pourquoi? Parce que c'est ce que tu vis en toi. Tu as tellement pris l'habitude de comparer que tu crois que tous font la même chose. Comment te sens-tu lorsque quelqu'un te compare défavorablement? T'est-il arrivé, durant ton enfance ou ton adolescence, de faire quelque chose qu'un de tes parents ne jugeait pas acceptable et de te faire dire: *"Tu es pareil comme ton père (ou ta mère)!"*, en insinuant que d'être comme cette personne constituait un défaut? As-tu aimé être comparé ainsi?

Si la comparaison était favorable, peut-être t'en trouvais-tu flatté temporairement mais, au fond, en prenant le temps de bien sentir, on réalise que personne n'est bien là-dedans. Si quelqu'un te dit: *"Tu es beaucoup mieux qu'un autre dans ce que tu fais"*, ton orgueil est flatté, alors que dans ton cœur, tu ne te sens pas bien parce que tu sais que c'est un manque de charité envers l'autre, un manque d'amour.

Tout ce que t'apporte la comparaison est une diminution du niveau d'acceptation de ce que tu es.

Plus tu te compares, plus tu développes de l'orgueil car c'est toujours l'ego qui se compare. L'ego est l'ensemble de toutes les différentes personnalités, aspects de toi et comportements appris dans le passé.

On peut qualifier d'orgueilleuse la personne qui se compare parce que, lorsqu'elle se compare en mieux, elle se croit meilleure que l'autre, donc elle abaisse l'autre. Quand elle se compare en moins, c'est de la fausse humilité parce qu'elle voudrait ainsi se faire dire par l'autre qu'elle est meilleure qu'elle ne le pense. La personne au comportement orgueilleux veut toujours se faire valoriser. Celle qui a beaucoup d'estime pour elle-même n'a pas besoin d'entendre des paroles qui la revalorisent parce qu'elle connaît déjà sa propre valeur.

Ce qui nous pousse autant à nous comparer, c'est, de tout évidence, la recherche de la perfection, laquelle est très intense chez l'humain. Ne nous trouvant pas suffisamment parfaits, nous nous comparons de sorte qu'ainsi nous nous pensons davantage parfaits. Cette attitude est déconseillée car pour continuer de croire en notre perfection, nous devons toujours recommencer à nous comparer.

Au plus profond de nous-mêmes, nous savons que notre être est parfait. Une personne centrée, qui est consciente d'être **DIEU**, sait que la perfection existe seulement au niveau de **DIEU**, au niveau du spirituel. Mais comme la plupart des gens ont oublié **DIEU**, ils cherchent cette perfection dans le monde matériel, c'est-à-dire dans ce qu'ils font, dans leur apparence, dans leurs connaissances, dans leurs possessions, mais tôt ou tard, ils devront se rendre à l'évidence qu'elle est impossible à atteindre a cause des limites matérielles. Selon le dictionnaire, il y a perfection lorsque quelque chose est aussi réussi que possible. Cette réussite dépend toujours des limites de tous et chacun.

> ***Celui qui recherche la perfection dans le monde matériel est rarement heureux et satisfait parce qu'elle n'existe pas à ce niveau.***

On croit souvent que le dernier record établi par les athlètes aux Jeux Olympiques est le summum de la perfection. Puis, quelques années plus tard, quelqu'un le dépasse. Les gens se dépassent sans arrêt parce qu'au fur et à mesure qu'ils retournent vers **DIEU**, vers leur essence divine, ils convergent davantage vers l'illimité. Plus ils sont conscients de leur essence divine, d'être illimités, plus ils peuvent dépasser leurs limites dans le monde matériel.

Il est dit que ce que l'humanité a réussi à atteindre jusqu'ici est une toute petite fraction des grandes possibilités de l'être humain. Les livres qui parlent des grands maîtres nous parlent des personnes ayant une maîtrise totale sur la matière. Elles peuvent marcher sur l'eau, traverser une forêt en feu ou transformer l'énergie instantanément en nourriture, en breuvage ou en argent. Ces personnes sont beaucoup plus près de **DIEU**, ayant dépassé les limitations du monde matériel. Elles manifestent le grand pouvoir créateur de leur **DIEU** intérieur.

Nous devons nous donner du temps pour arriver à ces manifestations. Quand Jésus est venu nous montrer les grandes possibilités de l'humain, il nous a dit: *"Tout ce que je fais, vous pouvez le faire et encore plus."* Voilà pourquoi nous ne pouvons jamais dire que ce que nous venons de faire est le summum de la perfection, d'où l'habitude de nous comparer aux autres. Nous pensons intérieurement: *"Comment se fait-il qu'une autre personne peut faire quelque chose que je ne suis pas capable de faire?"* Au plus profond de nous, nous savons qu'en devenant conscients de notre grand pouvoir créateur, nous dépasserons sans cesse nos limites.

Pour y arriver, tu dois d'abord commencer par respecter le fait d'avoir des limites. Ensuite, vas-y graduellement lorsque tu cherches à les dépasser. Il est important de te souvenir que nous sommes tous limités sur le plan physique, émotionnel et mental. Aller trop vite serait comme la personne qui, étant capable de soulever une certaine charge, décide le lendemain de lever un poids quatre fois plus lourd. Elle risque fort de se faire très mal physiquement, son corps physique n'étant pas préparé à une telle surcharge. C'est la même chose sur les plans émotionnel et mental. Les personnes qui vivent des situations dépassant leurs limites peuvent très bien craquer émotionnellement ou mentalement et perdre le contrôle complètement.

Cette recherche de la perfection, très courante dans notre monde matériel, a pour effet d'aggraver les peurs. Une personne qui cherche toujours à être parfaite dans ce qu'elle fait, dans ce qu'elle dit, dans ce qu'elle vit, entretient plusieurs peurs, comme la peur de ne pas être à la hauteur, de ne pas être aimée, de ne pas être acceptée, d'être critiquée, d'avoir l'air stupide, d'être incapable, etc. Cette personne a décidé, étant très jeune, que lorsqu'elle serait parfaite, les gens l'aimeraient davantage. Ses peurs motivent donc sa recherche de perfection, et tout ce qui est motivé par la peur n'est jamais bénéfique pour personne.

On peut reconnaître la personne qui recherche la perfection dans le monde matériel, surtout dans le monde physique, aux comportements suivants:

- Elle a beaucoup de difficulté à être flexible.
- Elle est très exigeante envers elle-même.
- Le “il faut” domine sa vie.
- Elle a de la difficulté à déléguer parce qu'elle craint d'être accusée de ne pas être parfaite si elle délègue des tâches et qu'elles ne sont pas bien faites.
- Elle a la critique facile envers les autres et elle-même.
- Elle n'accepte pas de se faire critiquer par les autres.
- Elle a très peur de l'échec.
- Il est difficile pour elle d'accepter de ne pas réussir quelque chose.
- Si elle pense le moindrement ne pas pouvoir réussir, elle arrête souvent son projet avant d'arriver à la fin. Elle préfère se trouver une bonne raison pour changer d'idée dans ce projet plutôt que de le considérer comme un échec. Elle préfère se faire accroire que quelque chose d'autre est plus important.
- Plus elle a peur de l'échec et plus elle éprouve des difficultés à prendre de nouveaux risques. Elle préfère se baser sur ce qu'elle a appris pour se sentir plus sûre d'elle.
- Elle se sent plus à l'aise d'aller vers des situations qu'elle connaît bien, donc qu'elle peut mieux contrôler, plutôt qu'essayer de nouvelles expériences.
- Elle s'en exige toujours de plus en plus et, pour arriver à se faire un compliment, elle doit être extraordinaire.
- Elle recherche la gratitude et les compliments des autres étant donné qu'il est difficile pour elle de se faire des compliments.
- À moins d'être particulièrement fière de sa performance, elle éprouve des difficultés à recevoir un compliment parce

qu'elle ne croit pas au plus profond d'elle-même mériter ce compliment.
- Elle est plutôt portée à croire que les autres sont polis.
- Elle se coupe de son senti parce qu'il lui serait très difficile d'avouer ses malaises et ses problèmes.
- Elle tient à l'image de perfection qu'elle projette.
- Elle a très peur de se faire rejeter dans ce qu'elle fait ou ne fait pas.
- Elle est très souvent portée à regarder tout ce que les autres font et à se comparer sans cesse à eux.

Si tu te reconnais dans ces comportements, tu es sûrement un perpétuel insatisfait. Afin de devenir conscient de ton degré de recherche de perfection dans le monde physique, je te suggère de demander aux personnes qui te connaissent bien, si elles te reconnaissent dans ces comportements.

Ce qui est malheureux dans tout cela, c'est que la personne qui recherche la perfection dans le monde physique accentue son comportement orgueilleux parce qu'elle essaie d'avoir raison en tout, croyant que, quand elle a raison, elle est aimée davantage. Comme elle refoule énormément ses émotions, celles-ci finissent par créer des blocages dans son corps physique, ce qui provoque des malaises ou des maladies. De plus, il est plus que probable qu'elle perde éventuellement le contrôle sur ses émotions, et qu'elle ait des crises de larmes soudaines.

Elle peut avoir aussi des problèmes avec certaines parties flexibles de son corps, les articulations: les chevilles, les genoux, les hanches, les poignets, les coudes, les épaules et le cou. Les problèmes cardiaques sont fréquents parce qu'elle exige beaucoup trop d'elle-même. Elle est aussi une bonne candidate au "burnout" et à la dépression.

Une personne qui se compare beaucoup ressent souvent de l'envie et de la jalousie. Il est bien important de reconnaître que personne sur la planète Terre ne peut avoir tout ce qu'ont les autres, faire ce que font les autres ou être identique aux autres. Chacun agit selon ses capacités, ses possibilités et ses limites. Au lieu d'envier une autre personne, il est tellement plus agréable d'être heureux pour elle. Si tu envies quelqu'un pour quelque chose qu'il possède, et si tu crois que tu en as absolument besoin pour ton bonheur, va le voir et demande-lui conseil sur la façon de te le procurer.

On envie souvent d'autres personnes pour réaliser, après avoir vérifié auprès d'elles, qu'elles ne sont pas aussi heureuses qu'on le croyait. Alors, demande-toi si cette chose te rendra vraiment plus heureux, si elle t'aidera à apprendre à aimer davantage dans ta vie. Les apparences sont souvent trompeuses. On envie les autres alors que les autres nous envient pour d'autres raisons! Les comparaisons sont basées sur les apparences mais lorsqu'on vérifie ce qui se passe derrière les apparences, on reste souvent bien surpris.

Si tu t'es reconnu comme étant perfectionniste dans le "faire" ou le "avoir", il est très important de te donner le droit d'être tel que tu es présentement. Ensuite, accepte le fait que tu ne peux pas être parfait dans le monde matériel et que tout un chacun fait au meilleur de sa connaissance, au moment où cela arrive. Nous sommes tous ici pour vivre des expériences, pour nous observer à travers elles et non pas pour porter des jugements ou comparer nos expériences avec celles des autres. Tu as ton propre plan de vie et chacune des expériences que tu vis a sa raison d'être, tout comme il existe une raison bien particulière aux expériences que vivent les autres. Se comparer n'apporte jamais rien de bon.

Pour régler cette situation, tu peux, en te couchant le soir, faire une rétrospective de ce qui s'est passé dans ta journée en te posant la question: *"Est-ce que j'ai fait mon possible aujourd'hui?"* Si tu n'es pas satisfait de quelque chose, tu peux te dire que tu aurais pu faire mieux mais avant demande-toi: *"Au moment où je l'ai fait, est-ce que je l'ai fait au meilleur de ma connaissance?"* Quand nous repensons à une situation après qu'elle ait eu lieu, il est facile de constater que certaines choses auraient pu être faites autrement mais c'est ainsi que nous apprenons.

C'est grâce à nos expériences que l'on peut se dire: *"Ah! C'est bien. Je viens d'apprendre qu'il existe une autre façon plus efficace de faire telle chose."* Il suffit d'apprendre à travers ce que tu fais plutôt que de ne pas accepter ce que tu as fait. L'erreur est humaine.

Il n'existe pas d'autres façons d'apprendre dans le plan physique qu'en vivant des expériences et en apprenant de tes erreurs.

C'est ainsi que tu avances dans la vie, plutôt que de rester coincé dans une situation parce que tu te critiques. Comme tu es ici sur cette Terre seulement pour apprendre et pour t'accepter inconditionnellement, si tu refuses d'accepter quelque chose, tu auras à le revivre plus tard pour apprendre à l'accepter. Les blocages, à tous les niveaux dans ta vie, sont causés par la non-acceptation. Au lieu de te comparer, tu peux simplement constater qu'une certaine chose s'avère être de telle façon, de sorte qu'il te sera beaucoup plus facile de te donner le droit d'être tel que tu es dans le moment.

Pour terminer ce chapitre, je te suggère de relever et d'écrire trois comparaisons au niveau du "avoir", soit en mieux, soit en moins. À titre d'exemples: tes enfants, ton conjoint, ta maison, ton auto, ton argent, etc.

Par la suite, identifie trois comparaisons au niveau du "faire", comme par exemple écrire, travailler, cuisiner, dessiner, te coiffer, entretenir la maison, manger, etc. Puis relèves-en trois dans ta manière d'"être", comme par exemple être organisé, patient, vrai, beau, etc.

Finalement, prends le temps de faire une rétrospective de tout ce que tu viens de noter en réalisant tes limites, tes capacités et tes possibilités. Reconnais que tu fais au meilleur de ta connaissance, comme tous et chacun.

CHAPITRE 8
FAIRE LA VICTIME

Une personne qui semble être victime des circonstances de la vie ne l'est pas en réalité. Elle fait la victime parce qu'elle n'est pas du tout en contact avec son grand pouvoir de créer sa vie elle-même et avec les lois de l'amour qui disent que l'être humain est complet par lui-même. La "victime" se sent impuissante parce qu'elle n'est pas dans son pouvoir.

Un incident survenu quand elle était plus jeune, où prévalait un fort sentiment d'injustice, constitue ce qui semble déclencher le comportement de victime chez une personne. Elle s'est alors dit: *"Comment se fait-il que cela m'arrive? Pauvre moi, ce n'est pas juste."* Elle a décidé de croire mentalement qu'elle est née dans un environnement qui a le dessus sur elle, qu'elle est tout à fait impuissante face aux situations, qu'elle est à la merci de son entourage et que les autres ont le contrôle et le pouvoir sur elle. Il se présente donc de plus en plus de situations dans sa vie où elle est victime de quelqu'un ou de quelque chose.

L'ego, une manifestation du mental humain, veut toujours avoir raison et ne peut reproduire que ce qu'il connaît. C'est pour cette raison que notre ego est très flatté lorsque les choses auxquelles il croit se répètent. C'est notre ego qui nous fait dire: *"Je savais que ça se passerait ainsi."* L'ego prend ainsi de plus en plus d'ampleur chez la personne qui nourrit une attitude de victime parce qu'elle lui donne toujours raison.

Selon le dictionnaire, une victime est une personne qui subit les injustices de quelqu'un ou qui souffre de choses injustes. Pour commencer, il est important de reconnaître que dans le monde spirituel, la justice est omniprésente. On retrouve des injustices seulement dans le monde matériel, au plan physique, émotionnel et mental. Le sentiment d'injustice provient d'un jugement porté par notre mental et n'a rien à voir avec la réalité de l'être. Le jugement est lié à notre façon de percevoir une situation donnée.

***La réalité est que tu ne peux subir aucune injustice parce que ton* DIEU *intérieur sait exactement quelles sont les expériences dont tu as besoin pour apprendre les leçons qui te permettront de retourner à* DIEU.**

Chaque expérience que tu vis fait partie d'un plan divin dont le déroulement est une succession logique d'événements tenant compte de tes décisions prises antérieurement. Rien ne peut t'arriver sans qu'une cause ait été mise en mouvement auparavant. C'est ce qu'on appelle la grande loi de cause à effet. Qu'on y croit ou non, cette loi existe et affecte tout ce qui vit au sein de notre univers. Tout ce qui émane de nous nous revient.

Comme nous sommes encore trop peu conscients, il nous faut souvent vivre l'effet d'une cause pour devenir conscients de la cause. Il n'est pas dit qu'une personne est coupable de tout ce qui lui arrive, mais plutôt que tout ce qui lui arrive fait partie d'un plan divin et qu'elle est totalement responsable de sa façon de réagir face à ce qui lui arrive.

Quand se produit un incident qui te semble injuste, tu as le choix à ce moment-là de te dire: *"Ce qui m'arrive, arrive aussi à d'autres personnes. Ce n'est qu'un incident dans ma vie et ce n'est pas la fin du monde."* Plusieurs craignent de voir cet incident se répéter tout au long de leur vie et que la vie n'est faite que d'incidents malheureux. Les plus sages décideront de croire l'inverse. Il est important de te souvenir que c'est toujours ton mental qui décide qu'un incident constitue une injustice. Il se base sur ce qu'il a appris dans le passé et oublie de vérifier tous les éléments de la réalité présente.

J'ai travaillé avec nombre de personnes dites "victimes" et j'ai constaté que généralement, l'un des parents, et même souvent les deux, avaient ce même comportement. Comme on apprend par l'exemple de nos parents, si ceux-ci sont portés à faire la victime, on doit redoubler d'efforts pour ne pas adopter ce même schème de pensée et l'attitude correspondante. En général, même si une victime a l'impression de se faire avoir et même si elle souffre de cette situation, elle persiste dans ce comportement parce qu'elle s'est rendue compte qu'elle parvenait à attirer l'attention par ses déboires parce que son entourage la prend en pitié.

De plus, elle est souvent malade. Étant jeune, elle a été malade et même si elle considérait la maladie comme étant injuste, celle-ci lui avait tout de même permis de recevoir l'attention dont elle avait besoin. La victime croit donc que la vie est injuste et qu'elle n'est qu'une série de malheurs bien que ça prenne cela pour avoir de l'attention. La raison pour laquelle il est si difficile pour une personne qui fait la victime de s'en sortir est qu'elle a une peur bleue de ne plus obtenir d'attention si ses malheurs disparaissaient de sa vie.

Je rencontre régulièrement des personnes qui ont une énergie de victime et quand je prends le temps d'écouter leur histoire, les drames se succèdent les uns après les autres. Ça n'en finit plus: elles ont eu des accidents, elles se sont fait violer, voler, agresser de différentes façons. Pour certaines personnes, il leur en est tellement arrivé qu'il m'arrive de douter de la véracité de tout ce qu'elles racontent, compte tenu qu'il est difficile de croire que tout cela puisse arriver à une même personne.

En s'observant bien, on peut tous retrouver en soi une partie qui fait la victime. Personne ne peut affirmer ne jamais avoir éprouvé un sentiment d'injustice étant plus jeune. Par contre, le degré de gravité de l'état de victime est différent pour chacun. Il existe ce qu'on appelle des "petites" victimes, des "moyennes" victimes et des victimes "chroniques". Une fois ce comportement acquis, il semble très difficile pour une personne de s'en rendre compte. C'est une des constatations qui m'a le plus surprise dans mon cheminement au niveau du développement personnel.

Pour savoir si tu as un comportement de victime, vérifie si tu te reconnais dans la description suivante. La personne qui fait la victime est celle qui se plaint sans cesse dans le domaine où elle est victime mais qui, malheureusement, ne semble pas être consciente qu'elle se plaint. Pourquoi? Parce qu'elle a deux personnalités en elle qui s'opposent. Une qui dit: *"Pauvre moi, ce n'est pas juste ce qui m'arrive"*, et l'autre qui dit: *"Je suis capable et je vais sauver tout le monde."*

Elle n'utilise pas son pouvoir intérieur pour se sauver elle-même; elle semble ne vouloir l'utiliser que pour sauver les autres. Elle plonge dans le rôle du sauveteur et passe à côté de son côté victime. De plus, la victime ne veut pas être sauvée parce que ceci bloquerait la source de l'attention dont elle a besoin.

La victime est toujours dans une énergie de "pauvre moi". Étant donné qu'être pauvre, c'est manquer de quelque chose, le domaine où tu as l'impression de manquer de quelque chose t'indique le domaine où tu fais la victime. Manques-tu d'argent, d'affection, de compliments, d'attention, de santé, de reconnaissance ou de temps? Ce dernier semble être très courant chez plusieurs personnes. Moi en particulier! Quand j'en suis devenue consciente, je me suis aperçue qu'aussi loin que je puisse me souvenir, je faisais la victime dans ce domaine. Toute petite, je me plaignais déjà de manquer de temps.

Ce qui est malheureux, c'est que plus on se plaint de manquer de quelque chose, plus on en manque. C'est tout à fait logique quand on réalise qu'il nous arrive toujours dans notre monde physique les choses auxquelles on croit. Pas une journée ou une semaine ne passait sans que je dise: *"Ah non, pas la journée (ou la semaine) déjà finie. Je n'ai même pas eu le temps de faire ceci ou cela."* J'avais toujours l'impression de manquer de temps.

Tu peux aussi reconnaître le domaine dans lequel tu fais la victime en écoutant les commentaires des autres à ton sujet. Par exemple: *"Pauvre elle, il lui manque de ceci ou de cela."* À mon sujet, les gens disaient: *"Pauvre Lise, mon Dieu qu'elle en a beaucoup à faire! Comment va-t-elle trouver le temps de tout faire?"* Les amis de celui qui se plaint de manquer d'argent vont penser ainsi de lui: *"Pauvre René, je ne sais pas s'il arrivera un jour à joindre les deux bouts!"*

Quand on constate qu'une personne fait la victime dans un domaine, le mot "pauvre" précède immanquablement son prénom. En général, on adopte ce comportement inconsciemment et cela n'est pas du tout bénéfique pour cette personne.

Imagine par exemple une personne toujours malade qui a un cercle de connaissances composé d'une trentaine de personnes. Appelons-la Louise. Si à chaque fois qu'une de ces connaissances, pensant à elle, se dit: *"Pauvre Louise, ce n'est pas drôle. Elle est toujours malade. Je me demande ce qu'elle a bien pu faire pour toujours être malade comme ça. Je ne sais pas si elle va s'en sortir un jour"*, imagine toute l'énergie de manque dirigée de la sorte vers Louise. En plus de se conditionner elle-même à manquer de quelque chose, trente personnes autour d'elle lui projettent la même forme-pensée, contribuant d'autant plus à augmenter son manque. Attention de prendre quelqu'un en pitié.

Chacun est responsable des énergies qu'il met en mouvement.

Si tu te reconnais comme une personne en état de manque, qui fait la victime, il est très important et urgent pour toi d'en devenir conscient parce que cet état ne changera que lorsque toi-même auras changé à l'intérieur de toi.

Pour une personne "victime", son cas est toujours pire que celui des autres. Si, en plus, elle devient la sauveteur des autres dans le domaine où elle fait elle-même la victime, les choses s'aggraveront effectivement mais à son insu.

Dans mon cas, j'étais devenue une spécialiste pour gérer le temps des autres. J'étais toujours la première à donner de bons conseils, sans réaliser que ma propre attitude face au temps n'était pas la bonne. En réalité, je gérais le temps des autres pour me prouver que je savais comment gérer le mien. Au moment où j'ai réalisé que j'étais victime du temps, j'ai changé d'attitude. J'ai commencé à reconnaître tout le temps que j'avais et tout ce que je pouvais accomplir dans une journée au lieu de penser au manque de temps.

Tout a changé. Je me suis aperçue que j'étais finalement capable d'appliquer dans ma vie les conseils que je donnais aux autres. Maintenant, la première chose qui me vient à l'esprit, à la fin d'une journée ou d'une semaine, c'est combien je suis fière de moi. Je me félicite de tout ce que j'ai pu accomplir. En changeant mon attitude face au temps, je produis davantage dans un même laps de temps et, en plus, c'est plus facile! Mon travail me demande moins d'efforts et ma satisfaction intérieure est beaucoup plus grande.

Il est aussi très courant qu'une personne qui fait la victime dans un certain domaine ait de la difficulté à écouter quelqu'un d'autre se plaindre par rapport au même domaine. Ces plaintes lui rappellent son côté victime qu'elle ne veut pas voir et c'est pour cette raison qu'elle tente le plus possible de sauver l'autre personne.

Par exemple, si elle est toujours malade et que quelqu'un d'autre commence à lui parler de sa maladie, elle va l'interrompre très vite pour lui donner le nom de tous les médecins qu'elle connaît et lui faire part de tous les moyens dont elle connaît l'existence allant de la médecine traditionnelle à la médecine douce. Elle va tenter le plus possible d'aider l'autre à se sortir de ses maladies.

Si tu es du genre à vouloir sauver les autres, ce qui ressort de ton attitude en réalité est: *"Tu n'es pas capable de te sauver toi-même, alors je vais te sauver."* Il est important de regarder ton attitude face aux autres: elle t'indique toujours ce qui se passe en toi. Croire que les autres ne peuvent pas se sauver eux-mêmes et que tu dois, par conséquent, les sauver démontre que tu ne crois pas pouvoir te sauver toi-même. Tu veux que les autres te sauvent mais malheureusement, comme tu obtiens l'attention des autres avec tes problèmes, tu refuses les solutions possibles car si cela aidait à régler tes problèmes, tu risquerais de ne plus obtenir l'attention dont tu as besoin.

Une personne peut être victime dans un domaine de sa vie et ne pas l'être du tout dans plusieurs autres. Quand elle parle du domaine dans lequel elle fait la victime, c'est rarement en termes positifs. Par exemple, une personne qui manque toujours d'argent se plaint de la situation économique, du chômage, des riches qui deviennent plus riches, etc. Plus elle fait la victime, plus elle a l'impression qu'il lui arrive des injustices dans ce domaine. Elle se compare sans arrêt aux autres personnes.

À la longue, quand le côté victime d'une personne devient chronique, cette dernière finit par perdre le goût de sauver les autres compte tenu que son côté victime étant devenu très fort, il consume presque toute son énergie. Paradoxalement, c'est à ce moment qu'elle a le plus de chances de s'en sortir. Elle n'en peut plus de souffrir. De plus, les personnes autour d'elle en viennent même à ne plus vouloir la sauver. De plus en plus de ses connaissances l'évitent. Elle commence alors à réaliser que quelque chose ne va plus. En même temps qu'elle ne veut plus sauver les autres, elle se rend compte que les autres aussi ne veulent plus la sauver. Elle commence lentement à s'ouvrir à l'idée que la seule personne pouvant la sauver, c'est elle-même.

Avant d'en arriver là, je te suggère fortement de vérifier dès maintenant dans quel domaine tu fais la victime. Je ne crois pas qu'une personne soit obligée de souffrir autant avant de devenir consciente et d'améliorer sa qualité de vie. Je crois qu'il est beaucoup plus bénéfique de se prendre en mains et de faire les transformations qui sont nécessaires avant de souffrir. La souffrance est un dernier recours pour nous faire bouger. **DIEU** veut notre bonheur.

La souffrance nous indique que nous avons oublié DIEU en nous.

Une personne centrée vit dans l'harmonie, la paix, la joie, la santé, l'abondance; elle ne souffre pas. Plus une personne souffre, plus elle a oublié qui elle est véritablement. Plusieurs personnes ont cru qu'elles devaient souffrir pour gagner leur ciel. Cette croyance appartient au passé alors que les gens n'étaient pas assez conscients. Maintenant, j'ai bon espoir en l'humanité car nous sommes de plus en plus intelligents, de plus en plus conscients, et nous ne voulons plus croire que nous devons souffrir pour avancer.

Afin d'arriver à cet état de non souffrance, nous devons, pour commencer, utiliser la souffrance pour conscientiser, pour grandir et éventuellement nous irons vers la conscience, la lumière, sans souffrir. Ainsi, la souffrance aura une raison intelligente d'exister.

Pour découvrir où tu fais la victime, je te suggère de demander aux gens autour de toi s'ils croient que tu te plains dans un domaine en particulier; si oui, dans quel domaine et à quel degré. Il est bien important de rester ouvert à ce que les gens vont te dire. Au premier abord, tu seras peut-être surpris de te faire dire que tu es victime dans tel domaine parce qu'il t'est difficile de voir ce côté en toi. Tu sais au plus profond de toi que c'est tout à fait contraire à ce que tu veux. Ton "être" veut être bien et en harmonie; il ne veut pas être victime. Tu n'as fait que permettre à ton mental de prendre le dessus; tu as oublié qui tu es et c'est ainsi que tu es devenu victime.

Depuis plusieurs années, j'utilise un moyen qui a donné de très bons résultats mais qui n'est pas très apprécié ou accepté de prime abord par la victime inconsciente. J'ai constaté d'assez fortes réactions chez les victimes à qui je l'ai suggéré, mais celles qui ont accepté de l'expérimenter ont vite constaté son efficacité.

Il s'agit de demander aux gens de ton entourage de te dire, dès le moment que tu te plains: *"Pauvre toi, comme la vie est dure, ce n'est pas drôle!"* Même si tu trouves ça difficile, accepte qu'ils te plaignent davantage pour t'aider à devenir conscient, dès l'instant où tu te plains, du ou des domaines dans lesquels tu fais la victime.

Par la suite, n'essaie pas de te contrôler et de ne plus te plaindre: ne fais que devenir conscient du nombre de fois où tu te plains, et donne-toi le droit de te plaindre en sachant que c'est une des étapes à franchir pour t'en sortir. Tu dois absolument commencer par te donner le droit de te plaindre. Après, tu pourras en rire et c'est ainsi que graduellement, tu te plaindras de moins en moins.

Au début de cette expérience, ce n'est pas facile. J'en ai vu se mettre en colère, sortir de leurs gonds. Une personne m'a même dit: *"Je ne me plains pas. Je suis seulement en train de raconter des faits. Je dis ce qui s'est passé, c'est la vérité"*, alors qu'elle venait de raconter les douze opérations qu'elle avait eues au cours des quinze dernières années. Bien que nous ayons convenu d'utiliser cette approche, elle n'appréciait pas du tout de se faire dire: *"Pauvre toi."* Avec le temps, sa réaction devint fort différente.

Si une personne fait la victime dans ton entourage, demande-lui si elle veut se faire aider. Si oui, obtiens son consentement pour utiliser cette approche avant de commencer à la plaindre de cette façon. Selon la volonté qu'elle a de s'en sortir, la personne qui fait la victime se rend compte par elle-même, après un certain temps, qu'elle est en train de se plaindre. Par elle-même elle en vient à dire: *"Pauvre moi .."* et se met à en rire. Quand elle commence à rire d'elle-même et à prendre la chose en riant, le plus gros du travail est fait. Son côté victime commence dès lors à diminuer rapidement et sa qualité de vie s'améliore de façon importante. Pour certains, cela peut prendre quelques jours, d'autres quelques mois.

Tu constateras qu'en acceptant d'utiliser cette approche, il y aura plus de joie dans ta vie. Plutôt que de te juger toi-même, de juger les autres qui sont victimes et d'avoir peur d'être jugé, tu apprends à en rire. Tu sais maintenant que ton comportement résultait tout simplement d'une décision prise quand tu étais plus jeune. D'avoir agi ainsi n'est pas mal, mais il y va tout de même de ton intérêt de transformer cette décision prise plus jeune.

En ce qui me concerne, au niveau du temps, j'ai pu constater ce qui m'était arrivé plus jeune quand j'ai eu six ans. Ma mère m'avait placée au couvent dès février, au moment de mon anniversaire, plutôt que d'attendre la rentrée scolaire prévue pour le mois de septembre suivant. Mes trois sœurs plus âgées y étaient déjà. Maman voulait m'habituer à la vie de pensionnaire dans un couvent. Elle pensait que je serais ainsi mieux préparée pour ma première année complète.

Mais la religieuse qui était en charge des élèves de première année a décidé de m'enseigner toute la matière de la première année pendant les quelques mois qui restaient de l'année scolaire. Du matin au soir, aussitôt qu'elle avait du temps, elle me faisait tenir debout à côté d'elle pour m'enseigner la lecture, les prières, les mathématiques, à coups de règle sur les doigts afin que j'apprenne plus vite.

Elle me disait qu'il fallait me dépêcher, qu'il ne restait pas beaucoup de temps pour tout apprendre et que je ne devais pas flâner. Je devais apprendre vite si je voulais réussir ma première année. Ceci ne faisait pas partie de l'entente prise avec ma mère et je ne sais toujours pas comment tout cela est arrivé. Tout ce que je sais, c'est que j'ai trouvé difficile de me faire pousser ainsi car je ne m'y sentais pas prête. J'ai effectivement réussi à passer les examens à la fin de cette année scolaire et septembre arrivé, j'étais en deuxième année.

Selon moi, cet incident m'a fait devenir victime du temps. Même si j'avais peur de manquer de temps, le fait d'avoir peu de temps pour tout apprendre m'a apporté beaucoup d'attention de cette religieuse qui m'avait à ses côtés du matin au soir. De plus, j'ai continué plus tard à obtenir de l'attention des autres religieuses qui me considéraient très avancée pour mon âge. À l'âge de six ans, j'ai trouvé cette expérience injuste car les autres élèves n'étaient pas bousculés par le temps comme moi. Par contre, cette religieuse devait pour sa part croire sincèrement qu'elle me faisait une faveur.

Il est dit que dans la vie, il n'existe pas d'injustice véritable. Ce qui semble être une injustice pour quelqu'un peut être la justice pour quelqu'un d'autre. L'injustice est tout simplement une notion mentale.

Prenons l'exemple d'une personne qui est en vacances tout l'été et qui prie pour avoir un bel été ensoleillé. Si son désir est réalisé, elle dira sûrement: *"**DIEU** est bon, il m'a envoyé un bel été ensoleillé."* Mais le fermier qui habite tout près et qui a perdu sa récolte parce qu'il y a eu trop de soleil et pas assez de pluie ne considérera pas **DIEU** aussi bon et croira peut-être à de l'injustice. Il est donc important de réaliser que quoi qu'il nous arrive, il existe toujours deux côtés, deux versions, deux possibilités. On ne doit rien juger mais plutôt vivre des expériences dans la plus grande harmonie possible.

Pour terminer, je te suggère d'utiliser les moyens énumérés dans ce chapitre pour devenir conscient de ton ou tes aspects "victime". Ensuite, vis l'expérience de te faire plaindre par quelqu'un d'autre au moment où tu te plains et observe ce que tu vis au cours de cette expérience.

CHAPITRE 9
FAIRE PLAISIR

Faire plaisir a toujours été une notion très importante dans la vie des humains due à l'éducation familiale et religieuse reçue. Nous avons, pour la plupart, appris étant très jeunes qu'il était important de faire plaisir aux autres, c'est-à-dire d'être agréables à quelqu'un. La plupart des cultures croient que l'être humain est sur Terre pour souffrir, donc pour se couper de tout plaisir personnel. Le plaisir a surtout été associé au plaisir des sens, c'est-à-dire faire plaisir à son corps par la sensualité, la sexualité.

De tout temps, un être spirituel a été défini comme une personne faisant le don d'elle-même. Le don de soi a été enseigné dans toutes les religions. Comme je l'ai mentionné un peu plus tôt dans ce livre, il est naturel que l'enfant en bas âge ne pense qu'à lui-même et qu'une fois arrivé à l'âge adulte, il pense aux autres. Mais cette forme-pensée à été très mal interprétée.

En partant de l'idée que l'on ne peut pas donner ce que l'on n'a pas, tu ne peux pas vraiment faire plaisir aux autres ou leur donner du plaisir si tu ne sais pas comment te faire plaisir. Ça semble paradoxal mais c'est bien réel. Si tu veux te donner entièrement aux autres, tu dois savoir comment le faire envers toi-même d'abord. Tu pourras ensuite donner aux autres non pas par sentiment d'obligation ou de culpabilité mais bien par plaisir.

Si tu fais souvent plaisir aux autres, au détriment de toi-même, au prix de plusieurs sacrifices et maints efforts, croyant qu'ainsi tu es une meilleure personne, tu ne donnes pas véritablement car tu ne sais pas comment te faire plaisir. Tu es le genre de personne qui fait plaisir en ayant pour attente que les autres te remettent ce plaisir puisque tu ne peux te le donner toi-même. Ce plaisir est déjà présent en toi mais tu n'y crois pas.

Il est grand temps que nous délaissions les croyances inculquées depuis notre jeune âge voulant que l'être humain n'ait pas le droit de se faire plaisir. Je trouve très difficile d'accepter le fait que les religions chrétiennes nous montrent presqu'exclusivement des images de Jésus sur la croix en train d'agoniser et de souffrir quand, en réalité, ces moments ne furent que quelques instants de sa vie sur Terre. Plutôt que de nous montrer des images d'un Jésus souriant, heureux, ayant beaucoup de joie de vivre, les bras ouverts pour nous montrer son grand amour, on a choisi de nous montrer un être souffrant.

Se faire plaisir est un aspect de la vie envers lequel nous avons à créer une plus grande ouverture. Nous avons à conscientiser les avantages d'apprendre à nous faire plaisir, à faire des choses juste pour le plaisir d'avoir du plaisir, sans se sentir coupables. Depuis que nous sommes tout jeunes, on nous a appris à faire plaisir à nos parents, à nos professeurs, à nos amis, puis à notre conjoint et à nos enfants. Pendant tout ce temps, nous n'avons pas appris à le faire pour nous-mêmes.

Très peu d'entre nous avons eu des parents qui nous disaient: *"Dis-moi, qu'est-ce qui te ferait plaisir aujourd'hui? Regarde en toi ce qui te ferait plaisir et organise-toi pour te le faire arriver."* Je suis assurée que très peu d'adultes d'aujourd'hui ont eu de tels parents puisqu'eux-mêmes ne savaient pas comment le faire. Heureusement qu'il n'est jamais trop tard pour modifier un comportement.

Nos parents étaient davantage occupés à nous enseigner comment être obéissants, raisonnables, peu bruyants et ordonnés plutôt qu'à nous laisser jouer quand c'était ce qui nous aurait fait plaisir. Nous devions avoir des bons résultats scolaires pour leur faire plaisir. De plus, lorsque nous nous faisions plaisir, nous dérangions souvent les autres parce qu'ils n'étaient pas ouverts à cet aspect de la vie.

Selon ce que nous avons vu et entendu à ce moment, nous avons cultivé la peur de déplaire et de déranger les autres, au lieu d'écouter nos vrais besoins et d'apprendre à nous faire plaisir dans la vie.

Je rappelle ici ce qui a été mentionné précédemment dans le chapitre sur les croyances: aussitôt que tu agis de façon contraire à ce que tu veux véritablement, tu bloques un désir par une croyance mentale qui est plus forte que ton désir. Une de ces croyances pourrait être que si tu te fais plaisir, tu passeras pour un égoïste. Cette croyance peut t'empêcher de t'ouvrir à ce qui te ferait plaisir. Te sens-tu coupable quand tu t'achètes quelque chose?

Cela m'est arrivé à plusieurs reprises lorsque je m'achetais un beau vêtement dont je n'avais pas vraiment besoin. Si, peu de temps après mon achat, l'un de mes enfants me demandait de l'argent et que je ne voulais pas lui en donner, sa demande m'enlevait tout de suite le plaisir que j'avais eu car je me sentais coupable de ne pas lui avoir aussi acheté quelque chose ou de lui donner de l'argent.

Une autre croyance très forte est à l'effet que nous n'avons le droit de nous faire plaisir qu'à la condition d'avoir travaillé très fort. Nous devons mériter notre plaisir; il est mal vu de le rechercher. La question du mérite est un des éléments qui doit disparaître avec la venue de l'ère du Verseau. Qui doit décider si quelqu'un mérite quelque chose ou non?

Prenons l'exemple de la femme au foyer qui, en plein milieu de la journée, s'assoit pour lire un livre en dépit du fait que le ménage n'est pas tout à fait fini. Mérite-t-elle de s'asseoir? Si quelqu'un arrive à l'improviste, comment se sentira cette femme, selon toi, si elle ne croit pas le mériter? Une situation semblable t'est-elle déjà arrivée? Si oui, t'es-tu empressé de te lever en faisant semblant de travailler pour que personne ne te voit en train de te faire plaisir? Si c'est le cas, c'est signe que tu n'acceptes pas de te faire plaisir parce que tu ne crois pas le mériter.

Observe les occasions où tu te sens en faute lorsque tu es surpris en train de manger, te reposer ou de faire quelque chose qui te plaît. Si tu crains ce que l'autre va penser de toi, c'est parce que tu ne te donnes pas le droit de te faire plaisir. Cette croyance est tellement forte chez certaines personnes que même lorsque tout est à l'ordre et que personne d'autre ne les jugerait, elles se jugent elles-mêmes et ne se donnent pas le droit de s'arrêter.

D'autres personnes se sentent obligées de donner aux autres parce qu'elles ont peur de passer pour ingrates, surtout quand les autres leur ont déjà rendu un service ou leur ont déjà donné quelque chose. Elles s'astreignent à donner en retour. Te vois-tu ainsi? Ou es-tu du genre à éprouver de la difficulté à recevoir avec plaisir? Peux-tu dire: *"Merci beaucoup"* et ressentir le plaisir associé au fait de recevoir quelque chose? À ce moment, te dis-tu: *"Si j'accepte ce cadeau, je vais être obligé d'en donner un en retour?"* Si ta réponse est oui, tu bloques ton plaisir. Souviens-toi que s'il t'est difficile de recevoir et de donner sans attentes, tu te fermes à l'abondance, comme mentionné dans le chapitre **"Avoir de l'argent et des biens".**

De plus, il est important de reconnaître que donner et recevoir par plaisir et sans attentes est un acte d'humilité.

Plusieurs croient que les personnes se faisant régulièrement plaisir sont nécessairement indifférentes aux autres. Ceci est un autre exemple de croyances populaires où nous étendons à l'ensemble des gens un trait de caractère observé sur un nombre limité d'individus. Je suggère d'être alerte pour ce genre de généralisation qui ouvre la porte à bien des préjugés. Ce n'est pas parce qu'une personne se fait plaisir qu'elle n'aime pas les autres ou qu'elle se fiche d'eux.

L'exemple suivant est très courant; cette situation m'est arrivée personnellement à quelques reprises. Des invités arrivent à l'improviste peu de temps avant le repas. Monsieur se sent obligé d'inviter ces gens à rester pour le repas. Par contre, c'est la seule journée de congé de madame et pour elle, se faire plaisir serait de ne pas cuisiner. Si elle ose dire: *"Je n'avais pas planifié de faire un repas ce soir. Que diriez-vous d'aller tous ensemble au restaurant?"*, elle a peur de passer pour une personne indifférente ou pire, égoïste.

Derrière les différentes croyances que je viens d'énumérer se cache la peur d'être critiqué, la peur d'être jugé ou la peur de ne pas être aimé. Comme tu peux le constater, ces peurs sont irréelles. Lorsque le couple est capable de se faire plaisir et qu'ils sont vrais avec leurs invités, ceux-ci ne sont aucunement froissés par une telle franchise.

Il est très important d'apprendre à faire plaisir juste pour le plaisir de faire plaisir, sans attentes. En éprouvant un grand plaisir à faire plaisir à l'autre, le fait que l'autre soit reconnaissant ou non, qu'il te rende la pareille ou non n'est vraiment pas important. Tu n'attends pas après le plaisir de l'autre pour être content. La satisfaction engendrée par le plaisir de donner sans attentes te comble déjà. Voilà un exemple du véritable don de soi.

Plusieurs croient que se faire plaisir ou avoir du plaisir, c'est tout simplement jouer ou ne pas être sérieux. Nous avons appris cette croyance de nos parents, de nos éducateurs. Quand nous étions petits, ils nous disaient: *"Arrête de jouer, il est temps de travailler. La vie n'est pas toujours une partie de plaisir!"* Avoir du plaisir, c'est se faire plaisir, sans nécessairement rire aux éclats ou jouer. C'est avoir une sensation de bien-être, la sensation d'être centré et de profiter de chaque instant de la vie.

L'idée que le plaisir est relié au jeu est tellement forte que plusieurs personnes se disent: *"J'ai hâte d'avoir fini de travailler pour pouvoir aller m'amuser et me faire plaisir."* D'autres disent plutôt: *"Je n'ai presque plus de temps pour moi, pour me faire plaisir."* Ces personnes dissocient le plaisir du quotidien. Il est possible de se faire plaisir à chaque instant, que ce soit en jouant, en travaillant ou en ne faisant rien. Nous pouvons très bien être en train de jouer et ne pas en retirer de plaisir.

La personne qui se force pour s'amuser en se disant: *"Il est temps que je m'amuse, j'ai assez travaillé pour cette semaine."*, se force pour sortir ou pour inviter des gens chez elle. Elle en retire peu de plaisir parce que ce n'est peut-être pas ce qui lui aurait fait vraiment plaisir; peut-être aurait-elle préféré relaxer en s'assoyant avec un bon livre? La personne qui pense qu'avoir du plaisir ne vient qu'en jouant doit continuellement se forcer.

L'idéal est d'apprendre à avoir du plaisir dans ton quotidien, à tous les jours. Il n'est plus question de croire que lorsque tu fais telle chose, tu ne te donnes pas de temps. Cette notion est fausse. Ton temps t'appartient 24 heures sur 24. Tu peux facilement trouver du plaisir dans ton travail.

En ce qui me concerne, ce qui me fait le plus plaisir, c'est d'apprendre du nouveau. Cela m'énergise, me remplit et j'en retire une grande sensation de bien-être. Comme c'est à travers mon travail que j'apprends le plus de nouveautés, j'y éprouve donc beaucoup de plaisir. Par contre, il se présente des moments où le travail est moins plaisant parce que certaines situations me demandent davantage d'efforts mais cela fait partie de la vie de tous les jours. On ne doit pas dissocier plaisir et travail ou plaisir et activités journalières.

Si tu veux apprendre à te faire plaisir, il est important de savoir ce que tu veux, d'être conscient de tes désirs.

Nous nous sommes créés un corps émotionnel pour pouvoir ressentir du désir dans cette vie matérielle. Notre être connaît le genre d'expériences dont nous avons besoin pour poursuivre notre évolution dans cette vie. Ces expériences nous servent à délaisser les croyances qui ne sont plus bénéfiques pour nous.

Nous, les humains, ne sommes pas suffisamment conscients de tout ce qui se passe aux niveaux physique, émotionnel et mental pour savoir exactement ce dont nous avons besoin pour évoluer davantage. Mais notre superconscience, notre **DIEU** intérieur le sait. Ces besoins qui nous habitent intérieurement sont graduellement transférés à notre corps de désirs, c'est-à-dire notre corps émotionnel, afin qu'ils puissent se manifester dans notre monde physique. C'est ainsi que nous conscientisons.

Si tu es du genre à ne plus rien désirer, autant mourir parce que tu te coupes complètement de ton corps émotionnel. Pour être heureux et vivre pleinement sur la planète Terre, tu dois vivre en harmonie avec ton corps physique, émotionnel et mental. Un être centré est une personne qui se souvient de qui elle est tout en utilisant ses trois corps du monde matériel pour manifester **DIEU** dans la matière.

Mais comme la majorité d'entre nous avons des croyances bloquant nos désirs, ils sont étouffés presque tout de suite après les avoir sentis. C'est à ce moment qu'il t'est possible de devenir conscient que ce n'est plus toi qui diriges ta vie, mais plutôt que tu te laisses diriger par tes croyances mentales.

L'être en harmonie est un être qui désire des choses avec son corps émotionnel et qui utilise son corps mental pour trouver les moyens nécessaires afin de les manifester dans son monde physique.

Il est tellement difficile d'être en contact avec nos vrais besoins que nous transférons souvent nos besoins sur autre chose par manque de conscience. En voici plusieurs exemples:

- Une personne a besoin de tendresse mais elle s'accommode d'une relation sexuelle.
- Une personne a besoin d'estime d'elle-même mais elle se remplit de nourriture.
- Une personne a besoin de s'exprimer à son conjoint mais elle en parle à une amie.
- Une personne a besoin de se reposer mais elle s'organise une sortie ou un voyage.
- Une personne a besoin de joie dans sa vie mais elle prend un verre.
- Une personne a besoin d'eau mais elle boit une liqueur douce ou un café.

Comme tu vois, la plupart des gens ne prennent pas le temps de vérifier si le moyen qu'ils prennent pour répondre à leur besoin est vraiment ajusté au besoin. Ils laissent la première chose qui vient prendre le dessus. C'est soit leurs sens physiques qui dirigent leur vie pour satisfaire une certaine sensation physique, soit leurs croyances mentales.

Par exemple, la personne qui éprouve le besoin de parler à son conjoint mais qui parle plutôt avec son amie, laisse une peur, issue de ses croyances, prendre le dessus sur elle. Cette peur l'amène à penser: *"Voyons, ne parle pas tout de suite à ton conjoint. Il ne te comprendra pas. Va plutôt en parler à une amie avant et peut-être qu'elle te donnera des moyens pour mieux t'exprimer."* C'est la peur qui la motive.

Te reconnais-tu dans un des exemples précités? À chaque fois que tu bloques un désir, que ce que tu fais, dis ou penses ne correspond pas avec ton désir, c'est signe que présentement tu te laisses arrêter par une peur quelconque. La peur étouffe la joie et annule le plaisir.

Reconnaître les moments où tu ne te fais pas plaisir est un autre bon moyen pour devenir conscient de tes peurs.

De façon générale, une personne qui ne sait pas se faire plaisir est tout aussi maladroite avec les autres. En voici un exemple: une personne qui veut faire plaisir à sa mère pour son anniversaire, décide de lui acheter un joli présent et de lui payer un bon repas au restaurant. Elle ne pense pas de vérifier avec sa mère si c'est ce qui lui ferait plaisir, comme elle le fait avec elle-même. Par contre, elle s'attend à ce que sa mère soit contente et qu'elle démontre de la reconnaissance. Si tel n'est pas le cas, elle vit de la déception.

Pour faire véritablement plaisir à quelqu'un, il est recommandé de prendre le temps de vérifier avec la personne afin de connaître ce qui lui ferait plaisir. Si cette personne avait demandé à sa mère ce qui lui ferait plaisir, celle-ci aurait peut-être seulement désiré sa compagnie à la maison pour jouer aux cartes ou pour faire des travaux avec elle. Cette situation lui aurait peut-être fait beaucoup plus plaisir que de voir tout cet argent dépensé pour elle. Le plaisir de l'un n'est pas nécessairement le plaisir de l'autre.

Agis-tu de la sorte avec tes enfants, ton conjoint et les gens que tu aimes? As-tu déjà pensé que lorsque tu décides de faire plaisir à quelqu'un de telle ou telle façon, que c'est plutôt à toi-même que tu aimerais faire ce plaisir? Le cadeau que tu veux donner, n'est-ce pas toi qui le désires? Si c'est le cas, c'est que tu ne te donnes pas le droit de te le procurer pour le plaisir de te faire plaisir!

Quand tu désires quelque chose, il est important de vérifier si ce que tu désires t'aidera dans ton évolution spirituelle.

Est-ce que la satisfaction de ce désir t'aidera à reprendre contact avec ton pouvoir de créer et avec ta grandeur d'âme? T'aimeras-tu davantage? Quand ton désir est motivé par une peur, la réalisation de ce désir ne t'apportera aucune satisfaction.

Par exemple, la personne qui désire avoir un conjoint parce qu'elle a peur de se retrouver seule plus tard dans sa vie, finira sûrement par en avoir un si elle le désire réellement car le désir a un grand pouvoir de manifestation. Mais cette personne ne sera pas confortable dans sa relation, étant donné que son désir était motivé par une peur.

Pour que la manifestation d'un désir te fasse plaisir, il doit provenir d'un besoin, du centre de toi, de ton **DIEU** intérieur. Quand tu ressens un désir mais que tu es fermé à ton **DIEU** intérieur, c'est-à-dire que ce désir est établi seulement en fonction d'une activité mentale, généralement de peurs, la réalisation de ce désir ne t'apporte qu'une illusion de bonheur ou de bien-être. Seul ton ego est satisfait. Ce genre de plaisir est tellement éphémère et illusoire que son effet ne dure pas longtemps. C'est comme les effets de la drogue: ça en prend toujours davantage et plus souvent.

Par contre, si la personne qui désire un conjoint se dit: *"Je désire avoir un conjoint dans ma vie pour apprendre à aimer davantage et pour grandir en tant que personne. Je sais que j'aurai quelque chose à apprendre avec toute personne croisant ma route. Je veux développer davantage d'amour, alors maintenant je laisse l'Univers s'occuper de ce dont j'ai le plus besoin"*, cette personne augmente ses chances de faire arriver une expérience agréable dans sa vie, une expérience qui lui apportera beaucoup plus de bien-être.

Un signe assez courant que ton corps physique utilise pour montrer que ton désir est établi en fonction d'une peur ou d'une croyance mentale, réside dans les démangeaisons qui peuvent se manifester de différentes façons. La peau peut te piquer ou tu peux éprouver un autre malaise que tu décrirais en termes de: *"Ça me démange."* Regarde quelle partie de ton corps te démange et tu auras une bonne indication du domaine dans lequel un de tes désirs demeure insatisfait pour cause de trop d'attentes en raison du fait que tu veux contrôler quelque chose dans ta vie. Ce désir ne pourrait te procurer aucune sensation de bien-être car le contrôle ne génère pas de plaisir véritable.

Il est intéressant de réaliser que le dictionnaire définit le mot "plaisir" comme une sensation ou une émotion agréable liée à la satisfaction d'un désir, à l'exercice harmonieux des activités vitales. Dans le mot plaisir on retrouve le mot "aise" (sauf pour le "e"). L'antonyme du mot "plaisir" est le mot "malaise" dans lequel on retrouve aussi le mot "aise".

Vu à travers l'approche métaphysique, serait-ce que lorsqu'on se coupe d'un plaisir, c'est-à-dire qu'on ne répond pas à son désir véritable, cela nous fait vivre un "mal-aise", lequel deviendrait une maladie, un " mal-a-dit", quand ce blocage est laissé à lui-même?

J'entends souvent des personnes dire qu'elles n'aiment plus leur travail; elles aimeraient un travail qui leur procurerait du plaisir. C'est pourtant à eux de créer de la joie et du plaisir dans leur travail. Et toi, apprends-tu à grandir à travers ton travail ou à travers les gens avec qui tu travailles? Prends-tu en considération la manière dont tu peux y développer davantage d'amour et de créativité? Si non, fais-le; ça te permettra de jeter un regard différent sur ton travail. Tu y éprouveras davantage de plaisir ainsi qu'une plus grande envie de travailler.

Je ne suis pas en train de te dire que tu ne dois pas changer de travail. Mais souviens-toi que lorsque tu changes de travail en le critiquant ou en critiquant les gens avec qui tu travaillais, tu risques de t'attirer un autre travail qui ne te plaira pas non plus. Apprends à aimer ton travail, à avoir du plaisir et à grandir à travers ton travail et, au moment où tu réaliseras que tu as appris tout ce que tu avais à y apprendre, il te sera plus facile et agréable de changer de travail. Ce changement va se faire beaucoup plus rapidement et beaucoup plus harmonieusement parce que tout ce que tu désires est de continuer à apprendre davantage.

N'oublie pas l'importance de savoir ce que tu veux.

Si tu te demandes: *"Qu'est-ce que je veux véritablement? Qu'est-ce qui me ferait plaisir?"* et que ta réponse exprime ce que tu ne veux pas, réalise que tu ne viens pas d'exprimer un désir. Tu dois absolument préciser ce que tu veux. Par exemple, une personne qui dit: *"Tout ce que je sais c'est que je ne veux pas être malade ou que je ne veux pas telle sorte de conjoint, etc.",* exprime ce qu'elle ne veut pas et non ce qu'elle veut.

Es-tu parmi ceux qui disent: *"Comment puis-je savoir ce qui me ferait plaisir dans la vie? Ça ne va jamais comme je veux, je suis toujours déçu dans tous les domaines!"* Cette situation se présente seulement lorsque tu veux tout contrôler. Quand tu désires quelque chose, tu dois désirer sans attentes. Dis à l'Univers ce que tu veux en ajoutant que tu le désires véritablement tout en acceptant d'avance que ce que tu veux se manifestera dans ta vie seulement si c'est bénéfique pour toi présentement.

Tu dois lâcher prise quant aux résultats en sachant que si ta demande n'est pas bénéfique pour toi présentement, il t'arrivera quelque chose de mieux. Tu donnes ainsi un ordre à ton **DIEU** intérieur de manifester dans ta vie ton désir ou mieux. Avec la certitude que ce qui t'arrivera sera pour le mieux, il te sera plus facile de voir le bon côté des situations qui t'arriveront et qui ne seront pas vraiment telles que tu les avais demandées. Ainsi, ta vie t'apparaîtra beaucoup plus plaisante.

C'est la même chose au niveau physique. Quand tu ne fais qu'écouter tes sens physiques, tu n'es pas en contact avec tes vrais besoins et, à ce moment, le plaisir éprouvé est de très courte durée. Pour savoir si tu ne fais qu'écouter tes sens, je te suggère d'observer ton alimentation. Pour beaucoup de personnes, la nourriture est une source de plaisir. Mais écoutent-elles leurs vrais besoins? Souvent, elles mangent beaucoup trop de desserts ou des aliments dont elles savent ne pas avoir besoin. Elles se sentent coupables après les avoir mangés, s'accusant, se sentant mal à cause des lourdeurs au niveau de l'estomac et dans leur corps; tout cela pour leur dire qu'elles n'ont pas écouté leurs vrais besoins physiques.

Le plus important est de demeurer conscient qu'au moment où tu manges, tu veux aussi le faire par plaisir. Si tu te rends compte que manger ne t'apporte qu'un plaisir temporaire et que tu ne réponds pas vraiment à ton besoin, regarde quel autre besoin tu as essayé de combler en mangeant. Cela t'aidera à savoir lequel plaisir tu as inhibé au plan psychologique, c'est-à-dire aux plans émotionnel et mental et pour lequel tu essayais de compenser dans le monde physique. La plupart des gens transfèrent au niveau physique ce qu'ils ne réussissent pas à faire aux niveaux émotionnel et mental. Cette approche constitue un bon moyen pour t'aider à devenir conscient du plaisir que tu peux t'apporter au niveau psychologique.

Voici un exemple: quand tu désires t'acheter quelque chose, es-tu capable de le faire juste pour le plaisir de le faire, en te donnant le droit de t'acheter quelque chose pour toi seulement? Il est bien important, encore une fois, d'observer si c'est une peur qui te motive à faire un achat. Si oui, ton achat t'apportera bien peu de plaisir. De plus, tu seras porté à acheter quelque chose pour quelqu'un d'autre parce que tu te sens coupable d'avoir effectué un achat pour toi seul. Si tu croyais ainsi faire plaisir à l'autre, tu pourrais fort bien être très déçu.

D'un autre côté, si ce que tu viens de t'acheter te fait éprouver beaucoup de plaisir et de reconnaissance au moment de l'achat, tu apprécieras cette chose pour longtemps. À chaque utilisation, tu ressentiras le même plaisir qu'à son achat. Il te sera aussi plus facile d'acheter quelque chose pour quelqu'un d'autre seulement pour le plaisir de lui faire plaisir. Si l'autre te mentionne que ce n'est pas vraiment ce qu'il désirait, tu vas te sentir très à l'aise de lui remettre la facture afin qu'il puisse échanger cette chose pour une autre. Ton geste constitue ainsi une preuve que tu l'as vraiment fait pour le plaisir de faire plaisir; tu ne cherchais pas à être aimé indirectement.

Plusieurs personnes cherchent à faire plaisir en voulant aider tout le monde, mais souviens-toi que l'aide la plus précieuse est celle qui t'est demandée. Il existe une différence entre aider quelqu'un et ne pas se mêler de ses affaires. Comment te sens-tu lorsqu'une personne s'impose en te donnant des conseils ou en voulant te guider alors que tu ne lui as rien demandé? Généralement, ta première réaction est de résister aux conseils de l'autre parce qu'en-dedans de toi, une petite voix te dit: *"Quand j'aurai besoin de ses conseils, je lui ferai signe."*

Règle générale, nous aimons bien, tous et chacun, régler nos problèmes nous-mêmes. C'est au moment où nous nous apercevons qu'une situation dépasse nos limites, que nous demandons ou acceptons l'aide de quelqu'un d'autre. Ce n'est pas parce que tu désires aider les autres que tu es nécessairement une personne qui sait faire plaisir aux autres. C'est bien souvent le contraire qui se produit. Une personne qui veut trop aider va souvent être considérée comme dérangeante: quand les autres la voient s'approcher, ils ne sont pas nécessairement heureux de la voir arriver!

Quand une personne te demande de l'aide, fais en sorte de lui offrir l'aide que tu peux au meilleur de ta connaissance en tenant compte de tes limites.

Ce n'est pas parce qu'une personne te demande quelque chose que tu dois automatiquement le faire. Cela pourrait t'empêcher de savourer le plaisir de faire quelque chose pour l'autre. Chaque être humain aspire à avoir du plaisir, à être capable de se faire plaisir spontanément. En ayant du plaisir, on le partage avec les gens autour de nous: c'est immanquablement contagieux!

T'est-il déjà arrivé de réaliser qu'après avoir pris un engagement, celui-ci était trop pour toi? De t'apercevoir que ça te demandait trop d'efforts? S'il t'est possible de te désengager, fais-le car ces situations te coupent de ton plaisir. Donne-toi le droit de le faire. Réalise, grâce à cette expérience, que trop t'engager étouffe le plaisir dans ta vie.

Une personne ouverte au plaisir apprécie davantage les nouveautés agréables qui ne manqueront pas de se présenter sur sa route. Celles qui continuent de vivre selon ce qu'elles ont appris par le passé et qui, par conséquent, se basent sur leur intellect pour diriger leur vie, sont des personnes qui recréent constamment leur passé. Les nouveautés vont donc leur passer sous le nez sans qu'elles puissent en profiter.

Pour arriver à te faire plaisir, il te suffit d'être capable de ressentir du plaisir dans tout ce que tu fais. Tu peux commencer par devenir conscient des nombreux petits plaisirs que la vie te réserve. Tellement de choses se présentent à nous sans qu'on ne les apprécie à leurs justes valeurs, comme un beau lever de soleil, le sourire de quelqu'un, la satisfaction d'avoir fini un travail, le plaisir de respirer de l'air pur, etc. Si tu es capable de devenir conscient de ces petits plaisirs, tu seras beaucoup moins dépendant des autres pour te faire plaisir.

En ayant moins d'attentes envers les autres, tu seras davantage en contact avec ce qui te fait plaisir. Tu seras ainsi plus apte à partager ce plaisir avec les autres sans avoir à te demander: *"Qu'est-ce que je ferais bien pour leur faire plaisir?"* Ça se fait tout seul. Ta seule présence constituera un plaisir pour eux; ton seul exemple d'enthousiasme et ta joie de vivre susciteront du plaisir. Il est reconnu que les personnes qui se font de plus en plus plaisir et qui ont du plaisir dans ce qu'elles font, réussissent mieux dans leur travail, dans leurs relations et s'ouvrent ainsi beaucoup plus à l'abondance.

Pour terminer ce chapitre, pendant la prochaine semaine, je te suggère de prendre quelques instants pour te demander, le matin en te levant: *"Qu'est-ce qui me ferait plaisir aujourd'hui?"* Ta réponse pourrait être dans le "avoir", le "faire" ou le "être". Décide qu'aujourd'hui, tu obtiendras ce plaisir.

Puis, le soir avant de te coucher, note tous les autres plaisirs que tu as éprouvés tout au cours de ta journée: non pas les plaisirs qui proviennent des autres mais plutôt de ceux que tu as toi-même provoqués ou créés. Tu peux, par exemple, avoir eu du plaisir à faire plaisir à quelqu'un. Ce sont des plaisirs qui doivent provenir de toi, de ta façon de voir les choses.

CHAPITRE 10
PASSER À L'ACTION

Être capable de passer à l'action est une qualité importante, essentielle et même urgente à développer pour l'harmonie de l'être humain. En effet, une grande partie des humains éprouvent des difficultés à véritablement passer à l'action dans ce qu'ils veulent réaliser dans leur vie. Ils ont donné tellement de pouvoir à leur mental que celui-ci a finalement pris le dessus sur leur intuition. En réalité, le mental doit être au service de l'intuition, c'est-à-dire que la tête doit être au service du cœur.

Passer à l'action dans notre monde physique est un moyen de devenir conscient de ce qui dirige notre vie.

Ceux qui passent à l'action en écoutant leurs vrais besoins dirigent leur vie. Par contre, ceux qui ne passent pas à l'action à cause de leurs peurs, ou encore ceux qui passent à l'action mais qui n'écoutent pas leurs vrais besoins, font partie de ceux qui ne dirigent pas leur vie. C'est leur intellect ou leur tête qui dirige.

Une personne très passive et oisive se laisse mourir à petit feu. Le corps d'une personne qui ne bouge presque pas s'atrophie comme il arrive à une personne clouée au lit pendant plusieurs mois. Elle perd graduellement ses forces et devient incapable de marcher. C'est le même principe avec la personne qui ne passe pas à l'action, c'est-à-dire qui n'utilise pas sa créativité et n'écoute pas son intuition. Elle s'affaiblit de plus en plus au niveau spirituel et se laisse complètement dominer par tout ce qui l'entoure. Cette personne vit des situations de plus en plus difficiles à cause de sa passivité intérieure.

Il est bien important de faire des actions, mais pas n'importe lesquelles. Avant de pouvoir passer à l'action, il faut prendre une décision. Es-tu parmi les personnes qui non seulement ne passent pas à l'action mais également ne peuvent même pas se décider? Si oui, tu es probablement du genre à demander des conseils à tout le monde, à fouiller partout, à dire sans cesse que tu cherches mais qui, malgré tout, laisse tout lui passer sous le nez. Tu donnes l'impression d'être sur le point de faire quelque chose, mais tu ne le fais pas: tu ne te décides pas. Toute action doit être précédée par une décision intérieure.

Peut-être es-tu parmi celles qui deviennent conscientes de ce qu'elles veulent, qui décident de passer à l'action mais qui se laissent ensuite influencer à ne pas passer à l'action et qui finissent par changer d'idée. Si en arrivant chez toi, tu décides: *"Ce soir, je me repose. C'est ce dont j'ai le plus besoin!"*, es-tu capable de dire non à quelqu'un qui t'appelle pour venir te visiter ou qui te demande un service? Te laisses-tu influencer dans ces cas? T'arrive-t-il parfois d'aller dans une boutique pour t'acheter un article que tu désires et de te laisser facilement influencer par le vendeur pour acheter autre chose une fois arrivé sur place? Comment te sens-tu dans ces situations par la suite? Tout cela n'apporte en général que colère et agressivité envers soi-même. On s'en veut de s'être laissé influencer par les autres.

Tu fais peut-être aussi partie de ceux qui savent ce qu'ils veulent mais qui se disent: *"Un jour, je passerai à l'action."* Si oui, tu es de ceux qui attendent les circonstances parfaites avant de passer à l'action. Cette attitude n'est jamais la bonne. Connais-tu une personne qui peut savoir à l'avance que toutes les circonstances seront parfaites? Les personnes de cette catégorie se disent: *"Un jour, je vais maigrir, je vais arrêter de fumer, je vais m'acheter une maison, je vais changer de travail, etc."* Ces personnes parlent fréquemment au futur et au conditionnel en disant, par exemple: *"J'aimerais..., je voudrais..., je devrais..."*

Tu te reconnais peut-être plutôt parmi les personnes qui disent: *"Moi, je n'ai pas ce problème, je suis toujours dans l'action."* Si c'est ton cas, je te suggère de vérifier si tu fais vraiment ce que tu veux, si tu réponds vraiment à tes besoins. Es-tu dans l'action parce que c'est ton devoir de le faire et parce que tu crains de ne pas être aimé si tu ne le fais pas? Considères-tu que c'est bien de le faire et mal de ne pas le faire? Es-tu parmi les personnes qui ne se donnent pas le droit de changer d'idée quand elles se rendent compte que ce n'est pas vraiment ce qu'elle désirent? Si oui, c'est signe que tu t'obliges à faire des actions, que tu es très exigeant et très rigide envers toi-même. Ce genre de comportement apporte beaucoup de frustrations et de déceptions.

Tu es peut-être le genre de personne qui sait ce qu'elle veut, qui se décide et qui passe à l'action, cependant, étant très exigeant et ayant peur de te tromper, tu veux obtenir les résultats escomptés d'une certaine façon. Quand les événements ne se déroulent pas de la manière espérée, tu lâches en cours de route.

Te faire critiquer en cours de route par quelqu'un d'autre est souvent suffisant pour arrêter ton projet juste avant d'y arriver.

Chez certains, c'est la peur du succès qui les arrête. Cela peut sembler curieux, mais plusieurs personnes ne croient pas mériter le succès et abandonnent en prétextant toutes sortes d'excuses alors qu'elles sont tout près d'atteindre leur but.

Je n'insisterai jamais assez sur l'importance de toujours être conscient de ton désir initial et de l'importance de ton intuition, de ce que tu ressens au plus profond de toi. En général, ton intuition est la toute première idée qui te vient spontanément, sans que tu n'y aies pensé ou réfléchi d'avance. Cette idée vient directement du centre de toi, de ton **DIEU** intérieur, de ton intuition ou de ta superconscience. Ces termes expriment tous la même réalité.

Bien que tu saches ce que tu veux vraiment à l'intérieur de toi, sois alerte à ton intellect car si tu es comme la plupart des gens, tu l'as tellement habitué à croire qu'il connaît mieux tes vrais besoins que ton intuition, qu'il a très peur d'être ignoré.

> ***L'intellect craint de perdre son rôle de dominateur, quand en réalité, il n'aurait jamais dû avoir ce rôle.***

Comme l'intellect ou le mental humain n'est que mémoire donc ne connaissant que ce qu'il a mémorisé, il ne peut pas t'amener vers des nouveautés. Ton intuition est capable de t'ouvrir des portes nouvelles et des horizons nouveaux et elle ne se trompe pas, contrairement à l'intellect qui se réfère toujours au passé. Certaines expériences du passé ont probablement été excellentes pour ton évolution au moment où elles ont eu lieu, mais cela ne veut pas dire qu'elles le demeurent pour le reste de ta vie. Il en va de même pour les expériences désagréables.

À prime abord, il n'est pas évident de différencier l'intuition de l'intellect. L'intuition, c'est lorsque, par exemple, il te vient spontanément à l'idée de dire quelque chose à quelqu'un. Puis l'intellect intervient en disant: *"Mais non, attends le bon moment. Cette personne n'est pas prête à entendre cela."* Si tu ne suis pas ta première idée, ce n'est plus toi qui décides: tu écoutes l'objection de ton intellect au lieu d'écouter ton intuition. Si tu es comme la plupart des gens, tu as agi ainsi tellement souvent que tu en as développé l'habitude.

Plusieurs personnes ne savent même plus ce que leur intuition leur dit parce que leur intellect intervient constamment. Observe davantage les moindres idées qui te viennent spontanément car ça ne trompe pas. Par contre, ce n'est pas parce qu'une idée te vient qu'elle doit être manifestée sur-le-champ. À partir du moment où une idée te vient, tu commences dès lors à mettre en œuvre les éléments nécessaires pour pouvoir la manifester. Ce processus peut prendre une minute, une journée, un an; peu importe, tu évolues dans la bonne direction. Aussitôt que tu deviens conscient d'un désir, tu as le choix de passer à l'action pour le manifester ou de le conserver au niveau du rêve. Si tu ne fais qu'y rêver en te disant: *"Ça serait agréable un jour d'avoir telle chose"*, ce désir prendra du temps à se manifester car tu ne passes pas à l'action. Passer à l'action, c'est agir sur le plan physique.

Je te suggère fortement de te fixer des buts dans ton monde physique car ils sont d'une grande aide pour ton corps émotionnel; ces buts l'exercent à désirer et à sentir étant donné que tu dois utiliser ton corps émotionnel pour aller vers ton but.

Le désir d'une personne devient un but lorsqu'elle commence à faire des actions. Si, par exemple, tu as le désir de parler une autre langue, ce désir devient un but au moment où tu commences à faire des actions en ce sens, que ce soit en prenant des cours, en achetant des livres, en demandant à une amie qui connaît cette langue de te parler dans cette langue à chaque semaine, ou encore en écoutant des émissions de télévision diffusées dans cette langue. Au moins, certaines énergies sont mises en mouvement.

Par contre, comme on ne sait pas toujours si nos buts et nos désirs proviennent d'un besoin réel ou de notre mental, le meilleur moyen que je connaisse pour les différencier, c'est d'examiner si ton désir est fondé sur une peur. Si oui, ce désir ne répond pas à un besoin et ne vient pas du centre de toi. C'est un désir qui est influencé par la mémoire de ton mental.

Au départ, comme la plupart d'entre nous ne sommes pas assez conscients pour faire la différence entre les deux, nous devons nous donner le droit de changer de but en cours de route. On peut alors se dire: *"Selon moi, le but que j'ai est bénéfique pour moi, mais je demande à mon* ***DIEU*** *intérieur de me guider vers autre chose si ce but ne contribue pas à m'élever spirituellement."* Donne vraiment le droit à ta superconscience de diriger ta vie et de décider pour toi.

Si jamais il t'arrive un incident quelconque qui t'amène à te dire: *"Je change d'idée. Ce n'est plus vraiment ça que je veux. Je désire autre chose maintenant"*, il te sera plus facile de te donner le droit de laisser ce but et de passer à un autre. Mais tant que tu n'as pas une indication claire et forte à l'intérieur de toi à l'effet qu'il est mieux pour toi de changer de direction, continue d'agir en fonction de ce que tu veux.

Pour t'aider à trouver tes buts, je te suggère de te demander: *"Si toutes les circonstances étaient parfaites, si je savais d'avance que ça ne dérangerait personne et si j'avais à ma portée tout ce dont j'ai besoin, qu'est-ce que je désirerais véritablement?"* Note la première réponse qui te vient. Si tu ne peux réaliser ce désir à l'instant dans ta vie, le seul fait d'en faire un but à plus long terme et de te diriger petit à petit vers lui en faisant des actions, va augmenter ta motivation à vivre. Ce processus te sera très énergisant et vivifiant.

Quand tu désires quelque chose, pense à ce désir comme s'il s'était déjà manifesté.

Imagine-le, visualise-le et ressens-le comme étant déjà là: en faisant cet exercice aux niveaux mental et émotionnel, vérifie s'il te remplit d'énergie ou s'il t'inquiète. La réalisation d'un désir doit toujours t'apporter beaucoup de satisfaction intérieure.

Prenons comme exemple une personne qui désire acquérir une nouvelle maison en campagne. En y réfléchissant, si cette acquisition l'inquiète, si elle a peur de ne pas être capable d'en assumer les versements hypothécaires, il serait alors important qu'elle jette un second regard sur son désir afin qu'elle constate par quoi celui-ci est motivé. Elle s'en exige peut-être trop; peut-être n'a-t-elle pas besoin de ce désir dans l'immédiat ou peut-être veut-elle prouver quelque chose à quelqu'un d'autre.

N'oublie pas qu'on ne doit jamais désirer avoir quelque chose qui appartient à quelqu'un d'autre. Par contre, tu peux désirer obtenir quelque chose de semblable. C'est contre les lois naturelles de désirer avoir le conjoint de sa voisine, le poste de quelqu'un d'autre, etc. Ces désirs ne peuvent que t'apporter des conflits, du stress intérieur.

Encore une fois, si tu attends que toutes les circonstances te soient favorables afin de pouvoir passer à l'action, si tu analyses longuement le pour et le contre ainsi que les avantages et les désavantages, tu risques fort de ne jamais passer à l'action.

> ***La première action à faire est de débuter à quelque part.***

Le pire qui peut t'arriver, c'est de ne pas poursuivre ce que tu avais décidé, mais au moins les actions que tu auras faites en cours de route auront été des expériences qui pourront t'être d'une grande utilité plus tard. Accepte le fait que tu ne fais jamais d'erreurs. La vie n'est qu'une suite d'expériences.

Je te suggère donc fortement de débuter par une action, peu importe laquelle, et de te dire en cours de route: *"Aujourd'hui, je fais une action: elle constitue un pas vers ce que je veux. Ce pas va me guider vers le prochain, le prochain pas vers le suivant et ainsi de suite. Ce n'est qu'en cours de route que je saurai vraiment si cela me plaît ou non, ou si c'est au-delà de mes limites ou non."*

Par exemple, depuis mon adolescence, je rêvais de faire de l'équitation. J'ai finalement décidé de passer à l'action il y a quelques années, en m'inscrivant à des cours d'équitation. C'est pendant ces cours que j'ai réalisé que ce n'était pas vraiment ce que je désirais. Je n'ai aucune idée d'où provenait mon désir; tout ce que je sais, c'est que j'avais ce désir petite fille à la vue des chevaux.

Durant les quelques leçons que j'ai suivies, j'y ai appris que plusieurs détails étaient importants: la posture, la façon de tenir mes jambes, mes mains, mon cou, mes bras, ma tête, etc. Finalement, je n'éprouvais plus aucun plaisir. J'avais de la difficulté à être vraiment à l'aise sur le cheval; j'étais hésitante et, le cheval le sentant, ce dernier faisait ce que bon lui semblait. Pour arriver à maîtriser un cheval, celui-ci doit vraiment sentir que la personne qui le conduit est maître de la situation, et je ne l'étais pas. En faisant ces actions, j'ai donc réalisé que je ne voulais plus poursuivre mes cours. Je me sentais mieux à l'idée de les arrêter que de les poursuivre.

Tout analyser et essayer de préparer chaque étape à l'avance enlève de la spontanéité et porte une personne à vouloir trop contrôler les étapes qui vont l'amener à son but. Lorsque tu agis spontanément, que chaque étape est dirigée par ton intuition, tu peux vivre habituellement des expériences tout à fait nouvelles que tu n'aurais jamais cru possibles en te basant seulement sur ton intellect. En effet, tu ne peux planifier qu'à partir de choses déjà connues. Quand tu planifies, tu fouilles dans ta mémoire pour aller y chercher ce que tu connais déjà. Quand tu écoutes ton intuition, ton **DIEU** intérieur, connaissant des choses que ton intellect ne connaît pas, te guide vers du nouveau.

Quand j'ai fait mes études, par exemple, le métier d'animateur de cours de croissance personnelle n'existait pas encore; donc je n'aurais jamais pu, à ce moment, planifier d'exercer ce métier. Parce que plusieurs nouvelles opportunités se présenteront dans les années à venir, il est presqu'impossible de prendre une décision aujourd'hui qui impliquera le reste de notre vie. On dit même qu'on n'a encore rien vu. Semble-t-il que d'ici dix ans, davantage de changements auront lieu qu'au cours des cent dernières années.

S'ouvrir aux nouveautés est donc une qualité à développer le plus rapidement possible, sans quoi on se pose des limites inutilement.

Le fait de passer à l'action demande beaucoup de foi et de confiance en la capacité de ton **DIEU** intérieur de te guider vers ton but. Un bon moyen pour entretenir ta foi est de garder ton enthousiasme face à ce que tu veux. Dans le mot enthousiasme, on retrouve le mot "entheos" qui est un mot latin signifiant "en **DIEU**". Alors une personne enthousiaste reflète bien son **DIEU** intérieur, sa joie de vivre.

On a souvent dit de moi que j'étais enthousiaste. Pour ma part, j'étais plus consciente des moments où ma tête prenait le dessus. Je me disais: "*Tu ne penses pas que tu es trop enthousiaste?*" Je me suis même sentie coupable à quelques reprises lorsque j'étais en compagnie de personnes très peu enthousiastes; je me sentais à part des autres avec tout cet enthousiasme face à la vie et aux buts que je nourrissais.

Quand j'œuvrais dans le domaine de la vente, je travaillais toujours avec un but précis, tel que gagner un voyage. L'enthousiasme aide à passer à l'action car, en plus d'être énergisante, elle est contagieuse.

J'ai pu confirmer cet état de fait avec une gardienne qui travaillait à temps plein chez moi au temps où les enfants étaient jeunes. Un jour, elle reçut une offre d'un autre employeur qui pouvait lui offrir le double du salaire que je lui versais. Elle m'a alors dit: *"Je préfère demeurer ici parce que vous avez tellement d'enthousiasme dans la vie. Je n'ai jamais connu quelqu'un qui, comme vous, travaille toujours en fonction d'un but et qui a tellement hâte que ce but se concrétise. Je gagne beaucoup à vivre dans cette atmosphère."* Cette gardienne m'était d'un grand secours dans tout ce que j'entreprenais. Elle est devenue plus qu'une gardienne d'enfant.

Je savais que je déployais beaucoup d'énergie mais je ne réalisais pas à ce moment que le fait d'être enthousiaste me gardait branchée à mon **DIEU** intérieur, que cela me guidait davantage dans la bonne direction tout en m'énergisant.

Par contre, tout en faisant des actions vers ton but, il est important que tu respectes tes limites.

Plus une personne se force pour dépasser ses limites, plus elle se fatigue et s'épuise pour finalement être obligée d'abandonner en cours de route. Vouloir trop forcer les choses va à l'encontre des lois naturelles. C'est vouloir faire du contrôle.

Te donner le droit d'avoir des limites et accepter que certaines choses soient plus difficiles pour toi, sont les éléments nécessaires pour justement élargir ces limites. Tu dois te dire: *"Je vais aller un peu au-delà de mes limites. Si je vois que je suis incapable d'aller plus loin, c'est correct. Je me donne d'avance le droit d'arrêter ou de ne pas pouvoir aller plus loin."* Cette notion de dépassement de nos limites est très surprenante. Il est difficile pour l'intellect de l'accepter parce qu'elle n'est pas une notion intellectuelle, mais plutôt une notion spirituelle.

Nous devons absolument en faire l'expérience pour constater à quel point le dépassement de soi est synonyme d'ouverture spirituelle. Quand tu sais qu'une chose est vraie et que tu veux rassurer ton intellect, tu peux lui dire: *"Je sais que c'est vrai parce que je l'ai expérimenté. Alors, je te demande d'y croire."* Ainsi rassuré, ton intellect va se laisser diriger, même s'il ne comprend pas. En respectant tes propres limites, il devient beaucoup plus facile de respecter celles des autres.

Quand tu te donnes un but et que tu passes à l'action, il se peut que les personnes de ton entourage ne soient pas toujours d'accord ou soient incapables d'aller à ton rythme, de te suivre dans ce que tu fais. Il est important d'accepter les limites des autres et de ne pas les critiquer ou de les juger parce qu'ils ne veulent pas te suivre. C'est ton but, ce sont tes actions et tu fais précisément ces expériences pour apprendre et pour développer davantage ta créativité. Il n'existe aucune raison de forcer quelqu'un d'autre à agir comme toi. Chacun choisit sa propre manière de grandir.

Quand tu décides de te laisser guider par ton intuition dans un projet, tu dois demeurer alerte pour passer d'une étape à l'autre, surtout quand la prochaine étape t'est inconnue. Les détails de la prochaine étape peuvent se préciser par une idée qui t'arrive spontanément ou par l'entremise de quelqu'un d'autre. Lorsque ça se produit, considère cet événement comme si tes guides te venaient en aide et te guidaient à travers quelqu'un d'autre parce que tu n'as peut-être pas été capable d'entendre ta petite voix intérieure qui t'indiquait la prochaine étape.

Tu dois toujours te rappeler que quelle que soit l'action que tu envisages, tu vivras une expérience et tu apprendras à travers cette action. Tu dois être prêt à assumer les conséquences de tout ce que tu fais. Vas-y graduellement, et quoi qu'il arrive, tu y verras clair au fur et à mesure que les événements se dérouleront.

N'oublie pas aussi l'importance de la persévérance pour arriver à ton but. Mais être persévérant ne veut pas dire "forcer". C'est simplement d'y aller à ton rythme, comme ça vient et d'être constant en ne te laissant pas décourager par ceux qui ont possiblement des limites différentes des tiennes.

Si quelqu'un te conseille d'arrêter, il te dit en réalité qu'il ne pourrait pas se rendre aussi loin que toi et que cette situation lui fait peur. C'est sa peur qui lui dicte de te parler ainsi. Dans le fond, le fait de démontrer qu'il craint le pire pour toi indique qu'il s'intéresse à toi et qu'il veut ton bien. Ne considère pas cette personne comme étant défaitiste et te voulant du mal puisque c'est sa façon à elle de te guider.

Il demeure important d'accepter les gens autour de toi qui ont de bonnes intentions, même quand le discours qu'ils tiennent n'est pas nécessairement celui que tu veux entendre. Bien que tu puisses les remercier de s'intéresser autant à toi, aussi longtemps que ta petite voix intérieure te dit de continuer, n'arrête pas. Si un jour tu décides d'arrêter, tu dois sentir que cette décision vient de toi. Si tu songes à t'arrêter en cours de route, demande-toi: *"Est-ce la peur qui m'empêche de continuer?"* Si la réponse est oui, sois conscient que tu te laisses influencer par une expérience de ton passé ou par quelqu'un d'autre qui a peur. Réalise que tu ne réponds pas vraiment à ton besoin en t'arrêtant.

Par contre, si tu désires t'arrêter parce que la situation est devenue tellement lourde à porter que ça t'enlève le plaisir de passer à l'action et que ce n'est pas la peur qui motive ton geste, alors arrête-toi: tu as atteint ta limite.

Il demeure important aussi d'exprimer de la gratitude envers la vie en cours de route.

Dis merci pour tout ce que tu fais, dis merci à ceux qui t'aident et dis-toi merci pour être à l'écoute de ton **DIEU** intérieur toujours présent pour te guider. Accepte de recevoir plutôt que d'insister pour toujours vouloir tout faire tout seul. Si tu t'ouvres à recevoir en pensant ou en disant: *"Ah! Que l'Univers est bon, l'Univers s'occupe de moi."*, tu laisses couler vers toi le flot de ta rivière d'abondance; tu atteindras ainsi tes buts plus rapidement.

Voici un exemple réel pour illustrer tout ce que je viens de couvrir dans ce chapitre. En 1993, le groupe Écoute Ton Corps décide de déménager ses bureaux administratifs dans ses installations situées à Bellefeuille, dans les Laurentides, lesquelles étaient composées entre autres d'une résidence pouvant héberger dix personnes.

Notre première action fut de faire faire l'estimé des coûts d'un agrandissement éventuel de la maison principale. Nous avons par la suite envisagé la construction d'une nouvelle maison d'hébergement. Pendant ce temps, mon fils, qui visitait différents autres endroits dans les Laurentides, me revint un jour en disant: *"J'ai découvert l'endroit où nous devons déménager: c'est un hôtel que les propriétaires laissent aller à un prix dérisoire, qui nous coûterait environ la même somme d'argent à l'achat que de faire la nouvelle construction sur le terrain que nous possédons déjà. De plus, l'immeuble est entièrement meublé."*

Cette opportunité était complètement inattendue. Je n'y avais jamais pensé compte tenu que cet hôtel était environ six fois plus grand que ce que nous envisagions faire avec la nouvelle construction. De plus, on retrouvait deux autres résidences sur le terrain de l'hôtel.

J'ai tout de même décidé de faire des actions en me disant que si c'était bon pour nous, ça se ferait. Je suis donc allée visiter cet hôtel mais je le trouvais beaucoup trop grand. Je me demandais si nous avions besoin d'un si grand espace. Finalement, nous avons fait une offre d'achat. J'ai offert l'équivalent du prix prévu pour la nouvelle construction sur l'autre site. À ma grande surprise, l'offre fut acceptée.

La prochaine action consistait à faire une demande de prêt, qui fut elle aussi acceptée. Rien ne présageait un tel enchaînement. Une chose est sûre: je ne savais jamais d'avance quelle serait la prochaine étape, encore moins son dénouement. Je m'abandonnais dans les mains de **DIEU** en me disant: *"Que le plan divin s'accomplisse. Si c'est bénéfique pour Écoute Ton Corps d'être à cet endroit, que les choses se placent en conséquence."* Les événements qui suivirent se sont déroulés de la sorte les uns après les autres.

Quelques mois plus tard, toute l'équipe d'Écoute Ton Corps déménageait dans ce nouveau centre, lequel est une bénédiction du ciel car il est de toute beauté. À notre grande surprise, il n'y avait pas d'espace en trop. Nous en avions vraiment besoin. Si nous avions réalisé la nouvelle construction telle que nous l'avions d'abord planifiée sur l'autre site, elle se serait avérée trop petite dès la première année! L'Univers savait des choses que nous ne savions pas.

Voilà ce que j'entends par passer à l'action tout en étant prêt à ce que nos plans changent de direction. Dans cet exemple, il est clair que si l'Univers m'avait démontré que ce projet était trop lourd pour Écoute Ton Corps, le processus aurait été interrompu dans la progression de cet achat. Ça aurait bloqué à un moment ou à un autre. J'étais prête à changer d'idée et à me diriger dans une autre direction.

J'ai pu constater une nette différence entre cet achat et un achat similaire complété sept ans plus tôt alors que j'avais considérablement forcé le processus et où j'avais cherché à contrôler le cours des événements. À la longue, j'ai dû abandonner cet édifice, encourant une importante perte financière du même coup. (Les détails de cette expérience apparaissent dans mon autobiographie ***Je suis Dieu, WOW!***)

Dans toutes les actions que tu fais, il est important de ne pas trop dramatiser, c'est-à-dire de demeurer capable de prendre la vie en riant et d'être prêt à rire de toi. Cultive ton sens de l'humour.

La vie est beaucoup trop précieuse pour la prendre au sérieux.

Souviens-toi que lorsque tu es centré, tu sais qu'il existe une solution à tout. Tout problème ou obstacle ne peut arriver dans ta vie sans que la solution ne l'accompagne. Les personnes qui ne trouvent pas la solution sont celles qui restent prisonnières du problème. Elles ruminent le problème plutôt que de se dire: *"Je constate aujourd'hui que j'ai tel problème. Quelle est la solution?"* Après, laisse-toi guider afin de la trouver. Souviens-toi de ton **DIEU** intérieur et de ton grand pouvoir de créer ta vie. En mettant de la joie, de la reconnaissance et du rire dans ce que tu fais, tu allèges énormément la charge de tout ce que tu entreprends.

Si tu ne passes pas à l'action, il est important pour toi de reconnaître que personne d'autre au monde ne peut le faire pour toi. C'est une démarche que chaque personne doit faire par elle-même et pour elle-même. Chaque petit but, chaque petit désir que tu réalises t'amène vers un autre désir, vers un autre but et t'amène à devenir de plus en plus conscient de ton grand pouvoir de créer ta vie. Tu redeviens ainsi conscient de ce que tu es et tu reprends contact avec ton **DIEU** intérieur. Voilà la raison fondamentale devant soutenir tes actions, peu importe lesquelles.

Pour terminer ce chapitre, je te suggère de prendre quelques instants pour noter sur papier trois choses que tu désires: une à court terme (d'ici quelques mois), une autre à moyen terme (d'ici deux ans) et la troisième à long terme (pour plus tard).

Prends la décision de faire cette semaine n'importe quelle action en fonction de tes trois buts, afin de commencer à mettre en mouvement l'énergie nécessaire à leur manifestation éventuelle dans ta vie.

Ensuite, au lieu de vouloir en contrôler les résultats, suis simplement les étapes vers lesquelles ton **DIEU** intérieur t'oriente et sache que chacune d'elles sera bonne pour toi.

CHAPITRE 11
FAIRE LE MIROIR

Regarder les autres comme s'ils étaient nos miroirs est une méthode que j'enseigne depuis les débuts d'Écoute Ton Corps et je ne cesse de constater le bien-fondé de cette approche. Il y a de cela deux mille ans, Jésus voulait nous instruire sur la notion du miroir en disant: *"Tu vois la paille dans l'œil de ton frère, mais tu ne vois pas la poutre dans le tien."* Il nous dit que ce que nous voyons chez les autres est encore plus prononcé chez soi. Je considère cet énoncé des plus vrais.

Tu as sûrement entendu également les deux énoncés suivants à l'effet que nous jugeons les autres selon ce que nous sommes et que nous devenons ce que nous jugeons. Par conséquent, il est possible de devenir conscients de ce que nous sommes en demeurant alertes face aux jugements que nous portons envers les autres. Dans tout ce que j'ai appris, je dois avouer que l'approche du miroir est le moyen le plus rapide et le plus extraordinaire que j'ai découvert pour devenir consciente de qui je suis.

Avant de pouvoir transformer quoi que ce soit chez toi, tu dois en devenir conscient car tu dois d'abord constater que cela t'appartient. Dès que tu accepteras l'idée que tout ce qui vit à l'extérieur de toi est un reflet de ce qui se passe à l'intérieur de toi-même et que ce que tu vois chez l'autre est un reflet de toi-même, ta vision de la vie changera complètement.

Imagine-toi maintenant devant un vrai miroir. Tu te regardes; l'image reflétée ne peut être que la tienne. Si tu constates un détail que tu n'aimes pas, comme un corps qui grossit ou un problème de peau, l'attitude de te choquer contre le miroir, de le casser ou de le donner, ne changera strictement rien à la situation. Je suis persuadée que tu trouverais idiot d'agir ainsi, puisque ce n'est pas le miroir mais bien toi qui es ce que tu vois.

Il est préférable d'accepter ce que tu constates. La réaction typique de la plupart des humains est de vouloir changer la personne qu'ils voient et cette attitude est exactement la même que celle de vouloir changer le miroir. Quand tu te regardes dans le miroir, celui-ci te reflète chacune des parties de ton corps, même celles que tu n'aimes pas voir ou que tu n'acceptes pas. Tu n'acceptes pas une partie de toi quand tu voudrais t'en défaire ou la remplacer par une partie qui te plairait davantage.

Par exemple, si tu considères que ton ventre est trop gros et que tu ne l'acceptes pas ainsi, il te dérangera de plus en plus à chaque fois que tu le regarderas dans un miroir. Tu dois te rendre à l'évidence que moins tu l'acceptes, plus il te paraît gros! Pourquoi? Parce que toute transformation durable ne peut s'effectuer sans amour. Moins tu acceptes quelqu'un et plus ce dernier s'accroche.

As-tu déjà remarqué le comportement d'un enfant qui est rejeté sans cesse par ses parents? Il devient de plus en plus agité, turbulent, dérangeant. Il exige de plus en plus d'attention car il ne peut tolérer de se faire rejeter ainsi. Le rejet est contraire aux lois naturelles de l'amour.

Pareillement, plus tu rejettes une partie de toi, que ce soit au niveau physique ou au niveau d'une attitude intérieure, plus cette partie exige ton attention en prenant plus d'ampleur et d'importance. Elle cherche à être reconnue; elle veut une place. Lorsqu'elle est acceptée, elle cesse de vouloir prendre toute la place.

Cette méthode est donc excellente pour t'aider à devenir conscient de ce qui est accepté en toi et de ce qui ne l'est pas. Je te suggère cependant de faire le miroir pour découvrir les parties en toi qui te font adopter certains comportements. Étant donné que nous sommes sur Terre pour vivre des expériences tout en reconnaissant qui nous sommes, il va sans dire que nous aurons atteint notre but terrestre quand nous serons capables d'accepter chacune des différentes façons que nous avons de nous exprimer. Pour y arriver, tu dois avant tout te regarder, constater qui tu es, observer tes comportements et te donner le droit d'être tel que tu es.

Quand tu observes quelqu'un d'autre et que son comportement te dérange, ta réaction confirme que lorsque tu agis ainsi toi-même, ton comportement te dérange, donc que tu ne t'acceptes pas ainsi.

> ***L'Univers s'occupe sans cesse de t'envoyer tes propres reflets, en utilisant principalement les personnes qui te sont proches.***

Nos meilleurs miroirs sont nos enfants. Si tu as des enfants, je te suggère fortement de les utiliser comme miroirs, dès leur tendre enfance. En effet, avant l'âge de sept ans, l'enfant passe une bonne partie de son temps à imiter ses parents, surtout celui du même sexe que le sien. Par exemple, le père constitue le premier modèle d'un petit garçon pour devenir un homme sur la planète Terre. Il en est de même pour la petite fille avec sa mère. On constate davantage de conflits entre le parent et l'enfant du même sexe car ils sont très souvent le miroir l'un de l'autre.

De jour en jour, l'enfant reflète au parent les comportements qui ne sont pas encore acceptés en lui. Quand tu éprouves de la difficulté à accepter un certain comportement, c'est parce qu'à un moment donné tu as appris qu'un tel comportement était inacceptable ou "mal"; tu en as alors décidé ainsi en fonction de l'éducation reçue de tes parents ou des exemples dont tu as été témoin.

Au moment où tu te rends compte que tu agis selon un comportement que tu as jugé comme étant mal, pas correct ou honteux, tu ne t'acceptes sûrement pas. Pire encore, si tu considères ce comportement tout à fait inacceptable, tu peux aller jusqu'à te priver d'agir ainsi pour te faire accroire que tu n'es pas comme ça! Si tu es du genre à te contrôler ainsi et à ne pas te permettre le comportement en question, il est sûr qu'il te sera beaucoup plus difficile de reconnaître que tu agis comme la personne que tu juges.

À titre d'exemple: quand mes trois enfants étaient plus jeunes, ils laissaient tout traîner. Je ne comprenais pas leur comportement compte tenu que je leur donnais constamment le bon exemple en rangeant sans cesse. Je les ai disputés, je leur ai fait des promesses, je les ai menacés, j'ai eu recours à toutes les méthodes possibles afin qu'ils soient des enfants ordonnés. Je n'ai jamais obtenu le résultat escompté.

Lorsque j'ai compris que mes enfants étaient mon miroir, j'ai alors réalisé qu'ils me reflétaient un aspect de moi que je n'acceptais pas. Ayant appris et décidé qu'il était inacceptable de laisser traîner quelque chose, je me contrôlais sans cesse pour toujours tout ranger sans exception. J'essayais ainsi de me faire accroire que je n'étais pas désordonnée. De plus, le père de mes enfants laissait également tout à la traîne. J'avais donc quatre personnes devant moi pour me montrer à quel point je me contrôlais dans ce domaine.

Cet exemple ne suggère pas pour autant que je suis devenue par la suite une personne aimant le désordre; toutefois, je peux maintenant me permettre, de temps en temps, de laisser traîner certaines choses et je ne me crée plus de tension pour que tout soit rangé. Bien que ma préférence demeure l'ordre, maintenant que ma partie "désordonnée" est acceptée, je me donne le droit d'avoir du désordre sans me sentir mal pour autant.

Je le fais même au moment où j'écris ce livre! Je laisse traîner d'une journée à l'autre le matériel dont j'ai besoin pour écrire afin que le tout soit prêt pour poursuivre la rédaction du livre dès le lendemain. Antérieurement, je ne me serais jamais donné le droit d'agir ainsi. Une fois ma journée terminée, j'aurais pris le temps de tout ranger au cas où quelqu'un serait arrivé à l'improviste.

Je n'osais jamais laisser quelque chose à la traîne car je voulais convaincre ma famille que cette attitude était inacceptable. Étant très sévère avec moi-même, je faisais tout ce qui était en mon pouvoir pour ne pas entendre ma petite voix intérieure me dire: *"Tu devrais avoir honte de tout laisser à la traîne comme ça quand tu es la première à disputer les autres."* Il fait bon maintenant d'être confortable dans ce comportement même si je n'agis pas selon ma préférence.

Je te suggère fortement d'utiliser la technique du miroir le plus souvent possible dans ta vie. Cependant, cette approche n'est pas facile pour l'ego bien qu'elle s'avère très efficace pour le remettre à sa place.

Observe, sans juger, une personne de ton entourage qui critique quelqu'un d'autre. Si elle critique quelqu'un qui manque de respect, observe bien son comportement. Tu t'apercevras à coup sûr qu'elle-même manque de respect envers d'autres personnes. Elle peut interrompre quelqu'un quand il parle, donner un conseil à quelqu'un sans qu'il le lui ait demandé, ou passer en avant d'autres personnes en file d'attente. Bref, elle a sa façon à elle de manquer de respect. Elle ne le fait pas nécessairement de la même façon que ceux qu'elle critique, mais elle sera jugée à son tour comme quelqu'un manquant de respect.

Si tu demandes à cette personne: *"Selon toi, est-ce que tu manques parfois de respect envers les autres?"*, elle te répondra presqu'à coup sûr: *"Non! Cela me dérange tellement quand les gens manquent de respect que j'y fais très attention. Je ne manque jamais de respect."* Si tu lui dis: *"Un peu plus tôt, j'ai observé que pendant qu'une personne te parlait, tu l'as interrompue à plusieurs reprises. Considères-tu ce geste comme un manque de respect ou non?"* Elle qualifiera son comportement autrement, en disant probablement: *"Non, je ne lui ai pas manqué de respect. Je voulais simplement l'aider. Je l'ai interrompue car j'avais peur d'oublier ce que j'avais à lui dire et il était important qu'elle le sache."*

Nous agissons tous ainsi. Nous désirons tellement éviter d'avoir le comportement que nous critiquons que nous considérons et décrivons ce même comportement de façon différente quand il s'agit de nous-mêmes.

Fais-tu partie des nombreuses personnes qui ne peuvent tolérer qu'on leur mente? En t'observant de plus près, tu t'apercevras qu'il t'arrive souvent de ne pas vraiment dire la vérité. Si quelqu'un te fait remarquer: *"Quand tu as dit telle chose, était-ce vraiment ce que tu pensais?"*, tu répondras probablement: *"Non, mais j'aurais été impoli en disant ce que je pensais réellement. J'aurais blessé mon ami si je lui avais dit la vérité. Je n'ai pas menti: j'ai seulement fait attention à ses sentiments."* Tous et chacun trouvons mille et une excuses pour justifier notre comportement, pour ne pas reconnaître que nous agissons de façon identique au comportement que nous critiquons chez l'autre.

À chaque fois que tu t'entends critiquer ou juger quelqu'un en terme de bien ou mal, correct ou pas correct, que ce soit en paroles ou en pensées, utilise ce moyen extraordinaire. Arrête-toi et demande-toi: *"Est-ce qu'il se pourrait que moi aussi j'adopte parfois ce comportement?"* Si tu es une personne ouverte et décidée de te prendre en mains et te connaître davantage, tu te reconnaîtras très vite.

Pour arriver à t'accepter ainsi et te donner le droit d'avoir un certain comportement, tu dois d'abord analyser la motivation soutenant ce comportement. Revenons à l'exemple du mensonge. Quand tu mens, quand tu déformes ou exagères un peu la vérité, deviens conscient que lorsque tu le fais, tu as généralement une bonne intention. C'est souvent pour ne pas déplaire ou par peur d'être pris en défaut, d'être disputé, etc. Derrière un mensonge, se cache toujours une peur. Quand tu deviens conscient de ta motivation, il est beaucoup plus facile par la suite de reconnaître que lorsque les autres mentent, déforment ou exagèrent la réalité, c'est aussi parce qu'ils ont peur. C'est ainsi que tu développes davantage de compassion envers toi-même et les autres.

La prochaine étape consiste à te donner le droit d'agir ainsi au lieu de te dire: *"À l'avenir, je dois faire attention de ne plus mentir."* Le fait de devenir conscient que toi aussi tu mens parfois te permet de voir ta peur derrière ces mensonges. Mais cette prise de conscience ne doit pas être faite dans le but de te changer. Une personne qui veut se changer n'y arrive pas.

L'attitude de vouloir se changer parce que nous jugeons que tel comportement est mal ne donne aucun résultat.

Cette attitude nous garde plutôt prisonnière de ce même comportement. Le seul moyen que je connaisse et qui amène une transformation réelle, sans devoir se contrôler, est celui de se donner le droit d'être tels que nous sommes présentement tout en ayant davantage de compassion pour soi. C'est de voir qu'au fond, on n'est pas une mauvaise personne pour autant parce qu'on agit de la sorte. C'est suite à cette acceptation que la transformation commence à se faire sentir graduellement.

Donc, la prochaine fois que tu te surprendras à mentir, exagérer ou déformer la réalité, dirige ton attention tout de suite vers la peur derrière ce mensonge et dis-toi: *"Je constate que j'ai encore peur."* Donne-toi le droit d'avoir peur. Il est même possible qu'à ce moment, tu sois capable de te reprendre en mentionnant à l'autre personne: *"Ce que je viens de te mentionner n'est pas l'exacte vérité. J'avais peur de te la dire."* Si tu ne peux te reprendre à l'instant même, c'est bien aussi. Tu le feras quand tu te sentiras prêt.

Faire le miroir donne toujours des résultats extraordinaires. Cette approche améliore nettement les relations entre parents et enfants, entre conjoints, entre amis et entre confrères de travail. Je l'ai enseignée à des milliers de personnes et j'ai toujours obtenu de bons commentaires à son sujet.

Cette approche aide aussi à mieux comprendre l'expression disant que les contraires s'attirent. Ceux qui font le miroir s'aperçoivent que les personnes formant un couple ne sont pas contraires l'une de l'autre. Les deux ont le même fond, quoique l'exprimant de façon différente. Ils semblent contraires l'un de l'autre. Cependant les deux "font du contrôle" et ne sont pas véritablement eux-mêmes.

Voici d'ailleurs l'exemple d'un cas souvent rencontré. À l'intérieur d'un couple, madame dépense beaucoup trop alors que monsieur s'avère économe. Ce dernier tente de convaincre madame de dépenser d'une façon moins futile. Ils semblent être contraires tous les deux, alors qu'au fond, ils cachent la même insécurité financière.

Pour cacher son insécurité, madame ne se permet pas d'adopter un comportement laissant paraître son insécurité. Ne voulant pas admettre cet état de fait, elle agit comme si l'insécurité n'existait pas pour elle. Elle dépense de façon importante pour elle-même ou pour la famille et souvent pour des choses qui sont parfaitement inutiles. Quant à monsieur, son insécurité fait de lui un être trop raisonnable, trop prudent. Il se contrôle et ne se permet pas de se payer de petites douceurs.

Comme tu peux le constater, tous les deux ressentent de l'insécurité mais l'expriment de façon différente. Madame est là pour montrer à monsieur qu'il ne se permet pas assez de petits plaisirs. Elle adopte le comportement que lui devrait avoir plus souvent. Monsieur agit d'une façon permettant à madame de comparer son comportement au sien. Monsieur est présent dans sa vie pour lui montrer qu'une partie d'elle veut économiser mais qu'elle ne s'en donne pas le droit car, selon elle, le fait d'économiser serait synonyme d'avouer son insécurité.

Les deux ont intérêt à se donner le droit d'être comme l'autre. En faisant le miroir, ils arriveront à trouver leur juste milieu, c'est-à-dire que les deux feront tantôt des achats, tantôt des économies.

Une relation de couple est bénéfique quand chacun utilise l'autre pour grandir plutôt que de l'accuser et de vouloir le changer. Trop souvent celui du couple qui veut économiser critique l'autre et essaie de le changer, alors que la personne qui dépense trop répète à son conjoint: *"Vis ton moment présent et cesse donc de penser à nos vieux jours: on pourrait mourir tous les deux dès demain."* Les deux s'inventent toutes sortes de raisons pour essayer de convaincre l'autre que leur manière de se comporter est la meilleure.

Pour faire le miroir, tu peux te servir de la façon dont les gens se comportent avec toi. Par exemple, t'arrive-t-il parfois de désirer quelque chose et que lorsque tu en discutes avec ton conjoint, il tente de te convaincre de changer d'idée en semant le doute en toi? T'arrive-t-il de ne pas vouloir partager tes désirs ou tes buts à une autre personne de peur que cette dernière te décourage?

Si plusieurs personnes essaient de te décourager, il est temps que tu réalises qu'elles sont tout simplement le reflet de ce qui se passe en toi. Elles veulent ainsi te montrer (inconsciemment) qu'une partie de toi doute, a peur et tente de te décourager. Lorsque tu cherches à ignorer une partie de toi, elle continue à prendre de l'ampleur sans que tu en sois conscient. D'où l'importance de devenir conscient de toutes les parties qui t'habitent de façon à justement leur faire face pour les "remettre à leur place" et pour qu'elles cessent de te diriger.

Ta façon de voir les autres témoigne également de ce qui se passe en toi. Si tu t'aperçois qu'avec les années, la nature te semble de plus en plus belle et les gens de plus en plus beaux, si tu es porté à t'arrêter davantage à la beauté qu'à la laideur autour de toi, c'est signe que tu te vois également de cette façon. Il n'y a rien de bien ou de mal dans tout ce que tu perçois en toi et chez les autres; il s'agit tout simplement de constater les choses.

Tout ce que tu expérimentes a pour but de t'aider à devenir conscient de toi-même sans te juger.

Tu peux aussi te connaître davantage en faisant le miroir avec ce que tu admires chez les autres. Lorsque, par exemple, tu admires un trait de caractère chez quelqu'un, c'est qu'en réalité tu ne crois pas avoir cette capacité car tu ne crois pas pouvoir être ce que tu admires. Si tu admires quelqu'un pour sa douceur ou pour son organisation, ou encore pour sa bonne écoute, c'est signe que tu possèdes déjà cette douceur, ce sens de l'organisation ou cette bonne écoute.

Si tu te réfères à l'enseignement de Jésus voulant que ce que tu vois chez l'autre est toujours plus marqué chez toi, n'est-il pas agréable de réaliser que ce que tu admires chez l'autre est déjà en toi et même plus? Donc si tu admires la douceur d'une personne, c'est que tu es encore plus doux qu'elle. En lisant ces lignes, tu penses sûrement: *"Comment est-ce possible? Si j'étais vraiment une personne douce et que j'aimais la douceur, pourquoi ne le suis-je pas dans mon quotidien?"*

C'est une peur qui t'empêche d'accepter ta douceur, tout comme celle-ci t'empêche d'accepter ce que tu qualifies de défaut. N'est-il pas étrange qu'une personne ne croit pas être empreinte de belles qualités? Pourquoi as-tu décidé de ne pas être ce que tu veux être?

Alors, si tu admires la douceur de quelqu'un d'autre, pose-toi la question: *"Que pourrait-il m'arriver de désagréable si je me laissais aller à être doux?"* Si aucune réponse ne vient, tu peux aller plus loin en te demandant: *"Qui ai-je connu dans le passé qui m'apparaissait très doux? Est-il arrivé quelque chose de désagréable à cette personne à cause de sa douceur?"* ou *"Qu'est-ce qui pourrait arriver de désagréable aux gens qui sont très doux?"* Ces questions t'aideront à faire surgir la peur qui t'habite. Tu crois peut-être que les gens très doux font profiter d'eux. Si tu nourris cette croyance mentale, tu as alors peur de faire profiter de toi en démontrant ta douceur.

Des personnes admirant les gens bien organisés m'ont dit avoir découvert qu'elles se refusaient la possibilité d'être bien organisées par crainte de perdre leur spontanéité et d'être prises par un horaire trop rigide. N'est-ce pas intéressant de constater les différentes peurs qui nous habitent.

Je te suggère de procéder ici de la même façon qu'avec les comportements qui te dérangent. Si tu ne crois pas avoir telle qualité, vérifie avec les personnes qui te connaissent bien et demande-leur ce qu'elles voient en toi. Tu seras surpris de les entendre te dire qu'elles admirent aussi cette partie de toi, cette qualité en toi que tu refuses de voir. Tu désires être ainsi mais tu as peur de le devenir. C'est pourquoi tu attribues à cette qualité un autre nom. Par exemple, une personne douce qui se voyait plutôt comme patiente fut surprise d'entendre ses amis lui dire qu'ils l'avaient toujours considérée douce.

Si la peur est forte, il est possible que tu te forces à être le contraire de ce que tu admires ce qui occasionne des tensions intérieures dues au contrôle qu'exige une telle attitude. Comme tu le constates, utiliser les personnes autour de toi comme tes miroirs t'aide énormément à devenir conscient de plusieurs peurs et croyances qui t'habitent et qui bloquent la manifestation de tes désirs. C'est toi qui souffres en bout de ligne car ce sont tes désirs qui ne sont pas manifestés.

L'Univers nous aide sans cesse, par toutes sortes de moyens, pour nous amener à vivre dans l'harmonie, l'abondance, l'amour, le bonheur, la paix et la santé. Si nous ne comprenons pas d'une façon, l'Univers nous fait parvenir le même message d'une autre façon. Par exemple, ressentir des malaises dans ton corps physique ou connaître la maladie constitue un des moyens utilisés pour t'aider à devenir conscient qu'une croyance mentale bloque ton désir depuis déjà longtemps. Tu peux le considérer comme un cadeau!

Pour utiliser la méthode du miroir efficacement, il est important que tes observations au sujet de ce qui te dérange ou de ce que tu admires se situent au niveau d'une attitude et non au niveau physique.

Si une personne qui mange la bouche ouverte, qui fume ou qui parle fort te dérange, ne tiens pas seulement compte de l'aspect physique. Pour découvrir l'attitude qui t'appartient, tu dois te poser la question: *"Quand j'entends quelqu'un qui parle fort, qu'est-ce qui me dérange dans ce comportement?"* Si la réponse est par exemple: *"Ce qui me dérange est le fait qu'il se prend pour un autre"*, c'est précisément cet aspect de toi que tu dois analyser. Vérifie dans quelles circonstances il t'arrive de te prendre pour un autre.

Si ce comportement t'est tellement inacceptable que tu ne peux même pas te donner le droit de l'avoir, il se peut que tu éprouves plus de difficulté à t'accepter ainsi. Ta première réaction pourrait être: *"Il ne m'arrive jamais d'être prétentieux."* Je te suggère alors de demander aux gens qui te connaissent bien ou qui font partie de ton quotidien, de te dire s'ils te perçoivent ainsi. Explique-leur que tu entreprends une démarche intérieure et que tu te poses des questions à ton sujet. Permets-leur de te dire la vérité et écoute bien leurs réponses. Elles ne feront peut-être pas ton affaire et tu seras probablement surpris des exemples cités à ton égard par lesquels ils considèrent que tu adoptes un comportement prétentieux. Les réponses te surprendront car dans ton schème de pensée, cette attitude n'est pas l'attitude de quelqu'un qui se prend pour un autre.

Cependant, il est important de savoir et de te rappeler que selon les lois de l'amour, tu n'as pas le droit de retourner le miroir vers une autre personne.

> ***Chaque personne doit utiliser la technique du miroir de la façon qu'elle le veut et quand elle le veut, mais pour elle-même seulement et jamais pour les autres.***

Lorsque quelqu'un te critique, tu n'as pas le droit de lui retourner le miroir en lui disant: *"J'ai appris que lorsqu'on critique, c'est parce qu'on est ce qu'on critique. Est-ce possible que ce que tu vois en moi t'appartienne?"* Bien qu'il puisse en être ainsi, retourner la pareille de cette façon est le meilleur moyen à prendre pour perdre tes amis et ruiner tes relations. Aucun être humain n'a le droit de prendre sur lui la responsabilité d'en faire évoluer un autre. L'évolution est personnelle et privilégiée à tous et chacun.

Le moyen le plus efficace à prendre pour aider les gens autour de toi à faire le miroir et à se regarder à travers toi, est celui de donner l'exemple. Quand tu auras dit plusieurs fois à ton conjoint, tes enfants ou tes amis: *"Je veux simplement te dire que l'autre jour, je t'ai jugé quand tu as agis de telle façon. Grâce à ton comportement, j'ai réussi à voir quelque chose en moi que je n'avais pas vu auparavant. Je me suis rendu compte que ce que je jugeais en toi est une façon d'agir que je ne me permettais pas d'adopter. Ça m'a beaucoup aidé."*

Tes interlocuteurs seront tellement touchés par cette humilité et par ta capacité de t'ouvrir à eux de la sorte qu'ils ne se sentiront pas jugés ou critiqués. Ils vont tout simplement constater l'exemple d'une personne qui entreprend une démarche intérieure et cela leur donnera le goût de suivre ton exemple, contrairement à une situation où tu les forcerais à agir ainsi.

Plus tu deviendras familier avec la notion du miroir, plus son utilisation en sera facile, voire même automatique. Il ne s'agit pas d'en faire une obsession, mais plutôt de décider d'utiliser tout ce que tu peux autour de toi pour mieux te connaître et prendre la vie comme elle vient. Tu seras sûrement surpris, même après plusieurs années d'utilisation de cette méthode, d'entrer en contact avec plusieurs aspects de toi dont tu ignorais l'existence jusqu'alors.

J'utilise moi-même cette approche depuis plus de vingt ans et je découvre encore des aspects de moi que je n'avais encore jamais vus. Notre **DIEU** intérieur prend constamment les dispositions qui s'imposent pour que nous fassions notre cheminement à notre rythme et de la façon la plus appropriée pour nous. Rien ne nous oblige à tout faire d'un seul coup.

> ***L'objectif principal de cette méthode est surtout de t'aider à t'accepter tel que tu es et non pas de te critiquer davantage.***

Malheureusement, je constate qu'en devenant conscientes de différents aspects d'elles-mêmes, plusieurs personnes se disent: *"Mon Dieu, j'ai plus de cheminement à faire que je ne le croyais. Je m'aperçois que je suis menteuse, orgueilleuse, impatiente, bref, tout ce que je critique chez les autres. J'ai du travail à faire!"*

Si tu réagis de la sorte, il est préférable que tu n'utilises pas cette méthode. Cette réaction indique que tu te juges et que tu n'acceptes toujours pas ce comportement. Je te suggère d'utiliser l'approche du miroir seulement si tu arrives à dire: *"Je viens de découvrir qu'une partie de moi vit souvent de l'impatience, mais lorsque je suis impatient, les raisons qui motivent ce comportement sont bonnes. C'est souvent parce que je désire que la vie progresse plus rapidement. Ce moyen n'est peut-être pas le meilleur pour moi mais, à tout le moins, je découvre un aspect de moi que je peux mettre à profit."*

Le seul fait de te donner le droit d'être ainsi, de voir le bon côté de ton impatience et de l'accepter, t'aide à accepter les autres qui agissent ainsi. Dès lors, cette attitude commencera à se transformer. Ne t'en veux surtout pas de ne pas l'avoir constaté avant. De toute façon, de vouloir tout régler d'un seul coup est illogique et au-delà du possible.

En devenant spécialiste de la technique du miroir, tu pourras l'utiliser dans tous les autres domaines de ta vie. En regardant ta façon de t'habiller, de marcher, de conduire ton auto, de décorer ta maison, pose-toi la question suivante: *"Qu'est-ce que j'apprends à mon sujet?"*, tu découvriras des aspects non connus de toi.

Par exemple, si tu conduis ton auto trop rapidement et qu'un policier te donne une contravention pour excès de vitesse, tu découvriras peut-être qu'à ce moment précis, tu désirais aller trop vite dans ta vie et que certains dangers te guettaient. Tu reçois ainsi un avertissement à l'effet qu'il te serait plus bénéfique de ralentir la cadence dans ta façon de diriger ta vie. En utilisant cette technique, au lieu d'en vouloir au policier de t'avoir donné une contravention, tu le remercieras intérieurement car tu auras compris un message par l'intermédiaire de cet incident, désagréable à prime abord.

Tu peux agir de la même façon lorsque tu te blesses. Tu peux alors te dire: *"Je me suis blessé au niveau physique, alors serais-je en train de me faire du mal intérieurement? Pourquoi vouloir m'infliger une blessure? Pour me punir de quelque chose? De quoi pourrais-je bien m'accuser ou me sentir coupable?"* En te posant ces questions au moment de l'accident, tu seras surpris des réponses que tu obtiendras.

Cette réaction n'est-elle pas préférable à celle qui consiste à te taper sur la tête et à t'en vouloir en te disant: *"Comme je suis idiot, ou maladroit! Quand vais-je apprendre à mieux travailler?"* Quelle est l'utilité d'une telle dévalorisation? En faisant le rapprochement entre un accident et l'un de tes comportements intérieur, tu augmentes la probabilité d'un dénouement harmonieux et calme.

Pour l'avoir moi-même vécu à maintes reprises, j'ai constaté que la guérison d'une blessure était plus rapide lorsque je trouvais le rapport entre la blessure au niveau physique et ce que je nourrissais intérieurement comme pensées et sentiments. Il va sans dire que l'acceptation fait partie du processus de guérison. À bien y penser, cette façon de faire comporte bien des avantages.

Parvenir à ne plus juger ni condamner fait partie de notre raison d'être ici.

La plupart des gens croient qu'ils atteindront la perfection sur la Terre lorsqu'ils pourront tout faire, dire et penser selon la notion de perfection humaine. Au contraire! Nous l'atteindrons quand nous serons en mesure de nous donner le droit d'être tels que nous sommes et de vivre toute expérience sans la juger. Alors, n'oublie pas! Lorsqu'une expérience ne t'a pas apporté le résultat escompté, tu dois simplement reconnaître que ce genre d'expérience n'est pas ce qu'il y a de mieux pour toi. Il s'agit alors de prendre la décision de ne plus la revivre et de regarder, sans t'accuser de quoi que ce soit, quels éléments de cette expérience sont à ne pas répéter et lesquels sont à ajouter pour obtenir un résultat différent du précédent.

Dans les Évangiles, on peut observer que Jésus en venait à constater que certains étaient des voleurs, des menteurs, etc. Il les voyait et les reconnaissait ainsi, non pas parce que lui aussi agissait en voleur ou en menteur, mais bien parce qu'il acceptait ces comportements. Il s'aimait et aimait les autres de façon inconditionnelle. Plus tu feras usage de cette approche, plus tu développeras de la compassion envers toi et envers les autres. Lorsque tu observeras un comportement et que ça ne viendra plus te chercher, c'est signe que tu acceptes cette partie en toi.

Les gens me demandent souvent: *"Une fois qu'il me sera possible de faire le miroir et d'accepter les gens, pourrais-je être à l'aise avec quiconque parce que je ne les jugerai plus?"* Ce n'est pas parce que tu acceptes les autres et que tu as de la compassion pour eux que tu dois t'imposer de fréquenter des gens qui agissent de façon contraire à ta préférence.

Si tu n'aimes pas être en compagnie d'une personne qui se plaît à détruire la réputation des autres et qui est incapable d'être heureuse dans la vie, tu peux choisir de t'en éloigner tout en constatant sa souffrance. Tu ne la juges pas, tu ne fais que constater que sa souffrance actuelle est telle qu'elle n'est pas capable d'être heureuse. Ta décision, ton choix, de ne plus être en sa présence ne découle pas nécessairement d'un jugement ou d'une condamnation de ta part.

Comparons la situation à quelqu'un qui fume le cigare. Si tu n'aimes pas que tes vêtements soient imprégnés de l'odeur du cigare et si tu n'aimes pas en respirer la fumée, tu peux choisir de ne pas être dans la même pièce que ceux qui fument le cigare. Tu ne les condamnes pas, tu ne les juges pas, tu ne fais que constater que certaines personnes aiment le cigare mais pas toi.

Pour terminer ce chapitre, je te suggère de noter, à chaque jour pendant une semaine, un comportement qui te dérange et un que tu admires. Ensuite, prends le temps de faire le miroir en utilisant toutes les étapes mentionnées dans ce chapitre.

Note également tes impressions suite à l'utilisation de cette approche. Si tu ne te sens pas bien, révises-en chacune des étapes afin de vérifier si elles ont été bien suivies.

Lorsque tu réussiras à vivre ces étapes dans l'acceptation totale, tu te sentiras énergisé et en harmonie. Tu auras l'impression d'avoir reçu un beau cadeau!

CHAPITRE 12
SE SÉPARER

Je tiens à parler du sujet de la séparation et du détachement, parce que nombre d'entre nous éprouvons d'énormes difficultés à se détacher de quelqu'un ou de quelque chose.

Par exemple, certains parents peuvent difficilement se séparer de leurs enfants sans avoir l'impression, au moment de la séparation, de "perdre un morceau". J'entends souvent des parents dire: *"On a perdu notre fille mais on a gagné un gendre."* Parce que pour eux, le fait que leur fille quitte la maison en raison de son mariage leur fait l'effet d'avoir perdu quelque chose.

Avais-tu réalisé que rien dans notre vie ne nous appartient réellement de façon définitive? Tout nous est prêté pour nous permettre de vivre des expériences, seulement pour nous apprendre à nous connaître par l'intermédiaire de ce qui nous entoure. De plus, l'attachement aux biens matériels s'avère tellement fort chez plusieurs qu'ils ont de la difficulté à se séparer de ce dont ils n'ont même plus besoin.

Avec la venue de l'ère du Verseau, il est recommandé de ne conserver chez soi que des choses qui nous sont utiles. Je te recommande de faire le tour de ta maison et de regarder tout ce que tu n'as pas utilisé depuis un an et qui traîne dans le fond de tes garde-robes, tes tiroirs, dans ton grenier et ton sous-sol. As-tu de la difficulté à t'en séparer? Regarde ce qui t'en empêche et ce dont tu as peur. Plus il t'est difficile de t'en séparer et plus cela t'indique que tu as peur de la mort, puisque toute séparation s'apparente à la mort de quelque chose.

Souviens-toi: la naissance et la mort sont intimement liées. As-tu déjà observé le rythme de la nature? À l'automne, le feuillage des arbres meurt, tombe sur le sol de sorte que l'énergie retourne à la terre; puis, au printemps, c'est la renaissance. On peut y observer les fleurs, les feuilles, l'herbe, toute la nature qui s'éveille à nouveau. C'est le cycle naturel de tout ce qui vit sur la planète. L'énergie, sous toutes ses formes, n'est jamais perdue car à la mort de quelque chose du plan physique, ce n'est pas la vie qui meurt; la vie n'arrête jamais. Elle continue sous une autre forme.

C'est la même chose pour nous, les humains. Nous devons accepter l'idée que la mort fait partie du cycle naturel du corps physique. Tous les humains savent qu'un jour leur mort viendra car c'est une des vérités de la vie qui affecte tout le monde. Mais de nombreuses personnes ont une peur inconsciente de la mort. Celles qui ne veulent accepter la mort comme faisant partie d'un cycle naturel cherchent bien souvent à se dérober de la responsabilité de leur vie. Elles s'accrochent à tout ce qui est matériel plutôt que d'utiliser ce qui les entoure pour évoluer.

Plusieurs couples éprouvent aussi des difficultés à vivre une séparation dans l'harmonie. En Amérique, 50% des couples en moyenne se séparent. En 1991, les statistiques démontraient que la durée moyenne d'une vie de couple était de huit ans.

Pourquoi les gens se séparent-ils autant? Peut-être avons-nous précisément besoin d'apprendre à nous séparer dans l'amour. Les gens croient qu'une séparation se doit d'être dramatique, difficile et pénible. Il est certain que si les deux partenaires décidaient de grandir spirituellement ensemble, s'ils utilisaient la technique du miroir telle que mentionnée au chapitre précédent, beaucoup moins de séparations auraient lieu.

> ***Mais si une séparation s'avère inévitable, il est plus sage de l'utiliser pour grandir davantage dans l'amour et pour atteindre une plus grande maturité au niveau spirituel.***

Lors de la séparation d'un couple, bien des questions sont soulevées au sujet des enfants, des biens matériels et de l'argent. C'est à ce moment précis qu'on peut se rendre compte de la capacité de détachement des personnes touchées. Après avoir fait tout leur possible, deux conjoints ont le droit de décider que, pour le moment, ils ne peuvent plus s'entendre à cause du fait qu'ils ne peuvent accepter leurs différences. Ils reconnaissent que le tout va au-delà de leurs limites.

Par conséquent, ils peuvent se demander calmement: *"Maintenant, comment pourrait-on séparer nos biens afin qu'il n'y ait pas de perdants, mais plutôt deux gagnants? Comment pourrait-on s'organiser avec les enfants afin que le tout soit équitable?."* Il est important que tous participent à ces échanges, incluant les enfants. Quand deux conjoints envisagent de se séparer sans en parler au préalable à leurs enfants, cette situation crée des conflits importants. De toute façon, les enfants " sentent venir" la séparation avant même bien souvent que les parents en prennent la décision. Les enfants sont hypersensibles à ce que vivent leurs parents.

Je tiens à souligner l'importance pour les parents de toujours donner l'heure juste à leurs enfants, de leur dire ce qui se passe au fur et à mesure de l'évolution des événements, même si aucune décision n'a encore été prise. Les parents peuvent, par exemple, mentionner à leurs enfants qu'ils éprouvent en ce moment des difficultés à être ensemble et à s'entendre et qu'ils sont en discussion pour en arriver à une solution équitable pour tous. Les parents qui demandent l'opinion de leurs enfants sont souvent surpris d'entendre: *"L'important pour nous, c'est que tout le monde soit heureux."*

Combien de parents se sont forcés pour demeurer ensemble parce qu'ils ne voulaient pas affecter le bonheur de leurs enfants. Ils poursuivaient leur vie commune, pénible et ingrate, croyant ainsi que cette décision favoriserait leurs enfants. Dans ce genre de situation, les enfants reprochent souvent à leurs parents d'avoir été peu réalistes et d'avoir pris des décisions sans même les consulter. Les enfants sont les premiers à dire aux parents: *"On ne vous a jamais demandé d'agir ainsi pour nous. C'est vous qui avez voulu le faire."* Les enfants ne sont pas plus reconnaissants envers leurs parents d'avoir agi de la sorte.

Une séparation vécue dans l'amour prépare bien une personne pour sa prochaine relation, si tel est son choix.

Il demeure important que les deux membres du couple reconnaissent les facettes de l'autre qu'ils ont été incapables d'accepter et qu'ensuite, ils se donnent le droit de ne pouvoir faire leur processus d'acceptation à ce moment. Après la séparation, quand l'homme et la femme se retrouvent seuls, chacun de leur côté, ils pourront en profiter pour faire une introspection en appliquant la technique du miroir. Cette démarche leur sera d'une grande utilité en prévision des moments où ils seront à nouveau en contact avec quelqu'un ayant le même comportement.

Fais-tu partie des nombreuses personnes qui ont vécu une séparation? Dans l'affirmative, si tu as accusé l'autre de ne pas avoir voulu changer et si tu crois que son comportement est la cause de votre séparation, je te recommande fortement de faire le miroir et d'apprendre sur toi-même par l'intermédiaire de cette expérience. Sinon, tu risques fort de t'attirer un autre conjoint ayant un comportement semblable, simplement pour te permettre d'apprendre à accepter ce comportement.

Ce qui rejoint ce que je mentionnais précédemment dans le chapitre du miroir: vouloir se départir du miroir n'est pas la solution. En te regardant dans un autre miroir, l'image reflétée va-t-elle être différente? Tu dois plutôt reconnaître que tu n'as pas su régler la cause de ton insatisfaction pour l'instant et que cette situation dépasse tes limites actuelles. J'avoue que parfois certaines situations sont au-delà de nos limites.

Tu peux être conscient d'une facette de toi que tu désires voir changée, tout en sachant que c'est au-delà de tes limites de le faire à ce moment. Les limites existent pour tous dans le monde matériel, c'est-à-dire aux niveaux physique, émotionnel et mental. Par exemple, si tu essaies de lever un poids qui dépasse ta force physique actuelle, tu diras: *"Je ne peux le soulever maintenant."* Mais si tu t'entraînes assidûment à cette fin, tu le deviendras.

C'est la même chose avec les comportements d'un conjoint que tu trouves difficiles à accepter. En travaillant sur les aspects de toi qui considèrent ce comportement inacceptable, tu t'assagis et tu t'approches davantage de leur acceptation, t'aidant ainsi à percevoir différemment ce même comportement.

Se séparer d'un enfant qui vient de mourir semble également très difficile à accepter pour des parents. Les personnes qui éprouvent des difficultés à se séparer sont celles qui prennent le plus durement la mort, car elles croient que rien ne vient après la mort du corps physique. À la perte d'un enfant, certains parents réagissent en pleurant toute leur vie et en se morfondant dans la culpabilité en pensant: *“Qu'est-ce que j'ai fait au bon Dieu pour perdre mon enfant?”*

En général, la raison pour laquelle des parents perdent un enfant est pour apprendre la notion du détachement. Ils doivent également apprendre que la séparation a lieu au plan physique seulement. Même si son enfant n'est plus présent physiquement, cela n'empêche pas le parent de pouvoir le sentir et de penser à lui. Il demeure très important de respecter le choix de vie de chaque personne, incluant les enfants, et de respecter leur façon de vivre leur vie dans le monde matériel. Quand une âme (celle de leur enfant) a terminé ce qu'elle avait à faire au cours d'une vie et qu'elle retourne d'où elle vient, les parents doivent respecter ce choix et reconnaître qu'il fait partie du plan de vie de l'âme quittant la Terre. Cette âme n'avait été qu'une invitée dans la maison de ces personnes.

D'où l'importance de vivre ta vie intensément, à chaque moment, afin de recueillir le fruit de tes expériences au moment où elles te sont encore accessibles plutôt que d'espérer mieux plus tard et probablement en vain.

Le suicide est une autre forme de séparation soudaine, imprévue pour la plupart, qui engendre énormément d'émotions. Phénomène récent, le suicide chez les enfants n'en demeure pas moins réel. Certains de ces enfants, surtout de la race des “enfants nouveaux”, font le choix conscient de retourner au monde de l’âme.

En observant ce qui se passe sur la planète Terre, ils deviennent si bouleversés par les nombreuses contradictions flagrantes de notre société qu’ils préfèrent s’en éloigner quitte à revenir plus tard. J’ai même entendu certains jeunes affirmer qu’ils croyaient s’être incarnés sur la mauvaise planète ou pas au bon moment et avoir décidé de revenir plus tard au moment où les humains deviendront plus intelligents. Encore une fois, on se doit de respecter leur choix.

Je ne dis pas que je suis en accord avec ce choix, car il est fort possible qu’une personne qui se suicide fuit ainsi la décision qu’elle avait prise antérieurement en s’incarnant. Si elle quitte la planète Terre avant d’avoir accompli son plan divin, cette âme se crée ainsi une difficulté additionnelle car elle aura à revenir sur cette Terre, l’obligeant à reprendre le corps d’un bébé, à renaître dans un nouvel environnement, à s’habituer à de nouveaux parents et à accomplir ce qu’elle n’avait pas voulu faire dans sa vie précédente.

Par contre, personne n’a le droit de juger si sa décision est bonne ou mauvaise. C’est à l’âme seule de choisir et de décider combien de temps elle compte prendre pour atteindre son but, à l’image d’un jeune homme qui, poursuivant des études universitaires, choisit de prendre une année sabbatique en cours de route avant de continuer. C’est son choix, et il ne lui faudra qu’un peu plus de temps pour arriver à son but.

La planète Terre est un lieu d'apprentissage et on peut choisir la façon et la vitesse à laquelle on veut apprendre.

Par ailleurs, il peut se présenter des occasions où une personne se suicide et que ce geste fasse partie de son plan de vie. Dans un tel contexte, le suicide fait partie d'un plan d'ensemble pour les proches ayant à demeurer sur Terre pour apprivoiser la notion de détachement en réalisant que la séparation n'existe que dans le mental de l'être humain.

Quand on adopte une vision spirituelle de la mort, on sait que tout ne fait qu'un, que tout n'est qu'un et qu'il n'existe pas de séparation définitive. L'âme de la personne décédée est tout simplement en transition dans un monde différent, dans un monde plus subtil par rapport au monde physique.

Il est grand temps que les humains cessent de croire que la matière, l'aspect physique de la planète Terre, est tout ce qui existe dans notre monde ambiant. Elle n'est qu'une toute petite partie du monde matériel qui comprend également le monde de l'âme, c'est-à-dire le monde astral où l'être humain poursuit son chemin après avoir quitté son corps physique. L'âme, formée du corps astral (émotionnel et mental) de l'être, est immortelle: elle ne meurt pas dans notre monde physique.

Par ailleurs, l'être au plan spirituel est éternel. Quand je parle d'être, je parle d'être de lumière. Nous avons toujours été lumière et nous le serons éternellement. Plus nous deviendrons conscients de l'être de lumière que nous sommes, conscients de notre nature divine et moins les corps du monde matériel nous seront nécessaires car nous aurons de moins en moins besoin de vivre des expériences au niveau de ce monde de matière. C'est alors que nous fusionnerons, que nous retournerons à notre vraie vie, à notre vie spirituelle. Nous n'aurons à ce moment plus à vivre sur la planète Terre ou dans le plan astral: nous retournerons alors dans les hautes sphères du monde spirituel.

La descente complète de l'être dans la matière a nécessité des millions d'années. Il va sans dire qu'il nous faudra encore passablement de temps pour retourner complètement au monde spirituel. Les personnes qui n'acceptent pas une séparation ont tendance à s'accrocher aux biens matériels car elles ne croient pas que la vie existe au-delà du plan physique.

D'autres croient que le seul niveau ayant de l'importance est le monde astral. Ces personnes éprouvent donc des difficultés à se séparer du monde astral de façon à vivre des expériences au niveau du monde physique. Même si elles se sont réincarnées sur cette planète, elles ont tendance à s'évader sans cesse dans l'astral. C'est le genre de personnes de qui on dit: *"Elle est souvent absente. Elle est toujours dans la lune."*

Le monde de la matière est au monde spirituel ce que l'ombrage est à notre corps physique sur la planète Terre. Nous trouverions ridicule qu'une personne croit être son ombre, mais c'est l'attitude que nous adoptons face à la dimension matérielle de la vie. Notre corps de matière n'est que l'ombrage de notre réalité spirituelle. Nous en sommes venus à croire que nous sommes notre ombrage, c'est-à-dire notre corps physique.

> ***Quand nous saurons que nous sommes Lumière, quand nous reconnaîtrons notre nature divine, nos corps de matière ne pourront refléter que la lumière.***

Il est grand temps de reconnaître que notre conception de la mort est erronée. Aucune séparation n'est permanente. Lorsqu'une âme quitte son corps physique, ses corps subtils retournent dans leur "résidence" du monde astral.

Plus une personne éprouve des difficultés à se séparer de quelqu'un ou de quelque chose dans son monde physique, plus il lui sera difficile de quitter la planète Terre. D'où l'importance d'apprendre à te détacher de tes biens, de ta maison, de ton travail, de tes enfants, de ton conjoint, et d'être capable de t'en séparer dans l'harmonie. Ce qui ne veut pas dire que tu doives rechercher une séparation, mais bien quand elle est présente, de saisir l'occasion pour apprendre à te séparer dans l'amour et dans l'acceptation. Lorsque ton processus d'acceptation sera complété, tu ne souffriras plus à l'idée de te séparer d'un être cher ou du décès d'un proche.

Quand tu as de la difficulté à te séparer de tes biens matériels, quand tu ressens des émotions lorsque certains d'entre eux sont endommagés ou perdus, c'est signe que tu y es trop attaché. Plus tu t'attaches aux biens de la planète Terre, plus tu nourris des désirs terrestres et plus la corde d'argent qui relie ton corps astral à ton corps physique sera dense et difficile à rompre quand sera arrivé le temps pour toi de partir. C'est la raison pour laquelle certaines personnes quittent difficilement le plan terrestre et vivent des expériences pénibles après leur mort parce qu'elles essaient de continuer à vivre des expériences terrestres bien qu'elles n'aient plus de corps physique. La frustration ressentie est grande.

Je ne pourrais passer sous silence l'importance d'aider quelqu'un sur son lit de mort à accepter son départ. Lorsqu'une personne n'est qu'à quelques heures de mourir, son corps astral est déjà presque complètement détaché de son corps physique voire même à ses côtés. Étant encore présent dans la même pièce que son corps physique, cette personne peut littéralement entendre les lamentations, les pleurs et les regrets des personnes à son chevet. Si elle se rend compte que les gens qu'elle aime beaucoup n'acceptent pas cette séparation, la personne mourante peut se forcer à revenir dans son corps physique afin de consoler ses proches. Ce geste aura pour effet de prolonger ses douleurs et de lui affliger des tourments non nécessaires. Il lui sera plus difficile par la suite de quitter son corps de façon paisible et joyeuse car les gens autour d'elle cherchent trop à la retenir.

Si tu aimes véritablement la personne qui te quitte, accompagne-la dans une atmosphère très calme, en l'encourageant à poursuivre son départ et à vivre sa transition sans regrets ni douleur. Un tel détachement est possible seulement quand tu acceptes une séparation.

Savoir se détacher n'est pas synonyme d'être indifférent.

Tu peux éprouver de la peine et du regret au départ d'une personne aimée mais observe cette peine et aide la partie en toi qui a peur de souffrir du manque de cette personne. Console-la en la rassurant qu'il est tout à fait normal de réagir ainsi mais qu'en même temps, tu préfères accepter le choix de l'autre personne plutôt que de ne te concentrer que sur ton chagrin. Ainsi tu laisseras partir l'être aimé et ta peine s'estompera peu après. Il est aussi fortement suggéré de s'activer davantage physiquement lorsqu'une séparation quelconque est difficile à accepter.

Avec l'ère du Verseau, il est préférable de t'habituer à vivre dans le détachement des choses terrestres afin de cesser de croire que rien n'existe au-delà de la matière tangible.

Souviens-toi, "détachement" ne veut pas nécessairement dire "renoncement".

Utilise les biens terrestres et les personnes vivant sur la planète Terre de façon à t'aider à t'élever intérieurement vers le plan spirituel et non pour te garder davantage lié à la Terre.

Je te suggère de faire une liste de tous les biens actuellement en ta possession ainsi que chacune des personnes qui t'entourent et celles que tu aimes profondément. Pose-toi ensuite la question suivante: *"Comment me sentirais-je si j'avais à me séparer de ces biens ou de ces personnes?"* Cela n'implique pas d'y renoncer mais seulement de vérifier en toi ton degré d'attachement et ta capacité à t'en séparer, sans en souffrir pendant des mois, voire des années! Par la suite, pose-toi une autre question: *"Comment ce bien ou cette personne m'aide-t-elle à voir DIEU en moi et autour de moi?"*

Lors du dernier "crash" boursier, des centaines de personnes se sont suicidées après y avoir laissé leur fortune. C'était comme si elles avaient perdu leur raison de vivre. L'argent était devenu leur raison d'être sur la planète Terre. Il est évident que ces personnes n'avaient pas complété leur processus de détachement face à l'argent. Elles devront revenir sur Terre pour le faire: ce n'est que partie remise.

Encore une fois, il ne s'agit pas de renoncer à l'argent mais plutôt de ne pas y être attaché. Être attaché à quelqu'un ou quelque chose, c'est l'équivalent d'en être l'esclave! L'argent (ou tout autre bien matériel) existe pour te rendre service et non pour que tu sois à son service. Que penses-tu de ceux qui font de leur vie une quête incessante visant à l'accumulation de biens terrestres? Sont-ils des êtres libres ou des esclaves de leurs biens? Voilà matière à réflexion!.

Plus une personne est dominée par le monde matériel et plus elle s'éloigne de son **DIEU** intérieur. Il est dans son intérêt de reprendre contact avec sa nature divine, spirituelle. Quand l'être humain ne tient compte que de sa nature matérielle, il s'engouffre de plus en plus dans un monde de souffrances, de tourments, d'émotions et de maladies diverses, le tout causé par un trop grand attachement à la matière. Sa plus grande souffrance est d'oublier **DIEU** dans son monde matériel.

Avec la venue de l'ère du Verseau, nous nous dirigeons davantage vers l'union que vers la séparation. Les êtres humains sont de plus en plus unis. Nous communiquons d'un bout à l'autre de la planète en quelques minutes. Nous sommes davantage sensibilisés à tous les événements se déroulant dans les autres pays. Nous savons que nous sommes tous reliés les uns aux autres. Une personne qui s'accroche aux autres ou à ses biens agit en être solitaire.

Nous devons tous ressentir et être convaincus que nous appartenons à un tout et que nous faisons partie du tout.

Pour terminer ce chapitre, je te suggère de relever trois biens matériels et une personne que tu as peur de perdre à l'heure actuelle. Regarde ensuite de quel droit tu crois posséder ces choses et cette personne. Plutôt que de croire que tu les possèdes, vérifie comment tu pourrais en faire usage pour t'améliorer en tant que personne, pour grandir spirituellement.

Prends la décision d'y avoir recours sagement, dans la mesure de ton possible, à chaque jour et ce, tant qu'elles se trouveront sur ton chemin. Si un jour, elles viennent à disparaître de ta vie et que tu doives t'en séparer, c'est parce que l'univers ou ton **DIEU** intérieur qui connaît exactement ce qui t'est le plus bénéfique, sait que le temps est venu pour toi de passer à une autre étape dans ton évolution.

CHAPITRE 13
VIVRE LE MOMENT PRÉSENT

Vivre son moment présent semble être un des comportements les plus difficiles à adopter pour l'être humain. La grande majorité des humains vivent soit dans le passé, soit dans l'avenir. La personne faisant une action en fonction de ce qu'elle a appris par le passé n'est pas une personne centrée. Sa décision ne provient pas du centre d'elle-même: elle vient plutôt de son plan mental. La personne décentrée n'est pas à l'écoute de ses besoins. Elle ne crée pas sa vie en fonction de son moment présent, mais plutôt en fonction de ses expériences et apprentissages du passé. En fait, elle ne fait que répéter le passé!

La personne qui mange systématiquement trois repas par jour parce que c'est ce qu'on lui a enseigné par le passé pour être en santé en est un exemple typique. En agissant de la sorte, cette personne ne dirige pas son attention sur le moment présent. C'est sa tête, habitée par le passé, qui dirige sa vie. Elle ne répond pas à son vrai besoin qui serait plutôt de manger au moment où la faim se fait sentir.

Nous entendons souvent: "*Hier est fini, demain n'est pas encore arrivé et le moment le plus important de la vie est toujours le moment présent.*" Nous semblons tous être en accord avec cette affirmation mais combien elle paraît compliquée à mettre en pratique dans notre vie!

Tu as sûrement remarqué que lorsque tu agis en fonction de ce que tu ressens au plus profond de toi, tu fais exactement la bonne chose au bon moment. Moins tu te casses la tête à analyser les moindres petits détails et plus tu demeures centré.

Par exemple, lors d'une urgence quelconque, tu réagiras spontanément de façon à écarter le danger; ce n'est qu'une fois l'urgence passée que ta tête prend le dessus et que les pensées suivantes arrivent: *"Mon Dieu, j'aurais pu m'infliger telle blessure! Ai-je agi de la bonne façon? La situation était bien plus dangereuse que je ne le croyais!"* Tu te surprends d'avoir agi comme tu l'as fait et à cause des pensées que tu entretiens par la suite, des émotions ou des peurs commencent à t'envahir.

Dès ce moment, tu n'es plus centré, tu ne vis plus ton moment présent. Tu es "au passé" car tu revis l'urgence vécue quelques instants plus tôt au lieu de vivre ton moment présent en étant heureux et fier de toi d'avoir pu réagir comme tu l'as fait.

Ceux qui vivent au passé ou au futur déforment nécessairement la réalité. Par exemple, lors du décès d'une personne, ses amis ainsi que certains membres de sa famille font des éloges à son sujet, bien qu'au moment où cette personne vivait encore, ils avaient plutôt tendance à la critiquer. Mais maintenant que cette personne n'est plus de ce monde, ses défauts ont disparu comme par enchantement... Par surcroît, en plus de faire ressortir les qualités du défunt, certains vont même jusqu'à l'idéaliser. Ils déforment la réalité, souvent parce qu'ils regrettent le passé en se culpabilisant de ne pas avoir posé tel geste ou dit telle parole à cette personne avant son décès.

Le regret entraîne les gens hors de leur moment présent.

D'autres personnes s'inquiètent de ce qui se passe à la maison, au travail, ou avec leurs enfants lorsqu'elles prennent des vacances. En agissant de la sorte, elles ne vivent pas vraiment leur moment présent: durant leurs vacances, elles pensent à la maison mais une fois revenues à la maison, elles pensent à leurs vacances! Elles regardent leurs photos de voyage et se rappellent avec regret le bon temps qu'elles ont eu durant le voyage même si à ce moment précis elles n'en étaient pas conscientes. Elles n'ont pas su apprécier leurs vacances au bon moment. Leur corps physique est bel et bien revenu de vacances mais les pensées (le corps mental) sont demeurées sur les lieux.

Pour qu'une personne vive son moment présent, son corps et ses pensées doivent être au même endroit!

Les personnes qui vivent au futur sont aussi des personnes vivant dans le passé. T'arrive-t-il fréquemment d'avoir hâte que quelque chose déjà planifié arrive afin d'être plus heureux? Dans l'affirmative, tu crois au bonheur mais seulement pour plus tard. Cet état d'excitation vécu par anticipation cache un désir insatisfait dans le passé et te fait projeter dans le futur l'illusion d'un bonheur plus grand. Pendant ce temps, vis-tu ton moment présent? Non. Comment peux-tu être en contact avec tes besoins du moment présent quand tes pensées, ton attention sont projetées et maintenues dans le futur? Tu dois être dans ton moment présent pour manifester tes besoins véritables.

Ton présent détermine ton futur... Quand tu ne vis pas ton présent à l'instant même, comment peux-tu créer ton bonheur pour les moments futurs puisque tu n'es pas heureux maintenant? C'est ce qui explique pourquoi tes rêves ne se réalisent pas comme tu avais prévu. Par contre, quand tu réussis à être heureux maintenant tout en ayant des projets pour l'avenir, tu te crées ainsi un futur agréable.

Vivre ton moment présent, c'est être vraiment présent de tout ton être et non pas seulement physiquement. C'est être présent à ce qui se présente à toi dans ta vie et de savourer ce qui se passe. C'est également être en contact avec ce que tu ressens et avec ce que tu apprends. Vivre ton moment présent, c'est agir à titre d'observateur impartial. Tu regardes les événements au fur et à mesure qu'ils se déroulent sans les analyser ni les juger d'aucune façon bien que ton attention doive demeurer aux aguets pour tout sentiment ressenti par le biais de ces événements.

Cette faculté d'observateur alerte et impartial se développe en méditant et c'est la raison pour laquelle il est tellement conseillé aux gens de pratiquer la méditation. Méditer est conseillé depuis le début des temps par chacune des différentes philosophies ou religions du monde. Une personne qui prend le temps de méditer trente minutes par jour s'habitue graduellement à être dans un état méditatif tout au long de la journée, c'est-à-dire qu'elle en arrive à être capable d'observer ce qu'elle ressent dans son moment présent sans se juger ni se critiquer.

Je suis certaine qu'il t'est arrivé à plusieurs reprises dans ta vie d'être tellement absorbé par une activité qui t'était agréable que tu en aies perdu la notion du temps. Tu étais alors dans un état méditatif. Tu peux retrouver cet état lorsque tu marches dans la nature en savourant la présence du soleil qui te réchauffe et l'air pur que tu respires. Tu es absorbé par la beauté qui t'entoure et un sentiment de bien-être t'habite. Tu es conscient de tout: la sensation du sol sous tes pieds, de l'effet du vent et de la chaleur sur ta peau, les odeurs agréables, le chant des oiseaux ainsi que tout sentiment émergeant en toi. Tu as l'impression que le temps s'est arrêté. Une heure de cette marche méditative peut t'apparaître durer une journée comme une minute.

En étant centré et en ayant une vision spirituelle des choses, il est normal que tu n'aies plus la notion du temps car celle-ci fait partie du monde matériel. Deux amoureux passant une journée ensemble ne voient pas le temps passer. Le musicien qui s'anime en jouant de son instrument préféré est tellement absorbé par ce qu'il fait qu'il a simultanément l'impression qu'il vient de commencer à s'en servir et qu'il joue de la musique depuis un bon moment.

Lorsqu'il te sera possible de vivre ton moment présent de la sorte, tu accumuleras les moments dits "privilégiés". Nous aspirons tous un jour à vivre aussi intensément nos expériences, qu'elles soient agréables ou moins agréables.

Le corps humain constitue un modèle intéressant de la notion de vivre le moment présent.

Ce dernier arrive à vivre son moment présent que lorsqu'il n'est pas submergé par le mental. Laissé à lui-même, il sait quand il a vraiment faim, quand il doit transpirer, quand il a soif, quand il a chaud ou froid, etc. Il sait comment être un corps par lui-même et vivre son moment présent.

Malheureusement, trop peu de gens prennent le temps de s'arrêter à vérifier s'ils vivent leur moment présent. Et toi, dans ta vie quotidienne, es-tu vraiment présent à ce que tu fais pendant tes occupations habituelles? T'arrive-t-il de t'habiller et par la même occasion de penser à un appel que tu dois faire absolument dans l'heure qui suit, ou au trajet que tu dois emprunter pour te rendre au travail, etc.? En conduisant ta voiture, t'arrive-t-il de ne pas être conscient de la route sur laquelle tu roules parce que tes pensées sont ailleurs? Et une fois rendu au travail, penses-tu souvent à tes soucis personnels, intimes ou familiaux? De retour chez toi, as-tu la tête au travail?

Par ce scénario, réalises-tu combien souvent tu es l'esclave de tes pensées au lieu d'en être le directeur? Pendant que tu fais la vaisselle ou pendant que tu tonds le gazon, tes pensées vagabondent et tu les suis. Tu n'en es pas le directeur.

Pour te pratiquer à diriger tes pensées, lorsque tu as besoin de réfléchir sur un sujet, assieds-toi et fais-le pendant un laps de temps déterminé à l'avance. Quand tu as terminé, lève-toi et passe à autre chose. Ainsi tu es le directeur car tu orientes consciemment tes pensées dans une direction correspondant à un besoin spécifique. Tes pensées sont alors à ton service car c'est par choix volontaire que tu réfléchis; elles ne vagabondent pas d'elles-mêmes.

Par contre tu ne dois pas t'en vouloir de ne pas être capable de diriger tes pensées à tout moment car tu n'es pas une mauvaise personne pour autant. C'est de notre éducation que nous vient ce mode de vie. **DIEU** seul sait depuis combien de vies le mental dirige l'être humain!

À l'avenir, je te suggère d'être plus alerte à savoir si c'est toi qui diriges ton mental ou non. Quand tu vis ton moment présent, tu ne penses pas, tu es seulement là à observer ce qui se passe. Quand tu penses à quoi que ce soit, tu dois utiliser ta mémoire comme point de référence. Tu vis ton moment présent quand tu décides d'utiliser ton mental pour te souvenir d'un élément précis. Ce dernier est donc à ton service comme il se doit. Mais reste alerte car la plupart du temps, le mental pense par lui-même sans que tu en aies décidé ainsi, ce qui te coupe de ton moment présent.

Une idée qui surgit spontanément ne vient pas du mental parce qu'elle n'a pas encore été "pensée". À ce moment, l'idéal pour toi serait de simplement l'observer et de vérifier de quelle manière tu te sens en sa présence.

Malheureusement, l'être humain a plutôt tendance à l'analyser, et ce, à peine quelques secondes après que l'idée soit venue. Et quel schème de référence lui sert normalement à l'analyse de l'idée en question? Le passé, ce qui fait partie de la mémoire. Dès lors, les paroles suivantes surgissent: *"D'où me vient donc cette idée? Pourquoi ai-je ce genre d'idée? Je ne suis pas réaliste. Si je la mets en application, je vais faire rire de moi, je vais manquer mon coup, etc."* C'est ce genre d'analyse qui prend souvent le dessus sur notre intuition et qui nous fait finalement rejeter notre idée. Le mental finit par gagner une fois de plus sur notre intuition.

Te reconnais-tu dans les lignes qui précèdent? Tu comprends maintenant l'importance de réaliser que ton mental est là seulement pour prendre note des expériences vécues et de les accumuler dans ta mémoire. Je vois celle-ci comme un ensemble de petits compartiments où le mental emmagasine l'ensemble des données captées par les sens car ces informations sont nécessaires pour vivre sur le plan matériel. La mémoire permet de t'en souvenir au moment opportun.

Je te suggère l'expérience suivante pour t'aider à réaliser de quelle manière le fait de vivre ton moment présent peut t'aider, même dans le cas d'un malaise physique. Prenons l'exemple d'une douleur à un genou. Arrête-toi, prends quelques instants pour observer cette douleur et fais-en une description détaillée: où elle se situe, si elle prend de l'ampleur ou non, si elle se déplace, etc. Prends note de ce que tu ressens face à cette douleur.

Quand tu réussis à simplement regarder le malaise, à ne pas l'analyser ou essayer de comprendre le message qu'il véhicule, tu finis par sentir une sensation de chaleur circulant dans ton genou. Graduellement, la douleur finira par s'estomper et tu auras l'impression qu'un nœud vient de se défaire, que tes muscles ou tes tissus reprennent leur place.

Il est plus rapide de comprendre un malaise de cette façon car une fois qu'il est disparu, il te sera plus facile d'utiliser ta mémoire et les données qu'elle a recueillies afin d'en faire la synthèse. En effet, en sachant d'après l'approche métaphysique des malaises et maladies que les jambes ont un lien avec là où tu te diriges, et que les genoux ont trait à la flexibilité, tu n'auras qu'à demander à ton **DIEU** intérieur de t'aider à déchiffrer le message que ce mal de genou veut te transmettre. Il te sera davantage possible d'en comprendre la signification si tu es capable de simplement observer ton malaise et d'être dans ton moment présent avec lui.

Ne pas vivre ton moment présent t'empêche de savourer pleinement toute expérience. Tel que mentionné dans le chapitre **Passer à l'action**, pour que se manifeste un événement, une personne ou un bien dans ta vie, il est important pour toi de faire des actions les unes à la suite des autres et de savourer chacune d'elles en observant ce que tu en retires.

Chaque action est une expérience de vie qui te guide vers la prochaine.

•

Lorsque tu baignes dans l'action, tu ne peux être dans ton moment présent quand tu ressens de la peur, quand tu vis des émotions et quand tu t'inquiètes de ce qui t'attend demain. En réagissant de la sorte, tu risques alors de t'enliser dans des émotions inutiles et de tourner en rond en raison de la prise de contrôle du mental sur toi. Dès lors, tu es complètement décentré. Ce n'est qu'en étant centré que la vie te mène au bon endroit, au bon moment. Quand tu es centré sur ton **DIEU** intérieur, tu évolues dans la quiétude de l'observation et non dans la peur. Tu ne peux faire d'erreurs et tu ne peux avancer dans la mauvaise direction car tu es dans la lumière. Tu empruntes donc le chemin de l'harmonie, de l'abondance, de la santé et du bonheur.

Plusieurs personnes ne vivent pas leur moment présent et, par surcroît, tentent de fuir leur réalité par tous les moyens possibles. Il existe plusieurs formes de fuites. La drogue, l'alcool et le sommeil sont des fuites presque totales car la personne qui y a recours est très peu consciente ou pas du tout de ce qu'elle vit.

Fuir dans le monde astral est une autre forme de fuite qui semble largement utilisée. D'ailleurs, un grand nombre de personnes ont développé la capacité de sortir de leur corps physique sans en être conscientes. Elles sont physiquement présentes à un endroit donné mais sont "dans la lune", comme le dit l'expression populaire. Certains s'évadent "dans la lune" ou dans l'astral pendant quelques secondes des dizaines de fois dans une même journée, alors que d'autres fuient ainsi pendant plusieurs minutes à la fois. Pendant ce temps, elles ne sont plus dans leur moment présent.

Certaines personnes fuient en méditant ou en participant à des détentes dirigées. Elles croient sincèrement participer à un processus de médiation ou de détente alors qu'en réalité, elles se sont évadées dans l'astral. Si tu sursautes au moment où la musique cesse à la fin d'une séance de méditation ou d'une détente dirigée, c'est signe que tu étais hors de ton corps et que tu l'as réintégré très rapidement au moment où la musique s'est arrêtée. Tu ne méditais pas: tu étais dans l'astral!

Si tu quittes facilement ton corps de cette façon, sois alerte et tu sauras détecter le moment précis où ton corps astral se détache. À ce moment, tu pourras faire le choix conscient de laisser le processus se poursuivre ou non. Si ce "voyage vers l'astral" débute sans que tu ne l'aies choisi, c'est signe que ce n'est pas toi qui diriges ta vie.

D'autre part, si tu ne peux retenir ton corps astral en raison de la trop grande fatigue de ton corps physique, réalise que tu ne méditais plus: tu dormais. Il est nécessaire et normal de dormir quand le corps physique a besoin de s'énergiser à nouveau. Plus tu passes par des émotions, plus ton mental est occupé et plus les réserves énergétiques de ton corps physique s'épuisent rapidement. Lorsque ses réserves d'énergie sont vides, ton corps physique s'endort pendant que ton corps astral (émotionnel et mental) s'en détache pour lui permettre de refaire le plein d'énergie.

Il m'apparaît que devenir conscient de la cause de toutes ces émotions est plus sage que de passer son temps à dormir ou à s'évader dans l'astral afin de se rééenergiser. Ainsi, si en méditant, tu te rends compte que tu t'apprêtais à "partir", tu peux dire à ton corps astral: *"Non reste ici. Je veux demeurer présent à ce que je ressens présentement."* Cette approche t'aidera à devenir maître de ton corps astral.

> ***Chaque moment passé à fuir l'instant présent, peu importe par quel moyen, est un moment qui n'a pas été vécu.***

Les expériences que tu cherches ainsi à fuir ne pourront être évitées continuellement. Tôt ou tard, tu auras à leur faire face. De plus, ne trouves-tu pas désagréable l'idée de revivre constamment les mêmes expériences frustrantes et de tourner en rond en recréant sans cesse ton passé?

Vivre ton moment présent ne signifie aucunement que tu ne doives jamais te référer au passé. Au contraire, tu as besoin de tes expériences du passé, mais pas de tout ce qui réside dans ta mémoire. Seules les expériences vécues pleinement dans un état d'observation impartiale t'aideront dans ton moment présent.

Prenons l'exemple de quelqu'un qui divorce. La personne qui vit cette expérience dans un état d'observation constatera les faits qui l'ont menée au divorce ainsi que ses états d'âme face à cette expérience. Elle envisage ce divorce comme une expérience et non comme un échec. La personne qui n'est pas dans son moment présent se réfère à coup sûr à ce qu'elle a déjà appris, notamment que divorcer constitue un échec et que cette décision est honteuse. Comment peut-elle alors en retirer quoi que ce soit de positif? Au contraire, elle éprouvera une peur grandissante à s'engager à nouveau dans une autre relation intime. Le souvenir qu'elle en conserve est déformé par son mental et, par le fait même, se coupe de la possibilité d'apprendre certaines choses à son sujet qui favoriseraient son évolution spirituelle.

Vivre ton moment présent ne t'empêche pas d'également entretenir des plans pour l'avenir.

Comme je l'ai mentionné précédemment, les humains ont besoin d'avoir des désirs et de se fixer des buts: c'est ce qui donne une direction à leur vie. Mais ils doivent le faire tout en apprenant à vivre leur moment présent. J'ai de plus mentionné l'importance de lâcher prise sur vouloir contrôler les résultats futurs. Ceux qui ont développé cette capacité vivent beaucoup plus leur moment présent.

Lâcher prise ne veut pas dire ne rien planifier. Nous pouvons planifier des actions futures tout en demeurant flexibles face aux changements qui peuvent survenir en cours de route.

Je trouve personnellement que tout noter dans mon agenda est le moyen le plus pratique et efficace que je connaisse pour vivre mon moment présent. Je te suggère fortement d'utiliser cet outil que constitue l'agenda et ce, même si tu ne prends pas souvent de rendez-vous. Plusieurs croient que seuls ceux qui brassent des affaires et qui sont engagés dans de nombreuses activités doivent se prémunir d'un agenda. Bien au contraire: il devrait être utilisé par tous et chacun.

À la simple pensée d'un élément dont tu tiens à te souvenir, inscris-le dans ton agenda, à défaut de quoi tu devras te fier à ta mémoire. Je ne t'apprends rien en te rappelant que la mémoire est une faculté qui oublie... À l'atteinte de ses limites, le mental ne peut plus rien absorber.

Par exemple, si aujourd'hui il te faut ne pas oublier ton rendez-vous chez le dentiste mardi prochain, appeler telle personne demain matin, te rendre chez le nettoyeur dans trois jours pour y chercher tes vêtements, être présent à une réunion quelconque à neuf heures lundi prochain, et acheter un cadeau pour l'anniversaire de ta sœur à l'occasion d'une réception en son honneur, ayant lieu dans deux semaines... voilà beaucoup de travail pour une mémoire déjà occupée! Afin de ne rien oublier, tu dois constamment te les remémorer, ce qui exige beaucoup d'énergie de ta part et crée un stress inutile. Cette énergie pourrait être utilisée autrement.

Ainsi, pour reprendre le même exemple, sur réception de l'invitation pour l'anniversaire de ta sœur, je te suggère de le noter immédiatement dans ton agenda sans oublier de prévoir le moment où tu feras l'achat de son cadeau. Le seul fait de l'avoir déjà noté te dégage de la crainte de l'oublier.

L'agenda est un outil merveilleux et très utile pour t'aider à vivre ton moment présent. Au lieu de t'affairer à une tâche tout en t'obligeant à penser à ce que tu ne dois pas oublier, tu seras capable de demeurer présent à ce que tu vis aujourd'hui.

À titre d'exemple, avant que ce livre ne soit disponible sur le marché, une vingtaine d'étapes ont dues être franchies. La première étape fut d'établir un échéancier comprenant chacune des étapes nécessaires à la réalisation de ce livre ainsi que la date à laquelle chaque étape devait être complétée (la correction, la mise en page, la création de la page couverture, etc.) Aussitôt cet échéancier complété, chaque personne impliquée dans la mise en production de ce livre en a reçu une copie et a noté à son agenda les détails la concernant. Si nous avions agi autrement, il nous aurait été impossible de publier ce livre à la date prévue.

De la même manière, en n'agissant pas de la sorte avec un projet quelconque ou en s'occupant de ce projet au gré de tes humeurs et du temps qui t'est disponible, ce projet risquerait de prendre bien des années à se concrétiser... ou à ne pas se concrétiser du tout!

Lorsque nous ne déterminons pas la date d'échéance et que nous ne prenons note de rien, trop souvent d'autres occupations plus urgentes se présentent à nous et nous finissons par manquer de temps. De plus, sans direction précise nous tournons souvent en rond.

Tu découvriras également que le fait de tout noter dans ton agenda t'aidera à développer ta capacité de t'engager à faire ce que tu notes. En l'écrivant, tu deviens plus conscient de l'engagement pris. Par contre, je te suggère fortement de tout écrire au crayon de plomb et non au stylo, dans l'éventualité où tu aurais à te désengager ou si tu changeais d'idée. Au début d'un projet, nos intentions sont toujours bonnes.

Comme je l'ai mentionné dans le chapitre **Passer à l'action**, il nous arrive parfois de trop en prendre, ou alors des imprévus surgissent. Si une telle situation se présente à toi de sorte que tu ne peux plus accomplir ce que tu t'étais engagé à faire, donne-toi la permission de remettre à plus tard ce qu'il ne t'est pas possible d'accomplir pour le moment. Agir ainsi est beaucoup plus facile.

Personnellement, je sais fort bien qu'en raison de l'ensemble de mes occupations, si je ne notais pas tout dans mon agenda, je ne pourrais jamais être dans mon moment présent. Je devrais constamment penser à tout ce que j'ai à faire, je m'en inquiéterais et je m'interrogerais à savoir si rien d'important n'a été oublié.

On reconnaît rapidement les personnes qui ne prennent note de rien car elles cherchent constamment dans leur mémoire. Quand elles ne peuvent se souvenir, elles s'inquiètent de ce qu'elles ont oublié et, pendant ce temps, elles ne sont pas dans leur moment présent.

Certaines personnes affirment ne pas aimer prendre note de tout car elles se sentent emprisonnées et coincées, comme si elles n'avaient plus de temps pour elles. Au contraire! Si c'est ton cas, je te suggère fortement d'en vivre l'expérience pendant au moins trois mois: tu y verras toute une différence! Tu te rendras compte que tu auras davantage de temps pour toi, tu n'auras pas la sensation de te sentir en prison, surtout si tu te donnes le droit de changer d'idée à l'occasion.

Une personne qui ne s'engage pas est à la merci de bien des sources de dérangement.

Par exemple, quand une personne note dans son agenda que mardi soir prochain, elle désire mettre de l'ordre dans ses papiers personnels ou payer ses factures courantes, ou encore toute autre activité qui lui tient à cœur et qui nécessite une action rapide, il est plus que probable que ce sera fait. Si elle ne le note pas, même si elle avait l'intention de le faire au moment où elle y avait pensé, elle ne s'y est pas vraiment engagée.

Il peut survenir maints imprévus, tels le téléphone qui sonne, une personne se présente à l'improviste ou quelqu'un qui lui demande un service. Elle prendra probablement le temps de faire face à ces imprévus mais lorsqu'elle réalisera que ce soir-là elle avait planifié autre chose, elle demeurera en partie insatisfaite car ce qu'elle avait prévu faire lui tenait à cœur et elle aurait aimé que ce soit fait.

Dans une telle situation, tu as toujours la liberté de choisir. Tu n'es nullement à la merci des autres. À la lecture de ton agenda, tu constateras que ta soirée avait été planifiée différemment et, à ce moment, il te sera possible de vérifier en toi ce qui t'apporterait le plus de plaisir ou de satisfaction. Tu choisis selon ta préférence.

Certaines personnes ne veulent pas s'engager à poser un geste futur, prétextant qu'elles décideront le moment venu. À titre d'exemple, une réunion de famille est prévue pour samedi soir, dans deux semaines. Une des personnes invitées, qui dit vivre son moment présent, ne désire pas s'engager à l'avance. Elle affirme qu'elle s'y rendra si elle en a envie la journée même, sinon elle n'ira pas.

Crois-tu vraiment que cette personne vit son moment présent? Non, au contraire! Au moment où elle reçoit l'invitation, la personne qui vit son moment présent est capable de vérifier en elle si à l'instant même, elle le désire ou non. Agir de la sorte est vivre son moment présent. La personne qui essaie de prévoir son état d'âme, deux semaines à l'avance, n'est pas dans son moment présent: elle vit au futur.

Je t'invite à en faire l'expérience toi-même. Au moment de recevoir une invitation, accepte-la si ça te plaît, mais en te donnant le droit de te désengager par la suite. Note alors à ton agenda cet engagement et si un imprévu se présente d'ici là et que tu doives modifier ton emploi du temps, ce sera par choix. N'hésite pas à considérer les deux possibilités s'offrant à toi et à choisir selon ta préférence en tenant compte du prix à payer, c'est-à-dire des conséquences que tu auras à assumer en changeant d'idée.

Un choix comporte toujours une contrepartie, des conséquences, et il t'appartient de décider lesquelles tu acceptes de subir et d'assumer.

N'est-il est intéressant de constater que le simple fait de changer ton moment présent transforme ton avenir? Tu changes les événements futurs simplement en adoptant une attitude différente dans ton moment présent. J'ai remarqué également qu'il nous est possible de transformer notre perception par rapport à des événements de notre passé.

J'ai rencontré plusieurs personnes qui, depuis longtemps, en avaient voulu énormément à leurs parents et qui ont été capables de leur pardonner. Suite à ce processus de pardon, elles ont pu recréer leur passé, c'est-à-dire considérer leur passé de façon différente précisément parce que la perception qu'elles en avaient conservée venait d'être modifiée. Elles ont réalisé que leurs parents avaient été de meilleurs parents qu'elles ne l'avaient si longtemps cru et ont pris plaisir à se remémorer certains bons moments passés ensemble.

Voilà comment le moment présent façonne notre vie. En étant capable de vivre ton moment présent, de ne pas t'inquiéter pour ton avenir et de vivre pleinement chaque instant, un avenir sans inquiétude t'attend: il ne peut en être autrement.

J'admets qu'il est difficile pour des personnes éprouvant de sérieux problèmes financiers de vivre leur moment présent sans s'inquiéter pour leur avenir, principalement quand les "fins de mois" s'avèrent contraignantes. Une telle situation exige au début davantage d'efforts et de pratique du processus de vivre le moment présent, mais cette façon d'être est sans pareille pour transformer notre vie.

Si tu es de ceux qui rencontrent des problèmes financiers et qui s'inquiètent pour l'avenir, interroge-toi sur ton style de vie actuel. Vois qu'aujourd'hui un toit t'abrite, que tu restes une personne respectable et que personne n'est en train de t'envahir à cause de ton manque d'argent. Aujourd'hui est aujourd'hui et demain est demain. Constate aujourd'hui les belles choses qui t'entourent et arrête-toi au fait que bien souvent ce n'est pas aujourd'hui que l'argent te manque. C'est plutôt lorsque tu anticipes les deux ou trois semaines qui viennent que ta peur d'en manquer s'installe.

J'ai déjà entendu dire que les problèmes d'argent n'existent pas: nous ne pouvons rencontrer de problèmes qu'avec des personnes. Par conséquent, si tu ne peux assumer une dette à payer, prends aujourd'hui-même les arrangements nécessaires avec la ou les personnes affectées par l'éventuel retard de tes versements. La situation sera alors réglée pour aujourd'hui. C'est de cette façon que tu apprends à vivre ton moment présent.

Deviens dorénavant conscient que si l'Univers t'envoie des situations qui te portent à t'inquiéter, c'est sûrement pour te faire comprendre qu'il est urgent pour toi d'apprendre à vivre ton moment présent. Prends au moins une heure par jour, à partir de maintenant, pour être véritablement présent à chaque minute de cette heure. Constate dans quel état tu es pendant cette heure. Avec le temps, tu pourras agir de la sorte pour des périodes de plus en plus longues durant une même journée.

C'est un excellent moyen pour te garder jeune plus longtemps car lorsque tu es dans ton moment présent, tu es en harmonie avec les grandes lois de l'Univers. Toutes les cellules qui se renouvellent pendant que tu vis ton moment présent sont des cellules qui sont fortes, en pleine santé et énergisées. Il te sera aussi plus facile de cultiver la joie de vivre dans ton quotidien.

Quand des situations plus désagréables se présentent, observe-les plutôt que de t'en inquiéter et tu verras qu'il te sera possible de les vivre de façon complètement différente. La vie changera de couleur pour toi!

3ième PARTIE:

ÊTRE

CHAPITRE 14

AIMER, ÊTRE AIMÉ. REJETER, ÊTRE REJETÉ

La plupart des humains confondent souvent aimer et être aimé. Ils pensent qu'être aimé est l'équivalent d'aimer. Ils aiment être aimés; ils ne savent pas aimer! Plus une personne cherche uniquement à être aimée, moins elle saura aimer véritablement, car une personne qui s'aime véritablement est moins en quête de l'amour des autres.

Par exemple, une mère de famille qui désire changer les agissements de son fils croit l'aimer alors qu'en fait elle cherche à ce qu'il agisse d'une certaine façon afin d'être considérée comme une bonne mère. Elle cherche donc à être aimée.

Et il n'est pas surprenant d'entendre les gens affirmer que l'amour fait souffrir. Leur façon d'aimer est tellement souffrante, tellement exigeante et possessive qu'il leur est devenu très difficile d'aimer véritablement.

Le mental a enregistré maintes versions du mot "amour" d'où la confusion à son sujet. Son sens profond a été oublié dans ce méli-mélo. La plupart confondent l'amour véritable avec la sexualité, l'affection, la tendresse ou la dépendance. Ils croient donc qu'"aimer" veut dire "plaire". Voilà pourquoi ils vivent selon: *"Si tu me plais, je t'aime; si je te plais, tu m'aimeras."* Par cette croyance, les gens recherchent davantage une certaine gratification ou satisfaction personnelle dans leurs relations intimes, plutôt que de simplement donner leur amour aux autres sans s'attendre ou exiger d'être aimés en retour.

> ***Aimer réellement, c'est se donner le droit d'être et de donner aux autres le droit d'être et d'en retirer diverses expériences.***

Ce n'est pas plus compliqué que cela. En donnant le droit à tout ce qui est vivant de vivre des expériences, tu acceptes le fait que tout ce qui vit est ici sur Terre dans le seul but de grandir en sagesse à travers ces expériences.

La plupart d'entre nous faisons le contraire. Nous essayons de changer les autres ou de les dominer dans le but d'être aimés. Pourquoi? Nous ne voulons pas voir notre peur de ne pas être aimés ou la peur d'être rejetés. Nous voulons que les autres calment nos peurs en les rendant responsables de ces peurs. Voilà le comment et le pourquoi des nombreuses émotions, rancunes et haine entre les humains.

Nous croyons aussi que lorsque certaines expériences du passé n'ont pas été agréables, il serait préférable de changer notre façon d'être ou celle des autres afin d'éviter qu'elles ne se répètent. Dans les faits, en agissant de la sorte, nos efforts sont voués à l'échec: on désire empêcher que paraisse un certain trait de caractère en exerçant un contrôle sur lui alors que le comportement intérieur, lui, n'a pas changé et vouloir se changer sans passer par l'acceptation est inutile.

Une des grandes lois spirituelles de l'Univers est à l'effet que l'être humain est ici sur Terre simplement pour apprendre à travers ses expériences. Se donner ou donner aux autres le droit de vivre ces expériences sans accuser, juger ou condamner constitue le moyen le plus rapide pour apprendre.

À chaque fois que nous portons un jugement quelconque, nous nous éloignons de l'acceptation ou de l'amour véritable car aimer véritablement, c'est accepter les événements et les personnes telles qu'ils sont. C'est tout simplement reconnaître que telle situation se présente de telle façon et que telle personne agit de telle manière. C'est au niveau de notre mental que nous prenons la décision que tel comportement ou tel agissement est mauvais.

> ***La notion d'acceptation est une notion spirituelle, elle n'est donc pas compréhensible par le biais de l'intellect seul.***

Tout ce qui se rattache au niveau spirituel doit absolument être expérimenté et senti au plus profond de toi pour en comprendre le sens. C'est ainsi que tu en acquiers la certitude. Si seul ton mental est utilisé comme moyen de vérification, il ne sera jamais calme et paisible car le mental a constamment besoin de tout vérifier et tout prouver au niveau du monde matériel.

Comme le mental est constitué de mémoire, il n'est pas habilité à accepter une nouvelle notion sans préalablement la comprendre. Mais comme cette notion est nouvelle, il ne peut la comprendre tout de suite. D'où l'importance d'expérimenter et ressentir quelque chose de nouveau pour pouvoir le faire accepter par l'intellect et avant de décider que cette nouvelle notion est insensée.

Comme la notion d'acceptation sans jugement est nouvelle, elle est donc difficile à accepter à prime abord. Prenons l'exemple d'une personne qui perd le contrôle et qui ressent une intense colère face à une autre personne. Se donner le droit de vivre cette colère, c'est d'être capable de s'observer pendant le temps que dure cette colère.

Cette personne peut observer ses réactions physiques telles que l'augmentation du ton de sa voix, son visage qui devient rouge, sa respiration qui s'accélère, une pression ressentie au niveau du plexus, puis finalement une peur profonde qui s'installe en elle. Si elle réussit à demeurer au niveau de l'observation sans tomber dans le jugement d'elle-même, sa colère ne durera que quelques instants. Une fois la tempête passée, cette personne pourra constater qu'elle vient de vivre une colère et pourra se donner le droit de l'avoir vécue. Le tumulte intérieur s'estompera et, finalement cette colère lui aura été bénéfique car elle lui aura appris qu'une peur l'habitait.

Ce qu'elle aurait pu juger comme un comportement mauvais aura été en réalité une expérience fructueuse pour elle. Mais si sa tête prend le dessus et que cette personne s'accuse et se rend coupable d'avoir vécu une telle colère, ou qu'elle accuse autrui de l'avoir mis en colère (ce processus peut d'ailleurs avoir lieu au moment précis où elle vit la colère en question), cette personne sera décentrée et pourra perdre le contrôle en posant des gestes ou en tenant des propos qui iront au-delà de ses intentions réelles. Pendant que la colère fait ainsi rage, ce n'est plus réellement cette personne qui dirige: c'est son mental qui la dirige en ne lui donnant pas le droit de vivre cette expérience.

Aussitôt que tu utilises les qualificatifs "bien, mal, correct, pas correct, supposé, pas supposé, normal, pas normal", sois assuré que ton mental a ainsi pris le contrôle, qu'il juge tes comportements et que tu te laisses diriger par lui.

Lorsqu'une telle situation se présente, sache que dès que tu te juges, un sentiment de rejet émerge en toi. Ton mental rejette la partie de toi qui avait besoin de vivre une telle expérience. Imagine un père constamment en train de rejeter son enfant, de lui dire qu'il est incapable d'accomplir quoi que ce soit, qu'il est un bon à rien, qu'il ne veut plus le voir, qu'il le dérange et qu'il aimerait mieux qu'il n'existe plus! Peux-tu imaginer ce qui attend cet enfant, surtout si on lui a enlevé le droit de parler?

Pour contrebalancer le rejet qu'il ressent, il recherchera davantage d'attention de la part de son père car il sait au plus profond de lui que le rejet de son père est contraire aux lois naturelles. Cet enfant risque fort de devenir turbulent et agité, exigeant l'attention des autres par tous les moyens et même bien souvent par des moyens difficiles à supporter par son entourage. Pourquoi? Parce que l'enfant est rejeté et que c'est tout à fait contraire aux lois de l'amour.

Le même phénomène se produit en nous. Nous avons créé mentalement des centaines, voire des milliers de parties en nous. On y retrouve le petit enfant qui a peur, le petit enfant joueur, l'enfant créatif, le petit espiègle, le petit enfant qui veut tout apprendre et qui veut tout connaître, en plus de l'adolescent, l'adulte, la mère, le père et bien d'autres! Chaque croyance mentale que nous avons développée a engendré en nous une personnalité qui lui est propre. Nous pouvons donc être habités à la fois par la dépensière, l'économe, la colérique, celle qui recherche la paix avec son entourage, l'ordonnée et celle qui désire parfois laisser un certain désordre, la travaillante, la paresseuse, la personnalité lente, la personnalité "en quatrième vitesse", etc. L'énumération pourrait s'étendre encore sur plusieurs pages.

Dès que tu te juges, tu pointes du doigt une de tes personnalités en l'incitant à disparaître et en lui faisant sentir qu'elle n'a pas sa raison d'être et qu'elle n'est pas la bienvenue. Tu ne l'acceptes pas du tout et tu ne lui donnes pas le droit d'être là. Dans certains cas, tu agis exactement comme dans l'exemple du père avec son fils.

Plus tu désires qu'une personnalité disparaisse, plus cette personnalité grandit en force, se révolte et insiste pour montrer qu'elle a le droit d'être ce qu'elle veut être, tout comme l'enfant en révolte qui agit exactement de la façon contraire à celle que ses parents recherchent. C'est d'ailleurs ainsi que la plupart des humains se rejettent entre eux.

> ***Il nous est nécessaire de vivre en compagnie d'autres personnes de façon à nous montrer quelles facettes ou personnalités de nous nous rejetons.***

Comment? En observant ce que nous rejetons des autres. Rejeter étant le contraire d'aimer, de donner le droit d'exister, le moyen le plus rapide pour qu'une transformation ait lieu est de donner le droit à une de tes personnalités de t'habiter, tout en reconnaissant que c'est toi qui l'as créée même si tu n'es pas d'accord avec sa présence en toi. Lorsque cette partie de toi se sentira acceptée, elle aura envie de collaborer avec toi. Elle recherchera l'harmonie et n'éprouvera plus le besoin de se révolter.

J'ai mentionné à plusieurs reprises qu'aimer est d'être capable de se donner le droit d'être ou encore d'accepter de façon inconditionnelle. Autrement dit, tu t'aimes vraiment lorsque tu te donnes le droit d'être ce que tu es, même si à certains moments ton mental ne te comprend pas ou n'est pas en accord avec tes agissements.

Pour que ton mental soit d'accord ou qu'il comprenne quelque chose, il doit faire référence à des expériences passées, déjà enregistrées dans ta mémoire. Comme toute expérience qui se présente à toi est nouvelle et vécue au présent, elle ne peut pas être comprise en se référant au passé. Le mental, laissé à lui-même, a la capacité de colorer une nouvelle expérience en fonction du passé. Il croit constamment que ce sont les mêmes expériences qui se répètent. Il n'en tient qu'à toi de reconnaître que chaque expérience est unique plutôt que de laisser ton mental te faire croire le contraire, déformant ainsi la réalité du moment présent.

Tu t'es sûrement senti rejeté étant plus jeune, comme la plupart d'entre nous. Dès l'instant où tu éprouves du rejet, tu dois reconnaître que ce sentiment origine d'une croyance. Au moment précis où tu t'es senti rejeté dans ta jeunesse, tu ne pouvais savoir que quelqu'un était ainsi tout simplement en train de t'exprimer une limite et de crier au secours.

Au lieu de donner à cette personne le droit d'être telle qu'elle était et de l'accepter ainsi, tu as décidé qu'elle n'était pas correcte. Tu l'as jugée. Tu as peut-être jugé de la sorte un parent, un professeur ou un(e) ami(e), dont tu t'es senti rejeté, alors qu'en réalité il ne pouvait pas faire plus à ce moment précis.

Le phénomène du rejet a fait grandement partie de la jeunesse de la plupart d'entre nous parce qu'un jeune enfant, en état de dépendance vis-à-vis des adultes est très exigeant. Il ne pense qu'à lui. Aussitôt qu'il n'obtient pas ce qu'il désire, il croit facilement qu'il n'est pas aimé et réagit vivement en conséquence. Cependant, en vieillissant, une personne doit voir à sa maturité affective afin de s'éloigner de l'état de dépendance typique à l'enfance. Sinon, cette personne continuera, à l'âge adulte, à se sentir rejetée aussitôt qu'elle n'obtient pas ce qu'elle veut.

Si tu désires t'en sortir et te diriger vers un bonheur grandissant et une plus grande harmonie intérieure, tu dois admettre que, finalement, le rejet n'est qu'une illusion. C'est tout simplement quelque chose à laquelle tu as décidé de croire. Heureusement, toute croyance peut être transformée.

Deviens conscient de tout ce que tu dis ou penses, c'est-à-dire tes jugements, tes critiques intérieures ou tes condamnations: ils t'aideront à reconnaître si tu vis du rejet. As-tu remarqué à quel point tu t'éloignes d'une autre personne dès que tu commences à la juger, à la condamner? Comme mentionné dans le chapitre sur la **comparaison**, le fait de penser qu'autrui est supérieur ou inférieur à soi repousse deux personnes l'une de l'autre. L'amour, c'est l'union, c'est de faire un avec l'autre.

En te donnant le droit d'être tel genre de personne, tu donnes automatiquement le droit aux autres d'être tels qu'ils sont.

Je n'insisterai jamais assez sur la nécessité de vivre l'expérience du laisser être pour arriver à savoir profondément ce que donner le droit d'être signifie. Plus une personne a l'impression d'être quelqu'un de bien seulement lorsqu'elle sent et voit que les autres l'aiment, plus elle recherchera à l'extérieur d'elle-même l'amour dont elle a besoin. De toute évidence, cette personne ne se donne pas le droit d'être qui elle est en plus de se juger pour ce qu'elle n'est pas. Elle recherche, voire dépend de l'approbation des autres et a besoin de se sentir réconfortée et sécurisée par l'amour d'une autre personne.

Si tu te rends compte que tu dépends des autres personnes, cette constatation t'indiquera le peu d'amour que tu nourris à ton égard ainsi que le rejet que tu manifestes envers toi-même. Un tel comportement peut entraîner de nombreuses maladies incluant même les maladies cardiaques qui constituent une des plus grandes causes de mortalité dans plusieurs pays. Comme le cœur a un lien direct avec l'amour de soi, plus une personne recherche l'amour dans des sources extérieures, plus elle prend à cœur ce qui se présente à elle et plus elle est apte à se créer une maladie du cœur. Un tel phénomène surgit principalement lorsqu'une personne oublie de mettre de la joie dans sa vie en se donnant le droit d'agir et d'être comme elle le désire véritablement. Elle exige trop d'elle-même, espérant ainsi être aimée davantage.

Pour en arriver à savoir comment tout simplement t'observer de façon à te donner le droit d'être ce que tu es présentement, tu n'as qu'à observer un jeune enfant. L'enfant qui n'a pas encore été trop influencé par le monde des adultes, traduit en paroles tout ce qu'il voit, en toute innocence. Aucun jugement ne transpire de ses mots, mais simplement des constatations. Il demandera, par exemple, à une femme qui a un gros ventre, si elle attend un bébé; à quelqu'un de race noire, pour quelle raison il est si noir.

Un jour, mon petit-fils de quatre ans m'accompagnait en voiture avec Jacques, mon conjoint. Il observait Jacques et tout à coup, avec sa voix toute douce, il fit la remarque que ce dernier n'avait pas beaucoup de cheveux. Cette remarque, sans jugement ni critique, était d'une telle pureté! Pour lui, le fait d'avoir peu de cheveux n'était ni bien ni mal: il ne faisait que constater un état de fait.

C'est cette manière d'être que l'on doit encourager chez les enfants et que les adultes devraient tendre à adopter. Malheureusement, la plupart des adultes agissent tout à fait à l'opposé. Ils apprennent aux jeunes enfants qu'un tel comportement n'est pas poli, qu'ils ne doivent pas dire certaines choses. C'est ainsi qu'un enfant s'habitue très jeune à un code moral basé sur la notion de bien ou de mal, lequel code est fixé par le monde des adultes. L'enfant en vient graduellement à tout censurer et à tout analyser. Il vit ainsi de moins en moins son moment présent et développe des croyances et des peurs.

Te rejeter, c'est te créer une vie d'enfer et, comme tu es la seule personne au monde à détenir le pouvoir de créer ta vie, c'est à toi seul de décider ce que tu veux créer. Désires-tu avoir une vie où tous et chacun se donnent le droit d'être tels qu'ils sont, où tu ne te sens plus rejeté et où tu te donnes la permission d'être tel que tu veux être, ou désires-tu plutôt continuer à vivre davantage d'expériences de rejet? Aucune autre personne sur cette planète ne peut faire ce choix pour toi, excepté toi-même.

Plus tu te juges et te rejettes dans ce que tu fais, moins tu te donnes le droit d'être ce que tu es. Plus tu as peur d'être rejeté des autres, plus tu deviens une personne qui s'accroche aux autres. Plus tu crois que les personnes t'en veulent ou te rejettent, plus tu restes sur la défensive. À la moindre critique, le cœur te descend dans les talons. Tu crois que tout le monde prend plaisir à te critiquer parce que tu interprètes tout commentaire à ton sujet comme une critique désobligeante.

Réalise que si tu te rejettes, c'est que tu te laisses envahir par les croyances mentales que tu as développées.

Donne-toi le droit d'être tel que tu veux être pour le moment, même si tu es en désaccord avec certaines parties de toi et que tu préférerais qu'il en soit autrement. Tu auras la joie de constater les transformations qui en découleront par la suite. Je comprends qu'il soit plus difficile pour une personne vivant du rejet depuis sa tendre jeunesse, d'en arriver à croire qu'elle n'est pas rejetée, qu'elle est acceptée telle qu'elle est. Si elle a constamment entendu ses parents ou éducateurs lui dire qu'elle était de trop, qu'elle était un enfant insupportable, qu'ils auraient préféré un enfant de l'autre sexe, ou encore qu'elle avait le sentiment de "passer en dernier" et que son frère lui était préféré, il sera difficile à cette personne de croire qu'elle est un être spécial et qu'elle a le droit d'être qui elle est. Si ses propres parents ne l'ont pas aimée, comme peut-elle s'aimer elle-même?

Si tu as vécu un tel rejet dès ton jeune âge, c'est un signe probable que le rejet t'accompagne depuis une vie antérieure. Tu es revenu sur Terre en compagnie de parents ayant cette attitude de rejet dans le but de t'aider à devenir conscient de la décision que tu as prise antérieurement et que tu dois régler dans la vie présente.

Ton choix est simple: ou tu continues de croire que tes parents et tous ceux que tu aimes te rejettent et ainsi continuer à vivre la même vie d'enfer que tu vis depuis **DIEU** seul sait combien de vies, ou tu décides de changer tes croyances en commençant par les accepter telles qu'elles sont.

Souviens-toi que tu dois désirer le changement sans le forcer. En forçant, tu admets que tu n'acceptes pas une situation ou une personne et que tu désires l'éliminer, donc la rejeter. Et rappelle-toi qu'une personne rejetée s'accroche davantage plutôt que de s'éloigner. Ce n'est donc pas le bon moyen à utiliser pour faire disparaître ce que tu ne veux plus.

Tu dois passer par l'étape de l'acceptation de l'état actuel des choses avant que toute transformation ne puisse s'amorcer. Il te faut accepter que présentement tu te rejettes et que certaines parties de toi éprouvent des difficultés à accepter les autres. Quand tu te rends compte qu'une partie de toi emprunte le chemin de la critique et du rejet, ne fais que simplement l'observer au fur et à mesure que tu sens sa présence. C'est la première étape de la transformation: celle de la conscientisation.

Une fois que tu as conscientisé un état quelconque et que tu as vécu ton expérience pleinement, il te sera possible de voir la souffrance en toi qui t'empêche de te donner le droit d'être tel que tu es. Même s'il peut t'arriver de difficilement accepter certaines parties de toi, vis l'expérience de leur donner le droit d'exister. Cette étape est la plus importante en vue d'une transformation durable. Tu ne peux pas en connaître le résultat tant que cette étape n'est pas franchie, car c'est elle qui t'amène à la suivante. Par la suite, la transformation s'effectuera graduellement à ton insu, et tu auras un jour l'agréable surprise de constater que tu te sens de moins en moins rejeté.

Pour terminer ce chapitre, je te suggère de dresser une liste de trois parties ou "personnalités" en toi qu'il t'est difficile d'accepter. Au moment ou tu prends conscience de chacune de ces façons d'être, si ta réaction est de ne pas t'aimer, essaie de te donner le droit d'être ce que tu es pendant au moins une semaine tout en t'observant, en vérifiant comment tu cohabites avec ces façons d'être. Vis pleinement cette étape.

Si tu éprouves des difficultés à vivre cette expérience, poursuis de plus belle au cours de la semaine qui suit. Étire le processus pendant plusieurs semaines si nécessaire jusqu'à ce que tu sois capable de simplement t'observer sans te juger, sans te critiquer, sans te sentir coupable, sans être envahi par la colère et sans te condamner. Bref, tu acceptes que tu es ce que tu es.

Tu sauras que cette étape est complétée quand il te sera possible de dire: *"J'accepte que ces parties de moi existent pour le moment. Je les ai créées en croyant qu'elles m'empêcheraient de souffrir. Elles m'ont donc été utiles. Toutefois aujourd'hui, je décide de croire à autre chose."* Lorsque tu sentiras que tu acceptes véritablement ces parties de toi, c'est à ce moment que débutera leur processus de transformation permettant de faire place davantage à l'amour.

Le côté dramatique de toute situation disparaîtra de par cette acceptation.

CHAPITRE 15
SENTIR ET COMPRENDRE

J'ai décidé de consacrer un chapitre complet à ces deux mots car j'ai remarqué qu'ils portent souvent à confusion. Plusieurs personnes ont pour désir de se couper de leurs émotions mais comme elles confondent le mot "émotion" avec le mot "sentiment", elles se coupent également de leurs sentiments. Nous devons tous aspirer à demeurer des êtres sensibles mais sans vivre d'émotions.

Une émotion provient du plan mental. En effet, une personne vit une émotion quand une de ses croyances mentales l'empêche d'accéder à son désir. Un être humain bien centré vit ses expériences pleinement, tout en étant capable d'observer ce qui lui arrive sur le plan physique et de vérifier si cette expérience répond à un désir ou non.

Il lui est possible d'entreposer l'expérience qu'il vit en mémoire, en même temps qu'il se donne le droit de la vivre et de la ressentir. Une personne bien centrée peut véritablement sentir et comprendre une situation ou une personne. La véritable compréhension d'une idée ou d'un concept abstrait, tel l'amour, ne peut s'effectuer qu'après avoir senti ce dit état, idée ou concept. Selon moi, ces deux facultés s'harmonisent bien l'une avec l'autre quand l'être dans sa totalité participe au processus, soit l'être sur les plans spirituel et matériel.

C'est au moment où une personne se coupe de son plan spirituel, de son **DIEU** intérieur, en se laissant diriger complètement par le monde matériel qui l'entoure, qu'elle vit des émotions ou qu'elle est malheureuse car elle ne peut comprendre véritablement une situation ou une personne. Ces émotions surviennent chez la personne qui, à la fois, éprouve un certain désir et entretient une croyance mentale qui bloque son désir. L'émotion est le résultat de ce blocage.

Une personne ne peut vivre une émotion et être dans son "senti" en même temps. Lorsqu'une émotion surgit, c'est signe que le mental d'une personne désire diriger et contrôler une situation et s'entête à vouloir obtenir un certain résultat. De toute évidence, seul le résultat lui convenant est acceptable! La personne, se laissant ainsi diriger par son mental, refuse de s'ouvrir à d'autres possibilités. Les émotions prennent naissance sitôt que le résultat anticipé n'aboutit pas. Pour en savoir plus sur les émotons, je te suggère de référer à mon premier livre.

Pour ressentir, une personne doit être en état d'observation et non pas se laisser diriger par ses croyances mentales.

Les croyances bloquant nos désirs se sont développées dû au fait que, dès notre jeune âge, certaines situations vécues nous ont fait souffrir et nous ont fait vivre des émotions. L'être humain souffre quand il ne baigne pas dans l'amour véritable. Nous avons donc appris, pour la plupart, depuis notre tendre enfance, à nous réfugier derrière des masques afin de cacher ces émotions et pour tenter d'en vivre le moins possible. Malheureusement, parce que nous confondons les mots "émotion" et "senti", nous nous coupons des deux en même temps.

Les personnes qui ont développé un caractère plutôt rigide, soit celles qui croient s'afficher au-dessus de toute situation comme si rien ne les dérangeait, s'avèrent être celles qui ont coupé le plus tous liens avec leur senti. Ces personnes parviennent difficilement à sentir véritablement. Elles sont en général très critiques et exigeantes, surtout envers elles-mêmes; aucune erreur leur est permise.

Elles se réfèrent constamment à ce qu'elles ont appris par le passé pour tout décider alors que pour sentir véritablement, une personne doit être dans son cœur et vivre le moment présent, c'est-à-dire être centrée et en contact avec son intuition, son **DIEU** intérieur. Être en contact avec **DIEU**, c'est simplement reconnaître qu'on est tous sur Terre pour expérimenter différents états d'être et non pour juger les personnes expérimentant ces dits états.

Une personne capable de sentir véritablement ne vit plus d'émotions, ce à quoi nous aspirons tous puisque vivre des émotions n'est pas agréable. Les émotions constituent des blocages d'énergie et des résistances de sorte que plus nous résistons à une situation, plus ses effets sur nous sont grands. Il est donc permis de dire qu'une personne qui vit des émotions est une personne qui résiste à ce qu'elle ressent.

Si tu veux vérifier cet affirmation, observe ce qui se passe au niveau de ton corps physique lorsque tu résistes à quelque chose physiquement. Prenons pour exemple que tu es dehors et qu'il y fait un froid sibérien. Si tu essaies de résister au froid en te contractant, tu auras davantage froid. Par contre, si tu en arrives à simplement observer qu'il fait froid et à ressentir quelles parties de ton corps en sont davantage affectées, tu noteras une nette différence dans la façon dont ton corps réagit au froid. En ne résistant plus à l'expérience du froid, ton corps n'en souffre pas. La résistance engendre la souffrance et la douleur.

De la même façon, les personnes qui résistent à leurs sentiments vivent plus difficilement les événements qui se présentent à eux. Elles se coupent de leur sensibilité alors que l'être humain apprend à partir de ce qu'il ressent. C'est un besoin naturel du corps émotionnel.

La personne trop rigide, n'étant pas en contact avec ce qu'elle ressent, reconnaît difficilement ses vrais besoins. Elle s'illusionne à croire que rien ne la dérange quand en réalité, si elle était à l'écoute de ses besoins, ses choix seraient différents. Son corps émotionnel souffre de ne plus être en position de sentir et d'avoir des désirs, ces deux rôles étant ses fonctions principales.

> ***Plus tu deviendras conscient de qui tu es vraiment par un travail de développement intérieur, plus ta sensibilité ira en s'accroissant.***

Tu te donneras graduellement le droit d'être sensible à la beauté, à la douceur, à l'harmonie, au bonheur, au point d'en être parfois profondément ému. En ces moments de grande ouverture à ta sensibilité, les larmes constituent une soupape qui t'aide à te libérer de cet excès de sensibilité soudaine parce que tu n'es pas habitué à supporter l'impact d'une telle ouverture. En acceptant ta sensibilité, elle deviendra une douce présence telle une très grande amie.

Les personnes qui essaient de comprendre quelque chose par la voie intellectuelle, c'est-à-dire par l'analyse strictement intellectuelle, n'arrivent pas à comprendre ce qu'ils analysent parce qu'il est nécessaire de sentir quelque chose pour le comprendre. La personne qui insiste à vouloir être aidée et éclairée tente de forcer la compréhension. Quand il t'arrive de ne pas comprendre, accepte qu'il te manque des données.

Si tu essaies de comprendre une autre personne en l'analysant intellectuellement, c'est-à-dire en te basant sur ce que tu as appris dans le passé, tu ne pourras y parvenir car pour comprendre véritablement, tu dois ouvrir ton cœur. Tu dois aussi donner aux situations et aux gens le droit d'être tels qu'ils le sont car ainsi, tu ne portes pas de jugement selon tes croyances mentales.

Tu peux alors vraiment observer, saisir les situations telles qu'elles sont en toute impartialité. Tu peux ainsi accumuler les données relatives à ce que tu observes chez une personne: ses paroles, sa gestuelle, sa façon de marcher, sa manière de répondre et de réagir, etc. De la même façon, tu peux ressentir ses peurs, ses joies ainsi que ses désirs et frustrations. C'est ainsi que tout à coup tu en viens à comprendre ce qui fait que telle personne agit de telle façon.

La compréhension vient du cœur où tout jugement basé sur la notion du bien et mal est absent. Lorsque toutes les données qui te sont nécessaires sont présentes, il t'est alors possible de comprendre véritablement.

Lorsque j'avise les gens de cesser de vouloir absolument comprendre une situation, je leur dis en fait qu'une compréhension totale va au-delà du plan simplement matériel ou intellectuel: ils doivent en arriver à une compréhension spirituelle de la situation. Je répète: il n'est point besoin de forcer pour comprendre. En ouvrant ton cœur et en laissant monter tous les éléments qui te sont nécessaires, la compréhension vient par elle-même.

De plus, ne confonds pas "senti" et "intuition". Avoir de l'intuition, c'est avoir la certitude de savoir quelque chose: on ne peut dire comment ou pourquoi on le sait, mais on le sait. Une personne qui apprend à sentir devient davantage en contact avec son **DIEU** intérieur et s'ouvre par le fait même à son intuition. Nous serons un jour branchés à notre **DIEU** intérieur de façon telle que nous n'éprouverons plus le besoin de comprendre ou de sentir les choses: nous saurons tout. Notre processus d'apprentissage en ce sens ne fait que commencer.

Une personne qui se laisse submerger par ses émotions ne s'ouvre qu'au monde de la peur car derrière chaque émotion se cache une ou plusieurs peurs.

Atteindre la sagesse, c'est apprendre à ressentir et à comprendre avec ton cœur.

C'est très énergisant! Tu remarqueras que vivre des émotions ou essayer de comprendre intellectuellement est un processus fatiguant qui te vide de tes énergies. Les personnes émotives et très intellectuelles éprouvent souvent des douleurs au plexus solaire, voire même de l'enflure dans cette région, car c'est au niveau du plexus solaire que l'énergie du corps émotionnel et celle du corps mental se relient. Et comme cette énergie est beaucoup trop sollicitée à force de trop vouloir comprendre et analyser, un blocage est créé à cet endroit affectant à son tour le bon fonctionnement du centre cardiaque situé au niveau du cœur.

Elles éprouvent par conséquent des difficultés à sentir. La plupart des gens croient que l'énergie du corps mental est centrée et régie par la tête alors qu'au contraire, c'est plutôt l'énergie de l'intuition et de l'intelligence qui est canalisée par le centre frontal, situé au-dessus du nez entre les deux yeux.

D'autres croient que pour ressentir les événements, il est nécessaire de les dramatiser et de vivre des émotions. Par conséquent, certains crient, d'autres pleurent, certains font des scènes à n'en plus finir, croyant que c'est ça sentir. Il peut en être ainsi pour quelqu'un qui a pendant trop longtemps bloqué tout ce qu'il avait ressenti depuis son jeune âge. Lorsqu'un blocage se dénoue trop rapidement, le résultat peut s'avérer particulièrement dramatique, d'où la raison pourquoi je ne favorise pas les approches et moyens visant à débloquer rapidement les émotions refoulées de longue date.

Il est possible de se libérer en douceur de ses émotions en se donnant le droit de les sentir graduellement. L'ouverture s'effectuant avec davantage de douceur, une personne ne se retrouve pas par après dans une position où elle doit se "ramasser à la petite cuillère", c'est-à-dire elle n'est pas démolie par l'impact d'une ouverture trop rapide.

À plusieurs reprises, j'ai rencontré des gens qui ont reconnu avoir haï leurs parents et de leur en avoir voulu. Mais dès l'instant où ils ont doucement pris contact avec cette douleur enfouie en eux depuis leur jeunesse, qu'ils se sont donné le droit d'avoir souffert de la sorte et qu'ils se sont pardonné d'en avoir voulu à leurs parents, ils ont vu leur rancune s'estomper. Il existe donc d'excellents moyens pour cesser de vivre des émotions.

Il faut savoir que lorsqu'un bébé naît, il est empreint d'une grande pureté; il veut vivre dans la joie et l'amour. Par la suite, il se met graduellement à parler, à vouloir s'affirmer par divers moyens. C'est à ce moment que les adultes commencent à lui dire qu'il est dans l'erreur d'agir de la sorte. L'enfant traverse alors une période pendant laquelle il réalise que lorsqu'il est lui-même, on ne l'accepte ni ne l'aime. Il apprend et décide alors qu'être lui-même n'est pas "correct".

Suite à cette prise de conscience et à cette décision, l'enfant connaît une période de révolte intérieure. À ce stade, il s'interroge à savoir s'il doit continuer à rester lui-même et à prendre le risque de ne pas être aimé et d'être toujours réprimandé, ou bien s'il doit porter un masque. L'enfant passe inconsciemment par cette phase, généralement entre zéro et sept ans. La période la plus difficile pour un enfant est celle où il reste seul avec son dilemme et sa douleur intérieure. C'est immédiatement après cette étape qu'il crée ses propres masques de manière à pouvoir faire partie du monde des adultes, à pouvoir être aimé des adultes.

Pour redevenir toi-même, tu dois franchir de nouveau ces étapes mais en sens inverse. Il est nécessaire de ressentir la révolte intérieure que tu as enfouie en raison de la décision prise durant ta jeune enfance. Tu dois même en arriver à sentir cette colère secrète retournée contre toi du fait de ne pas avoir pris la décision de rester toi-même sans oublier le sentiment de culpabilité qui en découle généralement.

L'étape suivante est celle d'exprimer cette révolte sur le plan physique. Les enfants dont le passé a été éprouvant et qui n'ont pas suffisamment exprimé sur le plan physique leur révolte intérieure sont souvent ceux qui, après avoir repris contact avec cette révolte intérieure, ont besoin de la faire ressortir une fois rendus l'âge adulte. À l'opposé, certains enfants expriment leur révolte en piquant des crises qui durent des heures, voire même qui se poursuivent jusqu'à l'adolescence. À l'âge adulte, ces mêmes enfants ressentiront moins le besoin de crier leur révolte quand ils en prendront conscience.

Par la suite, pour connaître la satisfaction d'être toi-même, tu dois franchir l'étape qui est celle de ressentir la douleur vécue au moment où on t'a inculqué la notion qu'être toi-même n'était pas acceptable.

Il est, en général, difficile pour nous tous d'apprendre à sentir car c'est une façon d'être relativement nouvelle dans notre société.

Lors de certains de mes cours ou conférences, j'invite les participants à lever la main ceux dont les parents leur demandaient à l'occasion, dans leur enfance, comment ils se sentaient. Je dois avouer que je vois très rarement une main se lever. Mais il aurait été difficile de demander à nos parents de faire pour autrui ce qu'ils ne parvenaient pas à faire pour eux-mêmes, n'est-ce pas?

Je te suggère donc fortement de devenir plus conscient de ce que tu ressens. Aucune journée ne doit s'écouler sans que tu ne te poses la question suivante à maintes reprises: *"Qu'est-ce que je ressens présentement dans la situation ou je me trouve?"*, sans te juger, te critiquer ni te condamner. Tu vérifies seulement ton senti.

Tu peux pratiquer également cette technique avec les autres en leur posant la même question et en accueillant simplement leur réponse, qu'elle te soit favorable ou non. À quand remonte la dernière occasion où tu as demandé à ton conjoint, tes enfants, tes amis ou tes parents de quelle manière ils se sentaient dans telle circonstance? Imagine à quel point tu aurais aimé dans ta jeunesse que ton père ou ta mère te demande ce que tu ressentais, à quel point tu aurais aimé avoir la possibilité d'en parler sans te faire juger, conseiller ou critiquer.

Bien au contraire, lorsque tu osais communiquer ce que tu ressentais, en disant par exemple que tu avais peur ou que tu n'aimais pas telle chose, telle attitude ou telle personne, tes parents t'incitaient à cesser de te plaindre et t'indiquaient que plusieurs autres enfants avaient une vie bien plus difficile que la tienne ou que tes peurs étaient futiles.

Tu as alors appris que tu devais refouler tes peurs et tes sentiments car sinon, tu étais dérangeant. Je demeure persuadée que tes parents n'agissaient pas ainsi pour mal faire mais simplement parce qu'ils ne connaissaient pas de meilleure façon; leurs propres parents avaient agi de la sorte avec eux.

Prends donc le temps, aujourd'hui même, de t'interroger à savoir comment tu aurais réagi étant jeune si tes parents t'avaient posé des questions du genre: *"Aurais-tu désiré être un enfant d'un autre sexe? Comment te sens-tu à l'idée d'être comme tu es? Comment réagis-tu au fait de devenir un adulte ou de poursuivre des études? L'idée d'être parent un jour te sourit-elle? Comment te sens-tu en compagnie de ton père ou de ta mère?"* Qu'aurais-tu répondu si on t'avait posé ces questions?

Personnellement, écrire ma biographie ***Je suis DIEU, Wow!*** m'a permis d'effectuer cette recherche intérieure. La rédaction de ce livre s'avéra beaucoup plus longue que prévue car j'ai dû consacrer un certain temps à sentir plusieurs passages de ma jeunesse, de mon adolescence et de ma vie d'adulte. Au moment où je décrivais un incident de ma jeunesse dans ce livre, je m'arrêtais pour me remémorer mon senti de l'époque. Ce processus m'a fait revivre tout mon passé. Par l'entremise du senti, cette expérience fut extraordinairement libératrice et énergisante.

Je te suggère d'en faire aussi l'expérience. Prends le temps d'écrire et de vérifier ton état d'être lors des étapes qui ont marqué ta jeunesse. Cet exercice ne peut te faire de torts; au contraire, il te libérera de ton passé. En te pratiquant ainsi à mieux sentir ton passé, tu seras en mesure de mieux sentir ta vie courante. En demandant aux gens qui t'entourent comment ils se sentent, non seulement tes conversations deviendront plus intéressantes mais ce réflexe te permettra de mieux le faire avec toi-même.

Lorsque tu parles avec quelqu'un, tu as sûrement déjà remarqué que la conversation devient vite ennuyante si cette personne ne te parle que de faits et gestes sans indiquer ce qu'elle a ressenti. C'est pour cette raison d'ailleurs que nous éprouvons des difficultés à écouter lorsque nous considérons peu intéressant et superficiel ce qui nous est communiqué. Il existe sûrement dans ton entourage une personne très rigide, c'est-à-dire une personne qui parle rarement de ce qu'elle ressent, qui donne constamment l'impression d'être au-dessus de tout. Vérifie en toi comment tu te sens en présence de cette personne. Vous devenez probablement tous les deux à court de conversation rapidement car cette personne, qui s'abstient de parler de son senti n'a presque rien à raconter sur les incidents de sa vie.

Par contre, si ton enfant, ton conjoint ou un ami, en plus de te raconter ce qui s'est passé à l'école, au travail ou ailleurs, t'indique ce qu'il en a ressenti, tu t'apercevras que la conversation devient rapidement intéressante, agréable et énergisante car les deux parties communiquent véritablement à tous les niveaux.

Apprendre à sentir peut changer ta vie de fond en comble.

Plus tu te donnes le droit de sentir, moins tu retiens ta sensibilité, et moins tu vis d'émotions. C'est le plus beau cadeau que tu puisses te faire. De plus, il te sera beaucoup plus facile et rapide de comprendre véritablement les gens autour de toi quand ils t'informeront de ce qu'ils ressentent.

Si tu fais partie de cette catégorie de personnes qui éprouvent des difficultés à ressentir, tu devras probablement te poser la question à quelques reprises avant de reconnaître vraiment ton état d'être dans une situation donnée. Je rencontre sans cesse ce genre de personnes pendant les ateliers que j'anime. Par exemple, une dame partage au groupe un incident qu'elle a vécu antérieurement avec son conjoint. Je lui demande ensuite comment elle s'est sentie. En guise de réponse, elle me donne les commentaires de son mari et ce qu'il a fait ou pas fait durant le dit incident. Je lui pose à nouveau la même question. Elle me parle encore de son mari. Je dois la répéter une autre fois avant qu'elle ne s'arrête pour réaliser qu'elle ne le sait pas. Cette dame est tellement coupée de son senti qu'elle éprouve même des difficultés à comprendre la question: "Comment te sens-tu?"

J'ai mentionné plus tôt que la personne qui a le plus de difficulté à sentir est celle ayant développé un caractère rigide et qui se croit contrainte à ne pas admettre l'existence d'un problème. Pour cette personne, en admettre l'existence l'obligerait à reconnaître qu'elle ne se sent pas bien.

Si tu veux l'aider, je te recommande de commenter ce que toi tu ressens quand elle te parle plutôt que de lui demander comment elle se sent. Quand elle te raconte une anecdote, dis-lui ce que tu ressens en l'écoutant: de la peine ou de la colère par exemple. Par la suite, demande-lui s'il est possible qu'elle éprouve les mêmes sensations à ce moment ou si c'est ce qu'elle a ressenti lors de l'incident en question. C'est le moyen qui semble donner les meilleurs résultats afin de l'aider à entrer en contact avec son senti. N'oublie pas qu'une personne rigide ne s'est jamais donné le droit de sentir depuis sa tendre enfance et que, par conséquent, elle affirme toujours que tout va bien.

Plus une personne se retient, se contrôle, refoule ses émotions et se coupe de sa sensibilité, plus elle risque de finalement perdre le contrôle. Une personne ne peut réussir à se contrôler indéfiniment. Le monde matériel étant limité, le contrôle que l'on peut exercer aux plans émotionnel et mental est lui aussi limité. Une perte de contrôle aux plans émotionnel et mental se manifeste immanquablement au niveau du corps physique. C'est d'ailleurs ainsi que tu peux devenir conscient du degré de contrôle que tu t'imposes.

En voici quelques exemples: lorsque tu te mets à pleurer, tu n'es plus capable de t'arrêter; tu perds le contrôle de ta vessie par une incontinence urinaire, de tes intestins par des diarrhées, de ton système musculaire par des spasmes nerveux ou des tremblements involontaires; tu perds connaissance; tu souffres de dystrophie musculaire ou de la maladie de Parkinson. Ces maladies (l'ensemble de) indiquent une perte de contrôle sous une forme ou une autre.

D'autres signes avant-coureur signalant un désir inavoué de tout contrôler sont les problèmes au niveau des articulations, à partir des chevilles jusqu'au cou. Il y a de plus les crampes musculaires, la constipation et l'arthrite. Les personnes qui ont tendance à enfler sont également des personnes qui se retiennent. La rétention de leurs émotions entraîne la rétention de leur senti.

> ***Il est important de devenir conscient que lorsqu'on se coupe de notre senti, notre motivation profonde est de ne pas souffrir.***

Malheureusement, étant jeunes, nous ne pouvions savoir qu'une telle décision rendrait notre vie beaucoup plus éprouvante que de souffrir de temps à autre de ne pas toujours être acceptés tel que nous sommes. C'est au moment où une personne fait cette constatation qu'elle décide de se prendre en mains. Se rendre compte que de se contrôler nous apporte davantage de problèmes que le risque de ne pas être aimés des autres en se permettant d'être tels que nous sommes, voilà le secret du début de la transformation vers notre véritable "Je suis".

Alors, comment reconnaître, par son comportement, qu'une personne se coupe de son senti? Comme je l'ai déjà mentionné, une telle personne affirme sans relâche que tout est fantastique et qu'elle n'a aucun problème. Elle éprouve des difficultés à reconnaître ses vrais besoins. Elle demande jamais ou rarement de l'aide. Elle affiche fièrement qu'elle est en plein contrôle d'elle-même! Elle présente généralement un corps droit et rigide, dont la mâchoire est serrée et le cou raide. Cette personne tente également de tout comprendre avec son intellect, utilisant sa mémoire comme point de référence. Quand elle présente une explication, tout est long, compliqué, difficile à suivre et principalement composé de faits et de gestes.

Bien que la plupart de nous n'ayons pas appris à sentir étant jeunes, il nous sera plus facile d'apprendre à sentir si nous n'avons pas développé un caractère trop rigide. Une personne qui est en contact avec son senti ne dramatise pas. Il lui est possible de simplement raconter un événement tout en étant capable d'avouer ses peurs et ce qu'elle ressent. Elle ne s'apitoie pas sur son sort et n'adopte pas le comportement de la victime.

T'arrive-t-il parfois de pleurer lorsque tu aperçois une autre personne qui pleure? Il te faut faire la différence entre une personne qui pleure à cause d'un trop plein de sensibilité et une personne qui pleure par émotion, ce que je considère pleurer avec sa tête.

Pleurer avec ta tête, c'est t'analyser tout en pleurant et t'interroger sur le pourquoi de ce qui t'afflige. Tu ne ressens pas; tu analyses ce qui t'arrive. Tes pleures sont teintés de colère. Si tu pleures facilement en compagnie d'une personne qui pleure avec sa tête, qui pleure par émotion, c'est signe que tu embarques facilement dans les émotions des autres et que tu es probablement du genre à vouloir régler les problèmes des autres. Tu te crois responsable du bonheur des autres. En agissant ainsi, tu n'es pas dans ton senti; au contraire, ton mental a pris le dessus en te faisant accroire que tu dois régler le problème de l'autre ou faire en sorte qu'elle se sente mieux. Si tu pleures en compagnie d'une personne qui est "dans son cœur", les quelques larmes qui émergeront seront surtout attribuables à ta grande sensibilité.

Il est évident que sentir demande de la pratique.

Peu importe ton âge, il faut te donner le temps nécessaire pour reprendre contact avec ta capacité de sentir, pour pouvoir ensuite mieux comprendre les situations qui se présentent à toi. Et dis-toi qu'il n'est strictement pas possible de toujours bien se sentir. Ne pas être confortable avec sa façon d'être est indicatif qu'on nourrissait un certain désir et que pour quelque raison que ce soit, on n'a pas agi en fonction de ce désir.

Il est important à ce moment de simplement constater le fait que tu n'as pas répondu à ton désir. Tu auras l'occasion de te reprendre. Peu de temps après, tu te sentiras mieux. Si l'absence de bien-être perdure, c'est signe que tu analyses cette expérience, que tu t'en veux ou que tu rends quelqu'un d'autre responsable de ce qui t'arrive.

Un autre moyen pour développer ta capacité de sentir est d'être davantage en contact avec les sensations dans ton corps. Assieds-toi en silence pendant quelques instants et prends contact avec ton corps. Note les sensations dans ton dos, tes jambes, tes genoux, tes pieds, ta tête, etc. Observe ainsi l'ensemble de ton corps.

Très souvent, les personnes coupées de leur sensibilité deviennent insensibles à leur corps. Elles s'infligent du mal mais disent ne rien ressentir. Elle sont "dures avec leurs corps" et se vantent même de l'être. D'autres se rendent compte d'une blessure seulement plusieurs jours après que le mal soit fait. Une ecchymose apparaît sur une de leurs jambes mais elles ne peuvent se souvenir ce qu'elles ont pu heurter pour se marquer de la sorte.

D'où une personne qui se coupe de sa sensibilité se coupe aussi de sa conscience. Si une personne n'est pas consciente de ce qui se passe au niveau de son corps physique, comment peut-elle alors avoir conscience de ce qui se passe aux niveaux psychologique et spirituel?

Comme tu peux le constater, il est possible de devenir moins émotif tout en demeurant une personne sensible. Et plus tu te sensibiliseras à ce qui se passe en toi et autour de toi, plus tu comprendras véritablement.

Pour conclure ce chapitre, je te suggère l'exercice quotidien suivant pour la prochaine semaine: demande à au moins une personne par jour comment elle se sent, et interroge-toi au moins trois fois par jour sur comment tu te sens dans telle situation ou en compagnie de telle personne. Tu peux en vivre l'expérience dès qu'une situation se présente ou en soirée lorsque tu fais une rétrospective de ta journée.

Note sur papier les impressions et commentaires de la personne interrogée, ce qu'elle t'a dit quand tu lui as demandé comment elle se sentait ainsi que tes propres sentiments et commentaires.

Je te suggère également de prendre le temps de t'asseoir le plus souvent possible en fin de journée pour prendre note de tes sentis, même si tu ne conserves pas tes notes par la suite. Tu seras agréablement surpris de constater combien cet exercice te permet de bien finir ta journée et de tout remettre en place intérieurement avant d'aller te coucher pour dormir.

CHAPITRE 16
SE PARDONNER

Dans le premier livre que j'ai écrit: ***Écoute ton Corps, ton plus grand ami sur la Terre***, un chapitre complet a été consacré au pardon. Je tiens à aborder de nouveau ce sujet car je crois que le pardon est primordial à notre ouverture au monde spirituel, à **DIEU** ainsi qu'à l'amour de soi et des autres.

On entend parler de plus en plus du pardon, particulièrement du pardon envers les autres. Mais, savais-tu qu'il est plus facile de pardonner aux autres que de se pardonner soi-même? C'est ce que j'ai découvert il y a quelques années. De plus, mes observations m'ont permis de constater que ce n'est qu'après le moment où une personne s'est pardonnée à elle-même que s'amorce le processus de guérison dans son corps physique, émotionnel et mental.

Le plus bel exemple de pardon jamais observé sur cette planète nous vient de Jésus alors qu'il était sur la croix et qu'il disait: *"Père, pardonne-leur car ils ne savent pas ce qu'ils font."* Cette phrase est d'une importance capitale. Elle illustre bien ce qui se passe lorsque les humains oublient **DIEU** dans leur cœur: ils ne savent plus ce qu'ils font! Ils deviennent décentrés à cause de leurs croyances mentales.

Malgré tout son bon vouloir et les enseignements extraordinaires qu'il a apportés aux peuples de la Terre voilà déjà deux mille ans, Jésus a dû se rendre à l'évidence que les humains étaient trop enlisés dans le "matériel" pour comprendre même une partie de ses enseignements. Au lieu de suivre ses enseignements, les gens de l'époque ont choisi d'exécuter celui qui était venu leur indiquer le chemin qui mène au bonheur.

Bien que réelles, les souffrances de Jésus sur la croix avaient une valeur symbolique. En fait, il tenait à nous montrer les souffrances que nous nous créons en nous éloignant de **DIEU**. Il nous est important de suivre son exemple, de nous pardonner d'avoir oublié **DIEU** et, par conséquent, d'admettre de ne plus savoir ce que nous faisons.

Savais-tu que tu oublies **DIEU** à chaque fois que tu en veux à quelqu'un? Quelle que soit l'offense qui t'a été faite, si tu nourris de la rancune ou de la haine envers l'offenseur, celle-ci t'enferme dans le ressentiment et c'est l'enfer dans ton cœur. Aucune personne ne peut se sentir bien lorsqu'elle en veut à quelqu'un d'autre. Elle devient alors complètement décentrée et plus du tout "dans son cœur".

On reconnaît une personne spirituelle à sa capacité d'être centrée, dans son cœur.

Pour en arriver à pardonner et cesser d'en vouloir à quelqu'un, il te faut absolument être capable de sentir et comprendre, sans jugement ni accusation. Accepte de te mettre dans la peau de l'autre et tu pourras sentir à quel point l'autre avait atteint ses limites. Il souffrait et avait peur car il avait oublié **DIEU**. Cesser d'être rancunier est le moyen le plus direct et le plus efficace pour en arriver à pardonner à quelqu'un d'autre. Pardonner à l'autre ne veut pas dire lui faire une faveur. Quand tu pardonnes, c'est toi-même que tu libères car sans pardon, tu seras toujours prisonnier de tes rancunes.

L'étape suivante qui consiste à te pardonner d'en avoir voulu à la personne concernée semble plus difficile à franchir parce qu'elle est moins évidente. Pourquoi est-il si important que tu te pardonnes? Parce qu'aussitôt que tu deviens conscient d'en avoir voulu à une personne et après avoir éprouvé de la compassion pour elle, une petite voix intérieure émerge en toi en t'accusant. Comme tu viens de réaliser qu'au fond cette personne n'était pas méchante, mais plutôt souffrante au moment où elle t'a offensé, tu ressens alors la honte de lui en avoir voulu.

Même si ce genre d'accusation est inconscient chez l'être humain, ce dernier ne peut s'empêcher de s'en vouloir d'avoir jugé et critiqué de la sorte une autre personne. En effet, il sait au plus profond de lui-même que juger et critiquer sont tout à fait contraires aux lois de l'amour, pour quelque offense que ce soit.

Nous sommes tous ici sur Terre pour apprendre à donner le droit aux autres d'être tels qu'ils sont. C'est en permettant aux autres et à soi-même d'avoir des limites, des faiblesses, des peurs et des souffrances dans différents domaines, que s'amorce notre processus de transformation dans ces mêmes domaines.

Pour te pardonner, tu dois franchir les mêmes étapes que celles permettant de pardonner à autrui. Tu dois prendre contact avec la partie en toi qui représente un jeune enfant blessé ayant souffert suite à un incident quelconque. C'est suite à cette souffrance que la rancune envers l'autre s'est développée en toi et que tu as commencé à le critiquer, le condamner. Pour en arriver à te pardonner, tu dois simplement donner le droit à cette partie de toi d'avoir souffert, d'avoir critiqué, d'en avoir voulu ou même d'avoir haï quelqu'un suite à cette souffrance.

Pour faciliter le contact avec cette partie de toi, je te suggère de visualiser le jeune enfant en toi qui a souffert, de le prendre dans tes bras et de le réconforter en reconnaissant qu'il a souffert et en comprenant que c'est pour cette raison qu'il a réagi de la sorte, tout en sachant qu'il en est maintenant conscient et qu'il ne veut dorénavant vivre que dans l'amour.

C'est de cette façon que tu pardonnes à cette partie de toi. Il s'avère très important de réaliser que la partie de toi qui éprouve de la rancune et de la haine n'est pas ton être véritable. Elle n'est pas ton "Je Suis", mais plutôt une croyance mentale que tu as créée et qui est devenue une personnalité en toi. C'est à cette personnalité en toi que tu dois pardonner.

Ne pas pouvoir ou vouloir se pardonner est signe d'orgueil spirituel.

C'est comme si tu refusais de pardonner à quelqu'un en considérant ce qu'elle a fait comme étant inacceptable et ne méritant pas le pardon. C'est finalement similaire à lui dire que tu lui es supérieur et qu'elle a agi de façon trop infâme pour mériter ton pardon! Ne pas vouloir pardonner à quelqu'un d'autre et à soi-même sont donc deux décisions motivées par l'orgueil.

Te pardonner véritablement entraîne une transformation intérieure extraordinaire; tu as l'impression qu'un poids accablant vient d'être enlevé de sur tes épaules et tu te sens soulagé, énergisé, voire même rajeuni. Tu te sens différent car tellement d'amour est nécessaire pour en arriver à te pardonner que tu commences alors à éprouver des sentiments différents en provenance de ton centre cardiaque.

Cet amour affecte même ton cœur au plan physique. Comme tu le sais déjà, le cœur a la tâche de faire circuler le sang à travers tous les vaisseaux de ton corps. Grâce au pardon, une nouvelle énergie émerge du centre cardiaque rendant le sang plus fort, plus magnétique, ce qui provoque la guérison intérieure.

J'ai eu la chance et l'opportunité de constater des centaines de guérisons tout au long de mes années d'enseignement suite à des pardons faits de la sorte. Du point de vue scientifique, ces guérisons (même de maladies très graves) sont inexplicables.

Il convient cependant de se souvenir que pardonner seulement à l'autre et non à soi constitue un geste important certes, mais qui n'entraîne pas une guérison complète. La personne qui ne fait que pardonner à l'autre se guérira de certains de ses malaises, sentira un soulagement et aura l'impression de soulager ses épaules d'un bon poids, mais compte tenu du caractère incomplet du pardon, elle restera aux prises avec d'autres malaises.

Les personnes qui éprouvent les plus grandes difficultés à se pardonner sont celles qui deviennent conscientes d'en avoir beaucoup voulu à leur père ou leur mère. Dans un tel cas, se pardonner demande un effort supplémentaire, mais quelle victoire par la suite! Sur une base régulière, des personnes me font part du fait qu'ils ne comprennent pas pourquoi leur problème ne disparaît pas ou disparaît et revient puisqu'elles ont pardonné à un de leurs parents.

Une cliente me racontait récemment avoir rencontré sa mère, avoir été capable de la prendre dans ses bras et d'effacer toute rancune, pour sentir finalement au plus profond d'elle-même son amour pour elle. Malgré tout, elle reste affligée du même problème de peau. Lorsque je parle à ce genre de personnes, je me rends compte qu'immanquablement, elles n'ont pu faire le même processus avec elles-mêmes, c'est-à-dire se pardonner d'avoir entretenu de la rancune envers leurs parents. Une partie de cette dame s'accusait encore et trouvait inacceptable qu'elle en ait voulu de la sorte à sa mère. Elle se traitait d'ingrate car aussitôt la rancune disparue, elle a pu découvrir de belles qualités en sa mère et se souvenir d'événements agréables de son enfance.

Vois-tu combien cette étape est importante? Si tu vis une telle situation, tu constateras qu'après t'avoir pardonné, il te sera plus facile de rencontrer la personne concernée et lui demander pardon d'avoir été rancunier envers elle. Parce que tu es dans ton cœur, une agréable communion s'établira entre vous. Cette étape est aussi nécessaire afin de vérifier si le pardon est véritable.

Se pardonner s'avère aussi difficile lorsqu'il y a eu médisance ou calomnie en rapport avec l'autre personne. À ce moment, on s'en veut d'avoir menti et propagé des commentaires à propos de l'autre qu'on regrette par la suite. Mais rien n'est impardonnable. Notre **DIEU** intérieur ne vise qu'à nous pardonner.

Rencontrer une personne et lui dire que tu lui pardonnes d'avoir posé tel geste ou énoncé tel commentaire à ton égard, n'est pas véritablement pardonner. Agir ainsi est plutôt signe d'orgueil. Pourquoi? Parce que si tu accuses une autre personne d'une certaine offense alors que pour elle, ses gestes ou paroles ne constituaient pas une offense à ses yeux, cette personne n'appréciera nullement ton pardon.

Nombre d'enfants en veulent ainsi à leurs parents pour certains incidents que ces derniers considéraient banals. Selon eux, ils n'avaient rien fait de mal, et avaient agi au meilleur de leurs connaissances, d'autant plus qu'ils se souviennent rarement de tels incidents. Dans l'éventualité où un enfant dit à un de ses parents qu'il lui pardonne pour un geste qu'il juge répréhensible posé envers lui durant sa tendre enfance, les chances sont grandes que le parent en question se sente insulté du commentaire de son enfant. Il réagira sur la défensive et niera avoir fait quoi que ce soit.

En lisant ces lignes, tu te dis peut-être que dans certaines situations, une véritable offense a eu lieu. Par contre, il t'est impossible de savoir, à moins de le lui demander, de quelle manière la personne que tu juges offensante perçoit son comportement. C'est pour cette raison que le pardon véritable n'existe que lorsque tu te pardonnes à toi-même.

Selon la loi de cause à effet, lorsque quelqu'un commet une offense à ton égard et que tu lui en veux, c'est signe que tu as toi-même déjà commis une offense qui a fait vivre des émotions semblables aux tiennes à quelqu'un d'autre. Cette expérience a pu avoir lieu, soit au cours de cette vie-ci, soit lors d'une vie précédente. Ne t'ayant pas encore pardonné cette offense, tu dois la subir à ton tour pour précisément en arriver à te pardonner. Si tu réussis à te placer dans la peau de l'autre et à véritablement lui pardonner "dans ton cœur", par le fait même tu te pardonnes pour l'offense que tu avais toi-même commise auparavant.

Prenons pour exemple une offense assez sérieuse, soit celle d'une femme qui a connu l'inceste avec son père du temps de son jeune âge. En étant capable de se placer dans la peau de son père, c'est-à-dire en constatant que cet homme n'a pas agi ainsi par méchanceté, il sera plus facile pour cette femme de ressentir la souffrance qui habitait son père lui aussi. Elle réalisera tôt ou tard que son père s'en voulait énormément de n'avoir pu se retenir et d'avoir perdu le contrôle ainsi avec sa fille. Elle n'a pas à être en accord avec le comportement de son père pour lui pardonner.

En lui pardonnant, elle pardonne à la partie d'elle qui a déjà été incestueuse, soit en pensée dans cette vie ou pour vrai dans une vie précédente et elle évite de revivre d'autres expériences incestueuses. Elle peut éviter ainsi d'être attirée par un homme incestueux plus tard.

La violence est un autre type d'offense relativement courant. Un jeune garçon ayant été battu par son père et lui en ayant voulu, aura tendance lui aussi à perdre le contrôle et à battre son fils plus tard quand il deviendra père à son tour. Dès l'instant où cet homme sera capable de pardonner à son père, il se pardonnera également à lui-même d'avoir agi de la même façon.

Par la suite, en réussissant à se pardonner d'avoir vécu de la rancune envers son père, en éprouvant de la compassion pour la partie de lui qui était blessée et qui souffrait au point d'en perdre le contrôle, le pardon véritable sera complet.

Ce processus du pardon est extraordinaire car il détruit le cercle vicieux qui se crée sans cesse au sein des familles.

Il a été reconnu, grâce à certaines recherches psychologiques, que les mêmes événements se perpétuent de génération en génération. Ces études ont d'ailleurs prouvé qu'une femme qui a connu l'inceste est en général attirée par un homme incestueux qui commettra l'inceste avec leur fille.

Ce cercle vicieux est puissant; une même cause qui produit immanquablement le même effet. Le besoin de pardonner est tellement criant que les âmes se réincarnent au sein d'une même famille. Un père qui bat son fils est peut-être en train de battre son arrière grand-père qui lui-même battait son fils et ainsi de suite. Ce n'est que le pardon véritable qui peut mettre un terme à un tel enchaînement malheureux.

La principale cause métaphysique du cancer est sans l'ombre d'un doute le manque de pardon pour soi. Les nombreux cancéreux avec qui j'ai travaillé s'avèrent être des gens qui en ont voulu à l'un de leurs parents du temps de leur jeune âge. Bien que remplies d'amour, ces personnes ont été déçues de l'amour reçu de leurs parents et cette déception s'est transformée en rancune ou en de la haine. Elles éprouvent généralement de grandes difficultés à s'avouer qu'elles peuvent être habitées par de la rancune ou de la haine envers l'un ou l'autre de leurs parents ou envers les deux. Elles ne veulent pas le savoir car elles auraient tellement honte de leur en avoir voulu qu'elles ne pourraient se le pardonner. Cette honte est, pour la plupart, inconsciente. Ces personnes démontrent donc, très souvent, beaucoup d'amour envers leurs parents pour cacher leurs sentiments de rancune ou haine.

J'ai également observé qu'en général, une personne qui avoue haïr son père ou sa mère pour une raison quelconque n'est pas atteinte du cancer. Elle pourra connaître une autre maladie violente, telle par exemple l'épilepsie et ce, tant qu'elle ne se sera pas pardonnée d'avoir éprouvé de la rancune.

La guérison du cancer vient véritablement du pardon de soi. Il est important pour une personne cancéreuse de réaliser que le fait d'haïr quelqu'un provient d'un très grand amour pour lui, à la nuance près que cet amour fut une très grande déception.

La cause des rancunes ou de la haine vient principalement d'expériences douloureuses où les sentiments de rejet, d'abandon et d'injustice sont omniprésents. Il est donc normal pour un petit enfant, après avoir vécu de tels sentiments, d'en avoir voulu au parent concerné. Nous devons donc arrêter d'accuser ce petit enfant. Il ne comprenait pas, à ce moment-là, que son parent avait des faiblesses et des limites.

Le meilleur moyen pour cesser de continuellement avoir à se pardonner est donc de cesser de s'accuser!

Il est dit que la culpabilité est la plus grande source de karma pour l'être humain, bien que l'émergence de l'ère du Verseau semble contribuer à une grande transformation à ce niveau. Ce n'est pas par hasard que les enfants nouveaux ressentent beaucoup moins de culpabilité que la génération précédente. Leur présence nous démontre l'importance d'interrompre notre processus continuel d'accusations et nous apprend à nous donner le droit de vivre quantités d'expériences.

Quand tu ressens de la culpabilité, as-tu remarqué à quel point tu t'accuses de ne pas réagir de la bonne façon? Tu peux même avoir honte de toi. Le fait de t'accuser de la sorte indique que tu ne te pardonnes pas, que tu n'acceptes pas ton côté humain avec ses faiblesses, ses peurs et ses limites. Tu ne te donnes même pas le droit d'être humain!

Au plus profond de toi, tu le sais que tu as oublié **DIEU** mais tu reconnais également que ton plus grand désir est d'arriver à reprendre contact avec ton **DIEU** intérieur, donc avec les aspects illimités de ton intérieur. Au lieu de t'aider, t'accuser empire la situation et ralentit ton évolution spirituelle.

Cesser de s'accuser et cesser d'accuser les autres représentent des comportements très précieux que l'humain doit chercher à atteindre au cours de l'ère du Verseau.

Ainsi, du moment que tu te rends compte que ta petite voix intérieure t'accuse, il t'est important de savoir que ce n'est pas tout ton être, c'est-à-dire ton "JE" qui t'accuse, mais bien une partie de toi qui a appris ce comportement antérieurement. Cette petite voix provient de ton intellect, de ton mental, à qui tu as donné le pouvoir de décider et diriger ta vie. Tu laisses ton mental te dire que tu n'agis pas correctement.

Tu dois t'interroger sur ce que tu apprends grâce à ces expériences plutôt que de t'en vouloir de les vivre. Tu dois simplement reconnaître que certaines expériences ont des conséquences qui ne te sont pas agréables et que cette catégorie d'expériences ne te convient pas. Observe ce que tu éprouves avec chaque expérience plutôt que de t'accuser de l'avoir vécue.

Le burnout et la dépression, que ce soit l'état maniaco-dépressif ou l'état dépressif, constituent d'autres types de problèmes ayant un lien direct avec le manque de pardon envers soi-même. Après avoir aidé plusieurs cas de la sorte, j'en suis venue à la conclusion que la personne en état de burnout, c'est-à-dire en état de grande fatigue générale, est une personne qui a laissé grandir en elle de la rancune envers le parent du même sexe. La dépression et la psychose maniaco-dépressive sont causées quant à elles par une rancune envers le parent du sexe opposé.

La personne qui souffre de burnout est du genre à ne pas respecter ses limites, à exiger trop d'elle-même et à jouer le rôle du "superman" ou de la "superwoman". Elle manque généralement de confiance en elle mais désire démontrer par sa performance ce dont elle est capable. Elle croit manquer de talent ou d'instruction, mais croit également obtenir l'acceptation de son entourage en affichant un rendement nettement supérieur à la moyenne. Elle éprouve le besoin criant de se sentir utile et en général prend les choses beaucoup trop à cœur.

Comme cette personne s'exige de performer sans relâche, son entourage exige davantage d'elle et s'attend à la voir constamment occupée. Elle se sent impuissante face à ses supérieurs. Elle a nettement l'impression qu'on profite d'elle car elle a tendance à se comparer à ceux qui en font moins qu'elle. Elle a d'ailleurs la critique facile envers ceux dont la performance est moindre. Et même si les émotions l'envahissent, elle continue tout de même à performer, à en faire toujours davantage.

Le problème du burnout est constaté chez de nombreux cadres de compagnie ou chez les employés d'organisations privées ou publiques d'envergure. À titre d'exemple, les professeur(e)s et les infirmiers(ères) ont souvent l'impression de faire profiter d'eux par le système, de ne jamais en faire assez. Une partie de leur personnalité les pousse donc à continuellement performer davantage.

Cette partie d'eux a été créée alors qu'étant enfant, ces personnes ont décidé que pour impressionner ou se faire aimer de leur parent du même sexe (qui pouvait être ou ne pas être exigeant à leur égard), elles devaient performer sans cesse. Malheureusement, lorsque les enfants performent et obtiennent de bons résultats, la plupart des parents oublient de les valoriser, de les complimenter et de les remercier. Ces derniers ont plutôt tendance à critiquer leurs enfants principalement quand les résultats obtenus sont moins satisfaisants.

La personne sujette au burnout avait donc l'impression d'être en perpétuel mouvement du temps de son jeune âge tout en croyant ne jamais en faire assez pour ce parent du même sexe. La rancune envers ce parent s'est alors installée car elle lui en voulait de ne pas l'avoir suffisamment appréciée. Par la suite dans sa vie, principalement au niveau de son travail, elle recherche encore des autres la reconnaissance et l'appréciation qu'elle n'a pas obtenues de son parent.

Et après plusieurs années de tels efforts, une personne finit par s'effondrer complètement car il ne lui est plus possible de soutenir un tel rythme de vie et d'être aux prises avec une telle attitude intérieure. En effet, comme cette personne a naturellement une bonne capacité de travail, ce ne sont pas ses accomplissements tant que son attitude qui lui cause une telle panne d'énergie aux niveaux physique et affectif.

La dépression, quant à elle, est principalement liée à l'être. Je tiens ici à établir une différence entre être angoissé et être dépressif car, malheureusement, plusieurs personnes confondent ces deux états. Une personne angoissée est consciente d'être malade et s'assure de voir un médecin. Elle consomme possiblement trop de médicaments et traverse des périodes de crise pendant lesquelles la vie n'a que peu d'intérêt pour elle. Mais elle connaît également des moments de joie où l'espoir en l'avenir brille encore. Les médicaments ou les tranquillisants lui sont d'un certain secours. La mort l'effraie et elle cherche à la fuir. L'idée du suicide ne lui passe donc pas par la tête. Cette personne discute de ses maladies, non seulement avec son médecin mais également avec d'autres personnes. Elle recherche la compréhension d'autrui.

La personne dépressive, quant à elle, n'admet pas son état maladif. Elle éprouve des difficultés à communiquer ce qu'elle vit et n'a plus d'espoir en la vie. Elle en arrive même à rechercher la mort. Les médicaments et somnifères ont peu ou pas d'effet sur elle, elle dort mal et sa condition générale dégénère graduellement. Une personne en état de dépression est peu encline à discuter avec les autres de ses problèmes; au contraire, elle tend à fuir les gens.

La personne maniaco-dépressive, pour sa part, a un comportement extrémiste; elle passe d'un extrême à l'autre. Pendant sa phase dépressive, elle ne veut parler à personne, elle perd toute motivation et tout intérêt dans la vie, incluant sa vie sexuelle. Tout est au ralenti. Pendant sa phase maniaco ou hypomane, elle regorge d'énergie, n'a pratiquement pas besoin de sommeil et peut être très active sexuellement. Elle voit la vie en rose et parle abondamment; elle semble, à ce moment, respirer de joie de vivre. Mais il ne faut pas se laisser berner par ce comportement trop positif car les problèmes de cette personne sont loin d'être résolus. Ils s'aggravent même d'une phase à l'autre.

La personne dépressive ou maniaco-dépressive en a plutôt voulu au parent du sexe opposé à cause de la façon dont son parent la considérait au niveau de son "être". Durant son enfance et son adolescence, elle a interprété les paroles et gestes de son parent comme étant une désapprobation de ce qu'elle était. Depuis, elle nourrit le sentiment que ce qu'elle est n'est pas suffisamment bon et correct pour mériter l'estime des gens de son entourage.

Pour les raisons citées précédemment, il s'avère particulièrement difficile de venir en aide à une personne en état de dépression car elle met le blâme de ses problèmes sur les autres. Ses proches ont beau la conseiller ou lui faire la morale, cette personne a perdu goût à la vie et on ne peut rien y changer. Elle voudrait que les autres autour d'elle changent, principalement ceux du sexe opposé. En général, la personne davantage affectée par le comportement d'une personne dépressive s'avère être son conjoint.

Prenons l'exemple d'un homme dépressif ou maniaco-dépressif. Il s'en prend habituellement à son épouse et agira avec elle de la façon qu'il aurait aimé agir envers sa mère; il transfert son désir d'une personne à une autre. Cette homme ne se pardonne pas d'en avoir voulu à sa mère par le passé. Il refuse donc d'admettre qu'il conserve une certaine rancune envers sa mère alors que ça crève les yeux pour son entourage. Il refuse de voir que cette attitude l'empêche d'atteindre le bien-être et le bonheur.

Le meilleur remède pour aider une personne dépressive est de l'inciter doucement à entreprendre un processus de pardon avec son parent du sexe opposé. Pour ce faire, il est important de lui mentionner que ce processus a aidé de nombreuses autres personnes et qu'il constitue le moyen le plus efficace connu à l'heure actuelle pour sortir de sa noirceur et de son enfer. Ce qui ne l'empêche pas de recourir à des soins médicaux car une personne en état de dépression a généralement besoin de médicaments pour arriver à traverser plus facilement cette phase.

J'ai eu le plaisir de constater de grands changements dans la vie de personnes qui nourrissaient des projets suicidaires, une fois le processus du pardon complété avec leurs parents. Je fréquente encore certaines de ces personnes et même après plusieurs années, les symptômes de l'état dépressif ne sont pas réapparus.

N'oublie pas que se pardonner est l'étape la plus importante après celle d'avoir pardonné à l'autre.

Bien entendu, le pardon est difficile à accorder lorsque l'ego est imposant au point qu'il occupe toute la place. Plus notre ego est fort et plus le pardon nous est difficile, car il nous influence à croire que ce n'est pas à nous de pardonner mais plutôt à l'autre de faire amende honorable. Notre ego nous incite à croire que le coupable, c'est l'autre.

Comme les personnes dépressives pensent que leur malheur origine des autres, elles ont plus de difficulté à se pardonner. Il est difficile pour une personne en perpétuel état d'accusation d'assumer sa responsabilité et de reconnaître que tout découle de sa propre perception des événements qui font partie de sa vie. Elle refuse d'admettre qu'elle seule peut se guérir. Rien ne l'empêche de recourir à de l'aide extérieure et d'obtenir ainsi certains résultats encourageants mais la guérison totale ne peut venir que de l'intérieur d'elle-même.

Si tu cherches à pardonner à autrui ou à te pardonner et que cette démarche t'est pénible, il est important de ne pas t'en vouloir et de ne pas t'accuser au risque d'avoir encore autre chose à te pardonner! De plus, il est important de te donner le droit de prendre le temps nécessaire pour entreprendre et compléter ce processus et de reconnaître que s'il t'est difficile d'accorder ton pardon, c'est signe que ton ego prend trop de place dans ta vie.

Cet ego constitue une partie de toi que tu as toi-même créée mentalement et qui t'empêche de pardonner de par l'influence qu'il exerce sur toi. Pour t'aider, reconnais tout simplement que ton processus du pardon prend un peu plus de temps que prévu étant donné que ton ego est encore trop fort.

Dans ton cœur, continue de nourrir le désir sincère d'effectuer des transformations et fais confiance à ta sincérité et à ta bonne volonté. C'est en sachant au plus profond de toi que tu veux retourner à ton **DIEU** intérieur et que tu désires avoir un cœur suffisamment ouvert pour pouvoir pardonner et te pardonner que tu redeviendras le maître de ta vie, c'est-à-dire que c'est toi qui recommenceras à diriger ta propre vie au lieu de laisser les différentes créations mentales formant l'ego le faire à ta place. Je te le souhaite sincèrement.

Comme le meilleur moyen pour conscientiser est l'expérience, je te suggère de mettre en pratique un pardon véritable dans la semaine qui suit cette lecture. Tu peux commencer par une petite offense si tu préfères. Peu importe, en autant que tu pratiques, c'est ce qui compte.

Regarde en toi si tu en veux à qui que ce soit pour une certaine offense et fais les différentes étapes du pardon en n'oubliant pas la plus importante, celle de te pardonner à toi-même. Avec cette expérience, tu sentiras ton cœur s'ouvrir car pardonner, c'est "donner par amour". Plus tu donnes d'amour et plus tu en recevras pour toi.

CHAPITRE 17
ÊTRE MAÎTRE DE SA VIE

De nombreuses personnes croient être maîtres de leur vie alors qu'en réalité, elles se contrôlent. Se contrôler et être maître de soi-même sont deux états fort différents. Contrôler quelque chose, se contrôler ou contrôler quelqu'un, c'est surveiller, dominer, vérifier, être aux aguets.

Pour ceux dont le travail consiste à vérifier la qualité d'un produit, à contrôler le travail effectué par des individus, à vérifier l'état de fonctionnement de la machinerie, etc., il est tout à fait normal d'exercer du contrôle car il fait partie de leur travail; ils ont été embauchés pour le faire.

Mais en tant qu'être humain, pour en arriver à être heureux et à être bien dans sa peau, il est important d'être maître de soi-même et non d'exercer du contrôle sur soi-même.

Une personne que l'on peut qualifier de "maître" ou qui est maître d'elle-même, n'a pas besoin des autres pour la diriger. Elle sait se maîtriser. Elle est d'un naturel calme, sait garder son sang-froid et concentrer ses énergies pour agir efficacement plutôt que de réagir émotivement, que ce soit en présence d'autres personnes ou avec elle-même.

Le contrôle est influencé par l'ego qui veut prendre les commandes, alors que la maîtrise n'apparaît qu'au moment où une personne reste centrée au niveau de son cœur.

Une personne maître de sa vie n'a pas besoin de s'illusionner avec le pouvoir; elle sait qu'elle a le pouvoir de diriger sa vie.

Il nous est important donc de tendre vers la maîtrise de notre vie plutôt que de vouloir contrôler la vie des autres pour se donner l'illusion de détenir ainsi un certain pouvoir. Plus l'humain découvre ses pouvoirs et plus il est tenté de les montrer aux autres. Cette attitude ne fait que nourrir l'ego et le gonfler. Il est préférable de développer notre pouvoir dans le monde matériel dans le but de parvenir à reconnaître notre grande puissance dans le monde spirituel.

Malheureusement, le contraire semble se manifester. Le bain de contrôle dans lequel le monde entier est plongé à l'heure actuelle nous apparaît une situation tout à fait normale puisque nous sommes confrontés à cette réalité depuis notre jeune âge. Nos parents, nos éducateurs, la religion, le système scolaire, l'appareil gouvernemental, le monde médical, bref tout ce qui nous entoure est construit en fonction de la notion de contrôle d'autrui. Une infime minorité contrôle la vaste majorité. Nous sommes encore loin de la maîtrise de soi, laquelle une fois atteinte rendra futile tout système établi en fonction du contrôle.

Dès notre enfance, nos parents ont tenté d'exercer du contrôle aux niveaux de nos études, nos vêtements, nos amis, nos sorties, notre nourriture, notre sommeil, etc., enfin sur tout ce qu'ils considéraient "bien" ou "mal". Nous avons grandi dans cette atmosphère de contrôle et, devenus adultes, nous avons cru qu'il était normal d'agir de la sorte. Nous avons alors adopté un des deux comportements suivants: ou bien nous laisser contrôler et, pour y faire contrepoids, essayer de contrôler les autres, ou bien tout faire pour ne pas être contrôlés par les autres, de façon à nous contrôler nous-mêmes.

Ce sont nos différentes croyances (dites "parties" ou "personnalités" en nous) qui exercent ce contrôle sur nous. Nous devons donc apprendre à nous connaître le mieux possible de manière à devenir conscients des parties en nous qui exercent ce contrôle et qui font en sorte que nous ne sommes plus réellement nous-mêmes.

As-tu déjà remarqué que le contrôle est à l'origine de nombreuses émotions dans ton quotidien? Dès que tu désires exercer du contrôle sur quelqu'un ou sur toi-même et que tu échoues, tu ressens de la colère, de la frustration, de la déception, du découragement, allant même jusqu'à éprouver un sentiment d'impuissance car tout ne se déroule pas selon tes désirs. Un cercle vicieux s'installe car plus la colère t'habite, plus tu accuses les autres et moins tu réussis à avoir le contrôle sur eux tout en voyant ta frustration grandir. Pour comble de malheur, tu vis de la culpabilité car tu ne réussis pas à te contrôler.

Moins tu es en maîtrise de toi, plus tu cherches à exercer ton pouvoir sur les autres et sur les événements autour de toi de façon à te faire accroire que tu n'as pas perdu le contrôle de la situation. Plus tu es en colère, plus tu vis des émotions dans certains aspects de ta vie et plus tu te fermes à la nouveauté et à ta créativité dans ce domaine.

Pour fins d'illustration de cet énoncé, prenons l'exemple d'une personne qui veut apprendre à jouer du piano. Au moment où elle commet une maladresse, si sa réaction est de vivre de la colère parce qu'elle n'arrive pas à contrôler son doigté, son apprentissage en sera d'autant plus long et ardu.

Plus elle se donnera le droit de commettre des erreurs, plus elle *aura de la compassion et de la tolérance envers elle-même, plus* elle maîtrisera le piano rapidement.

Il en va de même dans ta vie de tous les jours. Si tu veux un jour en arriver à être maître de toute situation, tu dois faire preuve de davantage de patience et de tolérance envers toi-même et cesser de désirer tout contrôler selon tes croyances mentales. Rechercher le contrôle constitue un autre signe important démontrant que tu n'es pas centré et que tu te laisses encore diriger par ce que tu as appris dans le passé.

Peux-tu voir à quel point tu n'es pas maître de toi quand tu cherches à contrôler quelqu'un? En effet, chercher à contrôler quelqu'un d'autre équivaut à lui dire qu'il ne peut pas diriger sa vie lui-même; tu décides alors qu'il t'appartient de contrôler sa vie. Et si tu crois que les autres n'ont pas de pouvoir sur leur vie, c'est signe qu'il en est autant pour toi-même. Tu avoues ainsi ouvertement ne pas être maître de ta propre vie.

Il est curieux de constater que la plupart des gens très contrôlants se croient souvent maîtres d'une situation ou d'une autre personne alors qu'ils sont précisément ceux qui perdent la maîtrise de leur vie et qui s'avèrent être à la merci des autres. Mais pour réussir à camoufler cet état de fait, ils exercent un contrôle énorme sur eux-mêmes.

Les personnes qui recherchent l'ivresse de pouvoir et du contrôle se reconnaissent à leur aspect physique. Leur corps dégage une impression de puissance. Un torse puissant ou des muscles puissants sont des traits caractéristiques des hommes "à contrôle" alors que chez les femmes du même type c'est plus souvent à partir du bas du corps comme les jambes, les hanches ou les fesses, qu'émerge cette impression de puissance.

Il est important donc de bien se connaître car certaines facettes de notre personnalité qui nous sont encore méconnues peuvent prendre le dessus sur nous et nous diriger sans que nous en soyons conscients. Nous croyons alors être maîtres d'une situation alors qu'en réalité, nous sommes tout simplement en réaction par rapport à cette situation.

Une personne maître d'elle-même ne réagit pas de façon émotive. Elle reconnaît que chacun a le pouvoir de choisir sur la planète Terre. L'être humain est la seule créature vivante à détenir ce pouvoir. Malheureusement, il ne s'en sert pas de façon convenable de sorte que ses résultats diffèrent de ses désirs.

La personne en maîtrise d'elle-même prend le temps de s'interroger à savoir si ses choix correspondent véritablement à ses désirs.

Par contre, elle est capable d'observer, de constater et de se donner le droit de ne pas encore pouvoir tout maîtriser.

T'est-il déjà arrivé de manger un aliment quelconque simplement en raison de sa texture, de son apparence ou de son odeur? Tu savais pertinemment bien que tu n'avais pas faim mais tu as tout de même décidé de le manger. Une personne maître d'elle-même a développé le réflexe de prendre quelques secondes pour se demander si c'est vraiment tout son être qui prend la décision de manger ou plutôt une partie d'elle-même. En mangeant sans avoir réellement faim, tu sauras que ce n'est pas ton corps qui désire cette nourriture mais bien tes sens, laquelle situation t'indique qu'ils contrôlent ta vie à ce moment précis. Tu ne maîtrises pas tes sens.

En prendre conscience et te donner le droit d'agir de la sorte est la meilleure façon de reprendre progressivement la maîtrise de toi à ce niveau. Tu seras capable de t'abstenir de manger si tel n'est pas le besoin réel de ton corps. Tu agiras de la sorte aisément, sans forcer ni te contrôler. Si tu tentes de te contrôler avant d'avoir vécu l'étape de te donner le droit de ne pas être maître dans ta vie, il va de soi que tu continueras à perdre le contrôle pour finir par manger deux fois plus. Pourquoi? Parce que tu as oublié l'étape la plus importante, soit celle de l'amour, de l'acceptation inconditionnelle.

Plus une personne est maître de sa vie, plus elle est en contact avec son **DIEU** intérieur et plus elle devient consciente qu'il n'est plus nécessaire pour elle d'avoir à choisir; elle **sait** ce qui est bon pour elle. Nous avons le pouvoir de choisir uniquement en ce qui a trait au monde matériel. Nous pouvons choisir entre plusieurs possibilités qui se présentent à nous, qui se réfèrent à notre monde physique, émotionnel ou mental: dormir ou rester éveillés, manger ou non, vivre de la colère ou de la compassion, parler ou rester silencieux, juger ou accepter, etc.

Au niveau spirituel, l'être humain n'a pas le pouvoir de choisir. En fait, il n'a pas à choisir car il est déjà parfait. Es-tu conscient que tu détiens déjà tous les pouvoirs qui te sont nécessaires pour créer ta vie. Mais avant d'en arriver à ne plus avoir à choisir, tu dois passer par l'étape de choisir au niveau de ta vie matérielle tout en étant à l'écoute de ton **DIEU** intérieur. Au cours de cette étape, tu redécouvriras ta dimension spirituelle et tu utilisera plus judicieusement ton pouvoir de choisir en préférant écouter ton **DIEU** intérieur plutôt que tes croyances ou parties de toi qui essaient de prendre le contrôle sur toi.

Pour pouvoir devenir maître de ta vie, tu dois aussi accepter la complète responsabilité de ta vie. Dès l'instant où tu considères une autre personne comme étant responsable de quoi que ce soit dans ta vie, tu lui transfères ton pouvoir car tu acceptes ainsi l'idée que cette personne détient le pouvoir sur toi, donc qu'elle peut contrôler ta vie.

Si avant ta venue sur Terre, il t'avait été dit qu'un tuteur aurait le contrôle total de toi tout au cours de ta vie, comment aurais-tu réagi? Tente de l'imaginer! C'est ce tuteur qui déciderait si tu as droit au bonheur, à la santé, à la prospérité, etc. Tu serais en perpétuelle attente de sa décision à savoir si oui ou non tu y as droit! Tu voudrais probablement quitter au plus vite une telle planète, comme la plupart d'entre nous d'ailleurs!

Nous n'accepterions pas de nous laisser contrôler de la sorte. Nous savons pertinemment bien que nous serions malheureux dans ce genre de carcan et pourtant, la très grande majorité d'entre nous n'assumons pas la responsabilité du pouvoir de créer notre vie. Bien que cette situation soit souffrante, nous préférons la facilité à l'authenticité, c'est-à-dire qu'il est plus facile à court terme de laisser les autres nous diriger parce que nous nous réservons ainsi la possibilité de les blâmer quand ça va mal. Nous laissons même nos parents diriger notre vie comme si nous étions des enfants perpétuels pour ensuite nous laisser diriger par un conjoint ou une autre personne.

Chacune de tes émotions ou colères émanent de tes croyances à l'effet que quelqu'un d'autre est responsable de ton malheur ou des événements qui t'accablent. En acceptant le fait que tu as pris la décision toi-même de revenir sur la planète Terre et que tu en assumes la pleine responsabilité, en acceptant également que c'est toi qui as choisi tes parents et l'environnement qui t'entoure pour poursuivre ton évolution, tu ne peux plus blâmer les autres. Depuis ton arrivée sur cette planète, tout se déroule selon ta façon d'agir ou de réagir aux circonstances qui se présentent à toi. C'est toi seul qui as décidé des réactions face aux gens qui ont fait partie de ta vie depuis ta naissance et des actions faites suite à ces réactions.

Prenons l'exemple d'un jeune garçon qui, à l'âge de quatre ans, commence à en vouloir à son père d'être trop autoritaire. Il le juge sévèrement, le critique, ne l'accepte pas et se contrôle pour cacher le ressentiment qu'il éprouve pour lui. En décidant de lui en vouloir plutôt que d'apprendre à l'aimer en lui donnant le droit d'avoir le tempérament qu'il a, il se crée de toutes pièces une vie qui sera longtemps empreinte d'émotions, de contrôle, de désagréments et peut-être même de maladies.

Le bien-être et le bonheur lui seront inaccessibles tant et aussi longtemps qu'il n'aura pas entrepris et complété un processus d'acceptation et de pardon avec son père. Cet enfant a choisi dès l'âge de quatre ans d'emprunter une direction aux conséquences néfastes pour lui plutôt que de donner le droit à son père d'adopter un comportement avec lequel il n'était pas d'accord. S'il lui en avait donné le droit, il lui aurait été plus facile plus tard de s'accepter en tant qu'homme et ses relations auraient été tout à fait différentes avec sa famille, ses patrons et son entourage pendant toutes ses années de vie adulte.

Ces décisions prises dès notre jeune âge sont inconscientes mais portent tout de même des conséquences pour notre avenir. Il est important de devenir conscient de tes décisions et de réaliser dès que possible que plusieurs d'entre elles ne te sont pas bénéfiques et qu'elles bloquent certaines transformations qui enrichiraient ta vie. Il n'est jamais trop tard pour y remédier.

> ***Par contre, pour qu'une transformation se fasse, tu dois d'abord accepter le fait que tu es la seule personne complètement responsable de tout ce qui compose ta vie.***

Tu n'as pas besoin de comprendre et je te suggère même de ne pas essayer de comprendre. Tu dois seulement réaliser que tout ce qui t'arrive, chaque incident de ta vie, aussi insignifiant ou important soit-il, origine d'une cause que tu as mise en mouvement à un moment donné. Selon ta façon d'agir suite à l'incident qui t'affecte, tu mets en mouvement une autre cause qui produira un autre effet et ainsi de suite. Chaque cause entraîne un effet, chaque effet devient la cause d'un autre effet et toi seul as le pouvoir en permanence de choisir à chaque instant d'en modifier la direction.

Laisser quelqu'un ou quelque chose d'autre diriger et contrôler ta vie crée une colère intérieure car tu sais au plus profond de toi que tu agis à l'encontre des lois naturelles de l'amour de soi. Cette colère reste par contre souvent réprimée, refoulée en toi de façon inconsciente. Fais-tu partie des nombreuses personnes qui s'imposent de ne pas se mettre en colère car elles ont trop peur de perdre le contrôle en exprimant ce qui bouillonne intérieurement? Lorsque tu deviens conscient de ta colère, c'est bon signe car tu constates alors que tu n'étais plus maître de ta vie et que tu laissais quelqu'un ou quelque chose te diriger. Pour ton bien-être intérieur, il est impératif de t'en rendre compte parce que dès lors, tu désireras créer ta vie différemment.

N'est-il pas intéressant de réaliser la puissance contenue dans la colère? Vivre une colère, c'est chercher à reprendre contact avec ton pouvoir intérieur. Dès l'instant où tu entres en contact avec ta puissance intérieure, tu te rapproches de la maîtrise de toi car tu deviens davantage conscient de ton pouvoir.

Par contre, essayer d'étouffer ta colère t'éloigne de la maîtrise de toi. Si au moment d'exprimer une colère, tu juges que tu n'agis pas correctement et que tu ne t'en donnes pas le droit, les chances sont grandes pour que tu perdes le contrôle. Quand tu te rends compte que tes émotions viennent du fait que tu t'es encore laissé déranger par les agissements de l'autre, et que ton désir de te contrôler ou de contrôler l'autre te fait vivre des émotions, même si c'est envers toi-même que ces émotions sont dirigées, l'autre ne réagira pas à ta colère si tu lui exprimes ouvertement et exactement ce que tu ressens. En prenant ainsi la responsabilité de tes actes, tu seras capable d'exprimer ta colère sans perdre le contrôle et sans blesser ton interlocuteur.

C'est ce que j'appelle piquer une "sainte colère", une colère qui est finalement bénéfique. À plusieurs reprises, j'ai pu constater chez des personnes qui ont ainsi assumé leur responsabilité et qui se sont donné le droit de vivre une forte colère, qu'elles ont eu des symptômes physiques marqués comme une forte fièvre, des éruptions cutanées ou une inflammation quelconque.

Si cela t'est déjà arrivé ou t'arrive dans l'avenir, c'est un signe encourageant à l'effet que le corps se débarrasse de tout ce que tu avais refoulé pendant que la colère grondait en sourdine. En général, une colère libératrice entraîne un malaise qui procure une sensation de chaleur, comme dans le cas d'une fièvre par laquelle ton corps, dont la température monte, transpire abondamment. Ces manifestations physiques sont un signe de libération, de résolution de conflit.

Tandis qu'une sensation intérieure de froid t'indique qu'à ce moment précis, tu ne te donnes pas le droit de vivre cette colère, qu'un blocage subsiste encore à l'intérieur de toi. (Cette notion de chaleur associée à la résolution d'un conflit et de froid associé à un conflit non résolu a été élaboré par le Dr. Ryke Geerd Hamer[1]).

Si tu ressens intérieurement de la colère refoulée et qu'il t'est difficile de t'en libérer, demande l'aide de quelqu'un en qui tu as confiance et avec qui tu peux te permettre de te défouler sans retenue parce qu'il t'en donne le droit. En agissant de la sorte, tu seras agréablement surpris de découvrir à quel point tu reprends contact avec ta grande puissance intérieure.

En acceptant l'idée que tu es entièrement maître de ta vie, tu accepteras par le fait même qu'il en est autant pour chaque personne autour de toi, incluant les jeunes enfants comme les personnes âgées. Cette attitude t'aidera également à mieux accepter le choix des autres. Si leur choix ne leur est pas bénéfique, c'est-à-dire s'il est pour eux source de problèmes, de malheurs, de maladies ou d'événements pénibles, tu accepteras le fait que ce choix contribuera éventuellement à leur évolution spirituelle.

De plus, chaque être humain a le pouvoir de décider s'il veut vivre ou mourir. Il sait intérieurement quand le temps est venu

1 "Coup d'œil sur la médecine nouvelle, Dr. Ryke Geerd Hamer, Éditions l'ASAC, Chambery, France"

pour lui de quitter cette planète. Personne ne détient le pouvoir de décider du sort de la vie terrestre de quelqu'un d'autre car nul n'appartient à personne. Dès que tu constates vouloir contrôler ou diriger la vie de quelqu'un d'autre, dis-toi bien que tes faits et gestes sont le reflet de ce qui se passe à l'intérieur de toi. Plus tu désires diriger la vie des autres, moins tu es maître de ta propre vie. Pour devenir conscient du degré de maîtrise de ta propre vie, constate simplement ta façon d'accepter les agissements des autres.

Une personne peut être qualifiée de "maître", lorsque celle-ci recherche constamment l'excellence dans le monde matériel et s'applique à faire de son mieux dans tout ce qu'elle entreprend tout en étant dans son moment présent. Cette personne sait également reconnaître ses limites. Lorsqu'elle est dans l'erreur ou qu'elle est insatisfaite du déroulement des événements, elle est capable de ne pas tout dramatiser et d'en rire.

Les Jeux Olympiques ou d'autres événements sportifs d'envergure nous font voir quantité de maîtres: le maître acrobate, le maître nageur ou le maître skieur, lesquels visent constamment l'excellence. Ils peuvent réajuster leurs mouvements en une fraction de seconde. Lorsqu'ils commettent un impair, ils demeurent concentrés, ils ne paniquent pas et poursuivent leur démarche en vue de leur objectif final; bref ils demeurent maîtres d'eux-mêmes et de la situation.

Un maître n'est pas une personne infaillible sur le plan physique; il est plutôt pleinement conscient de sa responsabilité peu importe ce qui lui arrive.

Si tu veux développer la maîtrise de toi-même et cesser de vouloir te contrôler ou contrôler les autres, je te suggère de te complimenter et de faire de même avec les autres pour finalement constater que chacun essaie constamment de faire de son mieux. Le seul fait de viser l'excellence et de chercher sans cesse à t'améliorer un peu plus, constitue en soi une attitude qui t'est grandement bénéfique.

Interroge-toi quotidiennement à savoir: *"Ai-je fait mon possible aujourd'hui?"* Quand tu fais une rétrospective de ta journée, observe les différents incidents qui la compose, en te posant la question si tu as toi-même dicté tes propres actions ou si tu t'es laissé diriger par tes sens, par tes pensées ou par d'autres personnes qui t'entourent.

Si tu te rends compte que tu n'étais pas réellement maître de ta vie, il s'agit seulement d'en devenir conscient et de constater que dans une circonstance donnée, tu éprouves des difficultés à rester maître de ta vie. Donne-toi le droit d'être au stade où tu es maintenant et tu reprendras graduellement la maîtrise de toi.

Pour terminer ce chapitre, je te suggère de vérifier et de noter chaque colère que tu exprimes durant la prochaine semaine. Prends le temps de te retirer du quotidien afin d'identifier ce qui a provoqué ta colère. Prends surtout le temps de réaliser que ta colère est primordialement dirigée vers toi. Nous avons souvent tendance à s'en prendre aux autres croyant qu'ils sont la cause de notre colère, alors que la cause de cette colère nous appartient; elle est le signe que nous avions cédé notre pouvoir à autrui.

Vois le bon côté de ta colère; vois que tu reprends contact avec ta puissance intérieure et avec ton pouvoir d'être maître de ta vie. Prends note des circonstances où tu éprouves des difficultés à rester maître de ta vie ainsi que des croyances qui dirigent ta vie à ce moment-là.

Si tu t'en es pris à quelqu'un d'autre, il est important de demander pardon à la personne sur qui tu as déversé ta colère, compte tenu que tu refusais d'admettre que cette colère était tienne à ce moment-là. Avoue-lui que, finalement, ta colère était dirigée contre toi mais que tu en étais alors inconscient. Tu fais amende honorable en présentant tes excuses.

CHAPITRE 18
ÊTRE LIBRE

Plus une personne devient consciente qu'elle est le seul maître de sa vie, plus elle se rapproche du vrai sens de la liberté. La majorité des gens se croient libres alors qu'en réalité, très peu le sont. La plupart des gens sont manipulés ou contrôlés plutôt que d'être libres. Ils sont amenés par des voies détournées à agir de la façon voulue par quelqu'un d'autre et ce, souvent à leur insu.

"Être libre" est différent d'"être libéré". Cette dernière expression signifie être affranchi d'une oppression ou d'une contrainte. Une personne ayant connu certaines contraintes et qui dit s'en être libéré va souvent à l'autre extrême, tel l'effet du pendule.

Prenons pour exemple le mouvement de libération de la femme des années '60 et '70. Sous prétexte de se libérer, beaucoup d'entre elles sont passées d'un extrême à l'autre au nom de l'émancipation de la femme. Elles ont cherché à couper tous les ponts les reliant aux hommes; au nom de la libération sexuelle, plusieurs ont eu des relations sexuelles avec le premier venu sans aucun discernement.

La personne qui a vécu sous l'emprise de ses parents et qui entreprend de vivre seule, pourrait se croire enfin libre et penser dorénavant pouvoir faire tout ce qu'elle désire. Il n'en est rien. Elle se sent tout simplement libérée d'une contrainte. Elle croit à tort, comme la plupart d'entre nous, qu'être libre signifie pouvoir agir à sa guise. De nombreuses personnes rejoignent ainsi l'autre extrême lorsqu'elles se croient devenues libres et agissent d'une façon pas toujours bénéfique pour elles, jusqu'à ce qu'elles retrouvent leur juste milieu.

La vraie liberté vient de l'intérieur de soi, du "être" et non du "avoir" ou du "faire".

Il est important pour toi de réaliser que faire ce que bon te semble découle de la notion de libre arbitre. N'oublie pas que tu détiens le pouvoir de choisir au niveau de ta vie matérielle. Avoir le libre arbitre devait représenter le plus grand cadeau que l'être se voyait remettre au moment où il a emprunté une forme humaine pour vivre des expériences dans la matière.

Toutefois, ce cadeau s'est avéré être un couteau à double tranchant. Pourquoi? Parce que l'humain a trop souvent opté pour la rancune, la haine, la peur, l'intolérance, etc., sources de toutes les souffrances et les misères du monde. Il a choisi l'inverse, c'est-à-dire l'amour, la foi et la joie de vivre. Trop peu souvent en général, l'être humain se sert de son libre arbitre pour devenir l'esclave de ses sens, de ses désirs, de l'argent, de son ego, ce qui l'éloigne de la vraie liberté.

On constate un peu partout à travers le monde que la grande majorité des humains sont programmés dès leur naissance par une foule de facteurs tels l'environnement, la famille, la religion, les croyances populaires, lesquels contribuent au développement de conceptions erronées de la liberté.

Par exemple, plusieurs croient que l'argent et la liberté vont de pair. Fais-tu partie de ces personnes? Crois-tu réellement que si tu avais de l'argent, tu serais libre de faire et obtenir tout ce que tu veux? Ne t'es-tu pas déjà rendu compte que l'argent est la forme la plus répandue de manipulation existant sur cette Terre? Lorsque tu désires te procurer un article quelconque, agis-tu comme la plupart d'entre nous en vérifiant longuement le prix avant de l'acheter? Réalise alors que ce n'est pas toi mais bien le prix de cet article qui décide si ton désir se réalisera ou non.

Nombre de personnes sont également manipulées par leurs sens. Au lieu d'être à l'écoute de leurs vrais besoins, c'est ce qu'elles voient, entendent, sentent et touchent qui prennent la décision à leur place. Une personne qui agit de la sorte éprouve souvent de la colère face à elle-même car elle sait qu'elle s'est encore laissée manipuler par ses sens.

D'autres sont facilement manipulables par la culpabilité. Les amis, la famille, les conjoints, les enfants qui savent "peser sur le bouton" de la culpabilité, les font souvent agir de façon contraire à leurs désirs.

Se sentir coupable est une conséquence du libre arbitre; c'est nous-mêmes qui choisissons de nous sentir coupables. Nous nous sentons coupables du fait de croire que nous avons fait un mauvais choix ou nous hésitons à faire un choix par crainte de se sentir coupable par après.

Il t'est sûrement arrivé, après avoir fait un choix quelconque, de t'accuser d'avoir mal choisi et de regretter ton choix. Tu peux savoir que tu t'accuses lorsque tu t'exprimes au conditionnel: des expressions telles que "j'aurais dû", "je n'aurais pas dû", "je ne devrais pas", "je devrais", etc., dénotent des accusations engendrant de la culpabilité.

Une personne qui se sent souvent coupable devient facilement manipulable, ce qui l'empêche d'être une personne libre.

Et combien d'autres sont manipulées par les aléas de la température? Il arrive que certaines personnes, au lever, soient de bonne humeur et pleines de bonnes intentions et se dressent un bon plan de travail pour la journée qui s'amorce. Aussitôt qu'elles constatent que la température extérieure est maussade, leur humeur change, leurs bonnes intentions disparaissent et elles deviennent elles-mêmes maussades.

Es-tu du genre à te laisser manipuler ou à réagir aux prédictions des clairvoyants, des astrologues, et autres personnes du genre? Permets-moi de te raconter un incident qui m'est arrivé il y a de ça quelques années.

Environ deux semaines avant mon départ pour les Caraïbes, en discutant avec une personne dans mon bureau, celle-ci me mentionna qu'elle maîtrisait le tarot et me demanda si j'étais intéressée à obtenir des réponses à certaines de mes questions au moyen des cartes de tarot qu'elle avait en sa possession. Bien que rien de particulier ne me venait à l'esprit, je l'informe qu'elle pouvait "tirer les cartes" si tel était son désir. Ce faisant, elle me raconta que j'irais bientôt en voyage et qu'un grand risque d'être volée m'attendait, plus particulièrement au niveau de mes bijoux. Elle m'invita fortement à être très prudente.

Je ne me croyais pas influençable par ce genre de prédiction mais à ma grande surprise, deux semaines plus tard en Martinique, je me suis rendue compte que j'apportais mes bijoux partout où je me rendais, même pour aller à la plage, au restaurant ou pour m'absenter pour simplement une heure. Je n'avais jamais agi de cette façon auparavant!

Depuis fort longtemps, je croyais qu'il ne pouvait se présenter à nous que des situations que nous avions mises nous-mêmes en mouvement, consciemment ou de façon inconsciente. Alors si je m'étais fait voler, j'aurais accepté que j'avais un message à comprendre par l'intermédiaire de cet événement. Lorsque je m'apercevais, à l'occasion, que j'avais peur qu'on me vole un bien en particulier, ma réaction était d'entourer ce bien de lumière blanche et de découvrir la peur qui m'habitait et qui y était associée. Ce processus me permettait notamment de devenir consciente de mes peurs.

Mais là, pendant mes vacances en Martinique, je ne me suis même pas rendue compte que je traînais automatiquement mes bijoux avec moi, que je n'étais plus moi-même. Ce n'est qu'une fois mes vacances terminées que j'ai réalisé à quel point je m'étais laissée influencer et manipuler par cette prédiction.

Parmi les personnes qui se croient libres figurent celles qui vivent seules et qui ne prennent aucun engagement, surtout pas avec une autre personne. Certaines ne s'engagent même pas au niveau de leur travail; elles occupent un poste quelconque tout en s'assurant de demeurer libres de le quitter à leur convenance. Elles se considèrent des personnes indépendantes et ne désirent pas sentir d'attaches. Tout cela n'est qu'illusion car, en réalité, elles ne sont pas libres et leurs décisions sont guidées par une peur. C'est la peur de l'engagement qui dirige leur vie.

Si tu te reconnais dans certains des exemples cités, il est donc très important que tu en deviennes conscient car tant que tu vis dans l'illusion, tu te crois libre sans toutefois l'être. Tu te sentirais davantage libre si tu étais capable de prendre des engagements au niveau du monde matériel tout en respectant ce que tu es.

Le plus grand manipulateur de l'être humain, celui que nous laissons nous empêcher d'être libres, c'est l'intellect humain. Celui-ci a été créé pour être un instrument au service de **DIEU**. Mais nous avons agi tout à fait à l'opposé; son pouvoir, celui que nous lui avons donné, est si grand qu'il est devenu notre maître, ce qui nous empêche d'être complètement libres.

Un intellect suractivé éloigne l'être humain de son **DIEU** intérieur et le rend incapable d'accepter que son **DIEU** intérieur connaisse tout et sache tout pour lui.

> ***Tu connaîtras la vraie liberté lorsque tu te laisseras guider par ton* DIEU *intérieur.***

Tu pourras alors expérimenter l'harmonie, la santé, le bonheur, la joie, l'abondance. N'est-ce pas ce que tous les êtres humains désirent? L'intellect (ou le mental inférieur) n'est que le plan le plus élevé du monde matériel. D'autres plans supérieurs du monde spirituel existent et le surpassent. Bien qu'utile pour vivre dans le monde matériel, l'intellect ne peut comprendre **DIEU**. L'être humain doit discipliner son intellect pour l'amener à lâcher prise sur son désir de vouloir comprendre **DIEU**. L'intellect n'est qu'un instrument au service de **DIEU**.

Voici un exemple de la relation qui existe entre **DIEU** et l'intellect. Imagine-toi maître d'un château. Tu engages un serviteur et tu le laisses peu à peu prendre chacune des décisions concernant la direction du château. Il apparaît évident que tu ne seras plus une personne libre car tu seras à la merci de ses décisions. Cette situation est pour le moins étonnante; le serviteur devient le maître et le maître, le serviteur.

Tu sais au plus profond de toi que quelque chose cloche et tu décides, après plusieurs années de cette servitude, de corriger la situation. Tu avises alors ton serviteur que tu en as assez et que tu as décidé de reprendre la maîtrise de ton château. Par conséquent, tu désires qu'il reprenne sa place en tant que serviteur. Il sera probablement fort difficile pour ce dernier d'accepter ce juste retour des choses car il s'était habitué à diriger avec le temps. Il est possible qu'il ait même oublié son rôle de serviteur au fil des années car selon lui, il était devenu le roi et maître du château.

Dans l'histoire de l'évolution de notre planète, nous avons maintenant atteint cette étape, soit celle de reprendre notre rôle de maître de notre propre vie et de retrouver notre liberté originale. L'être humain est rendu au point critique où il ne doit plus se laisser diriger de la sorte par ses croyances ou les parties en lui.

Pour reprendre la maîtrise de ma vie, j'aime bien l'exercice de prendre contact avec les parties de moi qui veulent diriger ma vie et dialoguer avec elles. C'est par cette expérimentation que j'ai vraiment saisi à quel point mon intellect était fatigué de tout diriger.

Un jour, je dialoguais avec une partie de moi (une croyance très forte) qui dictait mes actions principalement dans le domaine de l'argent. Nous en sommes venues à l'entente suivante: elle demeurerait en moi mais à titre de mémoire au niveau de mon corps mental, simplement pour être à mon service et elle pourrait se manifester au moment où je lui signifierais un besoin en ce sens. Elle reprit donc son rôle initial, et moi de même, soit celui de diriger ma vie. J'ai réellement senti un changement en moi lorsque cette partie de moi a constaté que ma décision était ferme et sans retour. Au cours de ce dialogue, cette partie en moi m'a même avoué que cette décision la libérait et que de ne plus avoir à diriger ma vie la soulageait d'un grand poids. Elle était heureuse que je reprenne la direction de ma vie et j'ai alors ressenti intérieurement que les pièces du casse-tête reprenaient leur place et que mon corps me semblait plus léger. Une telle expérience aide à se centrer davantage.

Lorsque tu décideras de cesser d'être esclave de tes croyances, de tes peurs, de tes pensées et de ton ego, qui sont tous des produits de ton intellect, ne reste pas surpris si ton intellect, qui a pris l'habitude de diriger, éprouve des difficultés à accepter ce changement. Il lui sera beaucoup plus facile de reprendre sa place lorsqu'il sentira ton amour pour lui. L'aimer, c'est ne pas forcer ou contrôler la reprise du pouvoir, c'est reconnaître que pour une raison que tu jugeais utile à l'époque, tu l'avais investi du pouvoir que tu lui retires maintenant, comme dans l'exemple du maître du château.

Au moment où le maître veut reprendre les commandes, s'il reste rancunier envers son serviteur et l'accuse sans relâche d'avoir pris le contrôle de son château, il sera pénible de faire accepter au serviteur de reprendre son rôle. Par contre, si le maître le complimente, s'il lui dit à quel point il a bien joué son rôle et qu'il n'avait fait que prendre le pouvoir que son maître lui avait laissé, le maître obtiendra la collaboration du serviteur. En l'informant qu'il ne désire pas le congédier mais bien le garder en tant que serviteur, ce dernier, une fois le choc initial passé, acceptera plus facilement sa décision. Le maître ainsi que le serviteur seront alors libres d'être ce qu'ils doivent être.

Il demeure important pour toi de reconnaître que la liberté au sein du monde matériel n'est qu'illusion.

Tu dois te rappeler que ta raison d'être est celle de libérer ta conscience, de retourner à **DIEU** et de vivre cette vraie liberté de l'être. Pour y arriver, tu dois apprendre à te détacher du monde matériel, à lâcher prise. Le meilleur moyen que je connaisse de lâcher prise est celui d'agir en fonction de ce que tu veux, tout en n'étant pas attaché au résultat. Tu dois constamment faire confiance à ton **DIEU** intérieur qui sait mieux que toi, et ton mental, ce qui t'est bénéfique. En décidant de poser un geste dans l'attente d'un certain résultat, tu te réfères généralement à ce que tu as appris ou à ce que tu connais.

Mais lorsque tu acceptes intégralement la grande puissance de ton **DIEU** intérieur, tu reconnais par le fait même que tout n'a pas été enregistré dans ta mémoire alors qu'en lâchant prise complètement face aux résultats que tu anticipes, tu n'obtiendras que ce qu'il y a de mieux pour toi. Pourquoi? Parce que ton **DIEU** intérieur, qui est omniscient (il sait tout) connaît lesquels éléments dont tu as besoin sur ton chemin pour que tu tires profit de tous résultats et que ton évolution spirituelle demeure à l'avant-garde de tes préoccupations. Il ne veut que ton bien, ton bonheur.

Ce qui ne signifie pas pour autant de cesser de visualiser un résultat quelconque ou de travailler en fonction d'un résultat en agissant en conséquence. Par contre, tu dois savoir et accepter d'avance que le fait de ne pas atteindre le résultat anticipé n'est pas parce que tu es une mauvaise personne ou que **DIEU** désire te punir. C'est tout simplement parce que ton **DIEU** intérieur sait qu'autre chose te sera davantage bénéfique et contribuera à ton évolution. Même si tes actions ne te mènent pas où tu veux, elles n'ont jamais été faites inutilement. Elles te seront utiles éventuellement.

La liberté, c'est sentir que ton être est libre d'aller vers **DIEU**, de retourner à sa source car c'est ce que ton être désire plus que tout. C'est à cause de notre éloignement de **DIEU**, de la perte de notre liberté d'être ce que nous avons déjà été, qu'un jour une séparation a eu lieu entre l'âme et l'esprit. L'âme veut en arriver un jour à fusionner à nouveau avec l'esprit. Pour ce faire, elle doit s'émanciper en se rapprochant de **DIEU** et non en s'en éloignant davantage.

Toutes les contraintes que nous nous sommes créées sur le plan matériel (contraintes mentales, émotionnelles ou physiques), font office de rappel et de symbole de notre perte de liberté au niveau de l'être. Nous sentons au plus profond de nous-mêmes que nous voulons cesser de vivre dans la contrainte. La plus grande contrainte, c'est la haine. Celle-ci nous enlève complètement notre liberté.

Le pardon est donc le moyen par excellence pour retourner à la liberté.

En recherchant la liberté au sein de notre monde matériel, nous créons l'ouverture nécessaire à l'atteinte de la grande liberté de l'être au niveau spirituel. Rechercher cette liberté est ce qui pousse, par exemple une personne aux prises avec des dettes à vouloir les régler. Que ses dettes soient matérielles ou karmiques, elle sait qu'elle doit s'en libérer.

En réalisant qu'atteindre cette liberté est la raison pour laquelle un être revient sans cesse sur la planète Terre et qu'il y revient également pour se libérer du karma accumulé au cours de plusieurs vies antérieures, cet être acceptera de vivre davantage les expériences qui l'aideront à se libérer de cette accumulation accablante. L'âme, ainsi purifiée, devient libre et peut se fusionner avec l'esprit.

Tout ce dont je viens de parler se doit d'être vécu, expérimenté et ressenti pour être compris véritablement. L'intellect, qui recherche le siège du conducteur tentera sûrement de te convaincre qu'en te laissant diriger par ton **DIEU** intérieur, tu ne seras plus libre de diriger ta vie et que tu te feras continuellement manipuler. N'y crois pas!

Quand tu vivras l'expérience de te laisser aller à ton intuition, de te laisser guider à créer ta vie selon ton intuition, tu seras habité d'un grand sentiment de liberté intérieure. Tu te sentiras allégé et énergisé, comme si tu avais des ailes et que tu pouvais déplacer les montagnes tellement ton sentiment de puissance intérieure sera grand.

Même si ton intellect éprouve des difficultés à accepter ces énoncés sans les comprendre, il est important de vivre cette expérience. De cette façon, tu te convaincras de leur véracité de sorte que tu pourras, à ton tour, convaincre ton intellect que la vraie liberté, c'est simplement d'être et d'apprendre à te donner le droit d'être tel que tu es présentement sans jugement, sans critique, sans condamnation.

Quand tu observes la vie du monde matériel à partir d'un point de vue spirituel, comme une vision du haut vers le bas, ta vision du monde matériel change. En observant d'en haut, ta vue d'ensemble te permet de voir et savoir à l'avance qu'en prenant telle direction, tu rencontreras tel obstacle. Tu n'as plus à choisir entre plusieurs options car tu sais intérieurement ce qui est bon pour toi.

Imagine-toi rouler en auto sur une route de campagne inconnue et rencontrer un pont en réparation. Tu es alors obligé de rebrousser chemin afin d'emprunter une autre route pour te rendre à destination. C'est ça la vision matérielle, la vision "d'en bas", celle qui te permet de voir strictement ce qui se profile devant toi. C'est une vision limitée.

Par contre, si tu avais été guidé par quelqu'un survolant le ciel en hélicoptère, tu aurais été avisé de l'obstacle et tu aurais immédiatement pris un autre chemin et non la route obstruée grâce à cette vision "du haut". Tu peux toi-même agir de la sorte. **DIEU** est ce pilote à l'intérieur de toi, avec sa vision illimitée, qui sait avec précision la route qu'il te faut prendre en fonction de ce qui est bénéfique pour toi et de ce que tu as besoin d'apprendre.

Voilà pourquoi le pouvoir de choisir n'existe tout simplement pas dans le monde spirituel.

Il reste très difficile pour notre ego, qui est la somme totale de toutes nos croyances et des diverses personnalités que nous avons créées faisant partie de notre monde mental, d'accepter le fait que nous n'avons pas à choisir au niveau de l'être. Nous n'en avons pas besoin. L'ego se croit supérieur en croyant détenir le pouvoir de choisir. C'est pourquoi il lui est difficile d'accepter l'idée qu'une personne libre est une personne qui sait déjà ce qu'elle a à faire, sans avoir à choisir. Plus tu feras usage de ta vision spirituelle, plus tu seras libre et moins tu devras avoir recours à ton pouvoir de choisir.

Pour atteindre une liberté grandissante, tu dois vérifier la première idée qui te vient dans une situation donnée et te laisser guider par elle. Par exemple, imagine-toi te déplacer en auto sur une route et être en contact constant avec une personne en qui tu as une confiance totale. Vois cette personne au-dessus de toi dans son hélicoptère, et considère-la comme un guide qui t'amène à destination à coup sûr. Au moment de faire un choix, au lieu de dire: *"Voici ce que je choisis"*, dis plutôt: *"J'agis ainsi car c'est la première idée qui m'est venue et qu'elle m'a été soufflée à l'oreille par mon "pilote intérieur."*

Cependant, n'oublie pas que des événements imprévus et non désirés se présenteront à toi. Ton **DIEU** intérieur sait ce dont tu as besoin. Quoiqu'il t'arrive, quand tu diriges toi-même ta vie et que tu suis ton intuition, tu trouves toujours les ressources nécessaires pour faire face à la musique. Fais confiance à ton **DIEU** intérieur, reste joyeux et serein, même confronté à la tempête, et le soleil dans ton cœur sera immanquablement au rendez-vous.

Du même coup, moins tu résisteras à ce que la vie t'offre, plus tu apprendras à "être" et à laisser les autres "être". Tu te libéreras ainsi de ton karma et la culpabilité, la rancune, la haine ou toutes autres formes de résistance ne seront plus au rendez-vous. C'est de cette façon que tu deviendras une personne libre.

Pour terminer ce chapitre, je te suggère de te réserver du temps pour identifier intérieurement les trois plus grandes contraintes qui t'empêchent de te sentir libre présentement au niveau de ton monde matériel. Dresse un plan d'action. Vois comment tu peux te libérer de ces contraintes. Il te sera ainsi plus facile de rester en contact avec le désir constant d'aller vers ta liberté intérieure.

CHAPITRE 19
ÊTRE INTELLIGENT

J'ai cru bon d'écrire un chapitre sur l'intelligence car de nombreuses personnes ne sont pas conscientes de la différence qui existe entre l'intelligence et l'"intellectuence". (Ce dernier mot a été créé par Daniel Kemp, auteur des livres sur l'enfant "Teflon". Je trouve ce mot excellent pour exprimer ce que je veux dire.)

La personne "intellectuente" est celle qui se réfère sans cesse à son intellect. Comme l'intellect n'est que mémoire, tout ce qu'elle a d'enregistré en mémoire constitue sa vérité. Lorsqu'elle dit ou fait quelque chose, elle se laisse diriger par son intellect, donc par ce que son passé lui a appris.

Il n'est pas dit que nous devons ignorer notre intellect; bien au contraire, nous en avons besoin à titre d'outil d'apprentissage et de point de référence. Par contre, en considération de la venue récente de l'ère du Verseau, les humains doivent davantage se référer à leur intelligence, de façon à diminuer le pouvoir laissé à leur intellect.

Qu'est-ce que l'intelligence? Une personne intelligente est une personne ayant la capacité d'apprendre "sur le tas", d'être spontanée et capable de synthèses, de savoir quoi faire et quoi dire au moment voulu. Elle vit son moment présent puisqu'elle n'a pas à se préparer d'avance, à fouiller sans cesse dans sa mémoire pour agir.

Lorsqu'elle doit livrer un message à quelqu'un, elle sait que son intellect a accumulé suffisamment de données et d'expériences passées qui lui serviront au moment où elle s'adressera à cette personne. Elle se prépare peu à l'avance, elle fait entièrement confiance à son **DIEU** intérieur, à son intuition. Elle ne renie pas le contenu mémorisé de son intellect mais, par contre, elle ne laisse pas sa mémoire lui dicter son discours ou ses actions.

T'est-il déjà arrivé de vouloir dire ou faire quelque chose et te souvenir que ces mêmes paroles ou gestes t'avaient causé des problèmes antérieurement? Mais une petite voix intérieure t'avait incité à l'expérimenter à nouveau. Si tu n'es pas allé de l'avant parce que tu avais peur de rencontrer le même genre de problèmes que ceux expérimentés auparavant, tu as alors agi comme une personne intellectuente.

La petite voix en toi provenait de ta partie intelligente qui tentait de te dire que deux situations qui semblent identiques à prime abord, ne le sont pas en réalité car les circonstances, l'environnement, les autres personnes ainsi que toi-même différez de ce que vous étiez dans le passé.

> ***Tout ce qui vit est en constante évolution et en perpétuelle transformation, même si cet état de fait n'est pas toujours conscient ou évident.***

L'intelligence est très présente chez les jeunes d'aujourd'hui, les jeunes de l'ère du Verseau. Si tu t'arrêtes à observer ces enfants, tu peux véritablement constater ce que signifie être intelligent. Ces jeunes sont très spontanés et préfèrent apprendre les choses par eux-mêmes. Ils n'ont pas peur du risque et de l'expérimentation.

Au début de leur carrière, ils peuvent être d'une très grande utilité pour l'entreprise qui les embauche en autant qu'on leur permette de laisser libre cours à leur créativité. Ils peuvent tout faire ou presque, que ce soit aux niveaux du travail manuel, de l'informatique, du dessin, etc. Ils prennent simplement quelques instants pour regarder de plus près une situation qui se présente à eux et répliquent spontanément: *"Selon moi, je peux le faire."*, et voilà, c'est fait. Ils ont des talents multiples car ils utilisent leur intelligence et leur intuition.

Les personnes intelligentes savent qu'elles apprennent à danser en dansant. Elles sont, pour la plupart, des autodidactes. Elles apprennent ce qui est nécessaire dans les livres bien qu'elles savent qu'elles apprendront beaucoup plus et d'une façon plus rapide dans l'expérience.

J'ai pu observer plusieurs jeunes adultes, âgés entre 20 et 30 ans, travailler de la sorte, "sur le tas", au sein de de l'organisation ***Écoute Ton Corps***. C'est souvent après coup que ces jeunes ont complété leur apprentissage par des cours ou des livres. De cette façon, les connaissances acquises s'intégrent à eux plutôt que de se situer strictement au niveau de leur intellect.

L'harmonie constitue également un autre critère d'intelligence. Une personne intelligente désire que tout ce qui vit et l'entoure soit harmonieux. Elle est attirée par la beauté, par l'écologie, par l'harmonie tant intérieure qu'extérieure. Elle est du genre à ne pas jeter de papiers sur la route au volant de sa voiture, à ne pas couper d'arbres ou de fleurs inutilement de façon à ne pas briser l'harmonie de la nature.

Elle ne veut aucun mal à quoi ou qui que ce soit qui vit sur la planète Terre. Nous assistons depuis un certain nombre d'années à la création de nouveaux mouvements un peu partout dans le monde, incitant la masse à faire davantage attention à notre planète, à agir de façon plus écologique. Ainsi nous pourrons vivre dans un écosystème écologique, c'est-à-dire un système qui prend en considération l'être humain dans sa totalité plutôt que de vivre dans un système où chacun cherche à satisfaire son propre ego. C'est l'énergie de l'ère du Verseau qui nous pousse dans cette direction.

Une personne intelligente à la recherche de l'harmonie est beaucoup plus consciente de sa responsabilité. Elle reconnaît l'ordre et l'intelligence de la loi de cause à effet. Elle sait qu'il serait stupide de critiquer autrui sachant qu'elle le récoltera en retour; elle sait qu'agir de la sorte n'est pas harmonieux.

Elle recherche la beauté dans sa vie et prend les dispositions nécessaires pour ne voir et ne s'entourer que de ce qui est beau. Elle sait que la beauté et l'harmonie stimulent l'intelligence. Une personne qui désire vivre dans l'harmonie ne cherche donc jamais à nuire à autrui ou à gaspiller quoi que ce soit. Elle respecte les ressources naturelles en les utilisant de façon intelligente; elle respecte tout ce qui vit sur la planète et, parallèlement, elle respecte son corps et sa santé.

Comme les enfants d'aujourd'hui sont très ouverts à l'intelligence, je te suggère d'utiliser régulièrement ce mot avec eux. Au lieu de leur faire de la morale, demande-leur s'ils trouvent leur comportement intelligent quand ils agissent de telle ou telle façon.

Prenons pour exemple que ton enfant laisse tout à la traîne dans sa chambre. Demande-lui si, selon lui, il est intelligent de vivre dans une maison en désordre où il est difficile de trouver quoi que ce soit. Demande-lui s'il trouverait intelligent le fait que les magasins et l'école qu'il fréquente étaient autant en désordre que sa chambre. Considérerait-il intelligent que les adultes et le monde entier vivent de la sorte? Fais-lui réaliser qu'il serait le premier à juger les adultes et à les traiter de cons et stupides en agissant de façon totalement désordonnée et si peu intelligente.

Tu peux te permettre d'emprunter ce langage avec un jeune d'aujourd'hui à condition de ne pas le faire avec un ton moralisateur et à condition de lui donner l'exemple. Il suffit simplement de l'aider à constater que s'il choisit de vivre dans un endroit qui n'est vraiment pas harmonieux, comme dans sa chambre, il sera le seul à en subir les conséquences. Tu peux exiger que dans les autres pièces de la maison, il doive respecter le fait que les autres cherchent à vivre dans l'ordre et l'harmonie. Si son choix porte sur un style de vie peu harmonieux, c'est son affaire, mais seulement dans sa chambre.

Comme un être intelligent recherche la beauté, il va sans dire que qui dit désordre dit moins beau et moins esthétique. As-tu remarqué que de nos jours, partout où l'on va, dans les magasins, les restaurants, en pleine nature, les gens recherchent la beauté plus que tout? Même les agglomérations urbaines font des efforts considérables pour rendre leurs rues plus belles. Il est agréable et énergisant d'être entouré de beauté. Et comme la beauté est le plus grand besoin du corps émotionnel, elle nous aide à nous sentir bien dans notre peau et à développer notre capacité de sentir.

L'utilité est un autre aspect recherché par une personne intelligente. Sa façon de vivre et de voir les choses, ses achats, tout ce qui l'entoure doit lui être utile.

La personne qui accumule inutilement n'est pas dans l'intelligence mais plutôt dans la peur.

C'est la peur du manque qui lui fait tant accumuler de choses inutiles. Pour découvrir si cette peur te caractérise, je te recommande d'inspecter tes placards, ton garde-manger, ton garage, ton sous-sol, bref tout ce qui t'entoure dans ton monde physique. Assure-toi de l'utilité de tout ce qui s'y trouve, sinon vends-le ou donne-le à quelqu'un qui lui trouvera une utilité. Agir ainsi constitue une autre façon de cesser de vivre au passé.

Les personnes que tu fréquentes doivent aussi t'être utiles. Imagine une personne qui considère que son conjoint ne lui est d'aucune utilité; peuvent-ils être vraiment heureux ensemble? Je t'invite à dresser une liste de tout ce pour quoi ton conjoint t'est utile.

Je réalise que faire cette suggestion provoque chez la plupart des gens une réaction parce qu'ils croient que seul un profiteur peut vouloir que son conjoint, ses enfants et ses amis lui soient utiles. Rechercher l'utilité et être profiteur sont deux comportements tout à fait différents, voire même contraires l'un de l'autre. Reconnaître l'utilité d'une personne nous incite à l'apprécier davantage et à chercher à lui exprimer notre gratitude. À l'opposé, une personne qui profite de l'autre ne l'apprécie pas: elle veut la contrôler pour mieux en abuser.

Afin de préciser l'utilité des gens qui t'entourent, tu dois identifier ce qu'ils t'apportent sur les plans physique, émotionnel, mental et spirituel. Je suis assurée qu'en prenant le temps de faire cet exercice, tu feras des découvertes fort intéressantes.

En identifiant les aspects de son enfant qui lui sont utiles, une mère pourra éviter de lancer des remarques comme: *"Je ne sais pas ce que j'ai fait au bon Dieu pour avoir un enfant comme toi. Tu es complètement inutile, tu me déranges plus qu'autre chose."* Tu éviteras ainsi que ton enfant vive du rejet. Plusieurs parents n'expriment pas verbalement de tels commentaires mais, ne pouvant se contrôler, c'est souvent ce qui ressort de leur regard lorsque l'attitude de leur enfant leur déplaît ou si leur enfant n'agit pas selon leur volonté.

Prends le temps de scruter en profondeur ton entourage et tu découvriras probablement de nombreuses utilités aux personnes qui t'entourent. L'utilité la plus remarquable de tes proches est définitivement de pouvoir te permettre de faire le jeu du miroir avec eux afin de t'aider à te connaître à travers eux. Cette approche est d'une extrême importance pour ton évolution spirituelle et ta conscientisation.

As-tu également remarqué le grand nombre d'inventions nouvelles qui nous sont d'une grande utilité au niveau de notre monde physique? Je reste toujours émerveillée du génie créatif de l'être humain. Ces inventions sont parfois toutes simples mais nous sauvent du temps et des efforts considérables. Il est donc possible de constater que l'intelligence humaine se développe de plus en plus.

Quand tu désires avoir quelque chose en ta possession, il est important de t'interroger à savoir pourquoi tu le désires et quelle sera son utilité pour toi. Si ton désir s'inspire d'une peur, sa réalisation entraînera avec lui son lot de problèmes et t'empoisonnera l'existence. Ce n'est pas en agissant ainsi que tu atteindras l'harmonie intérieure. Vouloir gagner de l'argent pour cesser de travailler, ou désirer un conjoint par peur de rester seul toute sa vie constituent de fausses motivations.

Dans l'éventualité où tu chercherais à obtenir de l'argent, interroge-toi sur l'utilité de ce nouvel argent; va-t-il t'aider à développer ta créativité et te permettre de grandir et de t'épanouir? L'attitude à adopter est similaire dans la recherche d'un conjoint. Tu dois te demander ce en quoi ce conjoint va t'être utile au niveau de ton être.

Rechercher une situation donnée dans le but précis d'en éviter une autre est révélateur qu'une peur se cache derrière tes désirs.

As-tu déjà remarqué qu'au niveau de ton monde physique, dès qu'une chose n'est plus utilisée, elle a tendance à se détériorer? Si, par exemple, tu abandonnes ta voiture dans un champs et que personne ne l'utilise ni ne s'en occupe, elle se détériorera très vite. Reste au lit quelques semaines et tu verras tes muscles s'atrophier.

Une personne intelligente a tendance à rechercher le "naturel" plutôt que de s'en tenir au "normal". As-tu déjà vécu l'expérience de dire à un jeune d'aujourd'hui qu'il n'est pas normal d'agir, de s'habiller ou de parler de telle façon? Je reste assurée qu'il t'a montré de la résistance en répliquant qu'il ne cherche certainement pas à être "normal". Pour un enfant d'aujourd'hui, être normal signifie agir comme les adultes qui l'entourent et, par conséquent, continuer à entretenir le passé. Pour eux, être naturel c'est vivre en harmonie avec la nature, c'est vivre son moment présent, c'est être lui-même.

Les adultes d'aujourd'hui ont cherché à être naturels de leur naissance jusqu'à l'âge de sept ans, mais ils se sont fait réprimander par leurs parents et leurs éducateurs à l'effet que "ce n'était pas bien". C'est la raison pour laquelle ils se sont créés autant de masques pour cacher leur naturel. Ils doivent tous maintenant entreprendre des démarches plus ou moins intensives afin de retrouver leur état naturel.

Au lieu de contraindre les jeunes d'aujourd'hui à agir de notre façon, il serait plus intelligent pour nous d'aider cette nouvelle génération à préserver et entretenir leur côté naturel. D'ailleurs, ils s'avèrent beaucoup plus tenaces et persévérants que les générations précédentes. Il est facile de constater qu'il est difficile de les manipuler, de les contrôler et de les changer.

Par contre, les enfants d'aujourd'hui doivent aussi s'ajuster au monde des adultes, mais sans pour autant avoir à changer qui ils sont vraiment. Le livret de la Collection Écoute Ton Corps intitulé ***Relations parent-enfant*** révèle les moyens que je crois nécessaires pour en arriver à un ajustement bénéfique entre les parents et les enfants.

Une personne dite "naturelle" vit dans l'harmonie et dans l'intelligence. Être naturel signifie évoluer selon l'ordre de la nature: manger au moment où ton corps ressent la faim, te reposer quand tu es fatigué, dormir quand tu as sommeil. Être naturel, c'est de dire quelque chose à quelqu'un quand tu en éprouves le besoin au lieu de laisser une peur bloquer ton action.

Un enfant qui parle et agit au naturel est souvent considéré irrespectueux ou impoli par les adultes qui l'entourent parce qu'ils jugent ce comportement selon leur apprentissage passé. C'est leur intellect qui les informe que tel comportement ou telle parole n'est pas correcte.

Pour ta part, avant de croire à un manque de respect, il est important de vérifier avec l'enfant en question si vraiment il t'a manqué de respect. Tu peux lui demander: *"J'ai senti un manque des respect dans tes paroles. Était-ce ton intention? Si quelqu'un d'autre agissait de la même façon avec toi, considérerais-tu son attitude comme un manque de respect à ton égard?"* En général, un enfant devient impertinent par révolte envers ses parents lorsque ceux-ci essaient de le contrôler. À ce moment, l'enfant entre dans une phase dans laquelle il doit décider s'il reste lui-même ou s'il modifie son comportement pour faire plaisir aux autres.

Quelqu'un de naturel cherche continuellement de nouvelles expériences; il est prêt au changement dans sa vie et ne le craint aucunement.

La différence entre "être naturel" et vouloir "être parfait", c'est qu'une personne qui recherche la perfection recherche la permanence. Lorsqu'une personne croit avoir atteint la perfection, c'est qu'elle considère que telle attitude ou tel comportement équivaut à la perfection. Elle entretient une opinion très arrêtée de la perfection. Au lieu de vouloir agir de façon parfaite, cette personne devrait plutôt viser l'excellence en se rappelant que rechercher l'excellence ne signifie pas laisser tels quels ses comportements ou attitudes.

Voici un exemple qui illustre bien la différence qui existe entre rechercher la perfection et l'excellence dans notre monde physique. La personne qui recherche la perfection refuse de changer sa façon de ranger ses meubles, ses bibelots, etc. Tout doit demeurer selon ce qu'elle considère être parfait. Par opposition, une personne naturelle, donc qui vise l'excellence, serait prête à changer son mode de rangement de ses meubles ou bibelots si ce changement s'avère être d'une plus grande utilité pour elle. Il n'est pas difficile pour cette personne de changer sa façon de s'habiller, de se coiffer et d'agir comme bon lui semble tant que "ça fait son affaire". Elle n'évolue pas toujours dans la permanence.

Dans un autre ordre d'idées, on reconnaît également une personne intelligente par sa simplicité. Je me suis fait dire que la raison pour laquelle les gens sont si enthousiasmés par les enseignements diffusés par le centre Écoute Ton Corps depuis ses tout débuts, est précisément leur grande simplicité. Ils sont faciles à comprendre pour l'intellect et simple à appliquer dans la vie quotidienne.

Antérieurement, je restais perplexe par rapport aux commentaires des gens à l'effet que mon enseignement et moi-même étions "simples". J'hésitais à considérer leurs opinions comme un compliment ou non car le mot simple avait une connotation plutôt péjorative et laissait sous-entendre un aspect simpliste et niaiseux. Mais en apprenant que la simplicité était signe d'intelligence, j'ai été encouragée à préserver et rechercher davantage la simplicité au niveau des enseignements du centre et au niveau de ma vie personnelle.

Tu as certainement eu l'occasion de constater combien une personne intellectuelle a tendance à compliquer les choses lorsqu'elle s'exprime. Ses connaissances sont si importantes que lorsqu'elle parle aux gens, il est très important pour elle de les étaler le plus possible. Ses explications sont longues et compliquées et tu as peine à savoir où elle veut en venir.

Plus tu seras dans l'intelligence et plus tu éprouveras des difficultés à suivre ceux qui sont compliqués. Au lieu d'écouter poliment ton interlocuteur quand tu ne comprends plus rien, permets-toi de l'interrompre et dis-lui que tu l'a perdu en cours de route. Demande-lui alors d'en venir au fait et de clarifier ce qu'il cherche à dire. J'ai déjà agi de la sorte à plusieurs reprises par le passé pour constater qu'en bout de ligne, l'interrompre avait davantage rendu service à l'autre personne qu'à moi-même.

Il arrive parfois qu'une personne cesse son discours avant même d'être interrompue par quelqu'un d'autre car elle se rend compte du fait d'avoir perdu le fil de son histoire. Cette réaction dénote qu'elle devient graduellement consciente de ce qu'elle fait pendant qu'elle parle. Son discours n'était pas spontanée et ce manque de spontanéité est révélateur du fait qu'elle analyse ce qu'elle dit pendant qu'elle parle.

On peut reconnaître une personne qui se sert uniquement de son intellect par son discours. Ce type de personne utilise à maintes reprises les termes "je pense" et "comme". Elle peut dire, par exemple: *"C'est comme si j'avais peur de lui parler."*, ou *"Je pense que j'ai peur de lui parler."*

Dès que tu entends une personne s'exprimer de la sorte, sache qu'à ce moment précis, elle analyse sa peur. Elle n'est pas véritablement dans son moment présent et encore moins au niveau de son senti. Les personnes qui ont pris l'habitude de tout analyser n'en sont pas conscientes. En lui demandant alors si elle a peur ou non, tu l'aides à préciser ce qu'elle ressent.

C'est pour cette raison que lorsque les animateurs du centre Écoute Ton Corps et moi-même dirigeons des ateliers, nous nous permettons d'aider ces personnes à prendre conscience à quel point elles analysent constamment. Et après la prise de conscience suit l'apprentissage du senti.

Dans son enseignement, Jésus nous incitait à devenir à nouveau des enfants pour entrer dans le royaume des cieux. Dans les faits, il voulait nous dire qu'il est important de retrouver la simplicité d'un enfant pour être heureux. Nous, les adultes, pouvons apprendre énormément de la simplicité des enfants. Ils sont d'excellents modèles pour nous guider vers l'harmonie.

Certains croient qu'une personne simple est une personne qui a peu en sa possession et qui n'attend pas grand chose de la vie. La simplicité est tout à l'opposé, car la voir sous ce jour serait de l'aborder strictement sous son aspect extérieur. Il est souvent dit d'une personne qui vit modestement que son intérieur est simple. Mais il n'en est pas nécessairement ainsi, car il se peut que cette personne se complique la vie intérieurement tout en recherchant la simplicité dans son monde extérieur.

Une personne peut détenir quantité de biens matériels et tout de même vivre dans la simplicité, c'est-à-dire sans se compliquer la vie avec sa richesse matérielle. D'autre part, une autre personne peut posséder très peu de biens matériels et se compliquer la vie quand même par peur de perdre ce qu'elle possède déjà. Il reste plus important d'atteindre la simplicité intérieure d'abord et la simplicité extérieure ensuite.

Bien entendu, plus une personne reste prisonnière de ses croyances, ses peurs et ses dépendances, et moins sa vie est simple. Par conséquent, pour qu'une personne puisse vivre dans la simplicité et l'intelligence, elle se doit d'être consciente de ce qui se passe en elle et d'apprendre à s'observer et à ressentir. Elle commencera alors à prendre sa vie en mains et à se libérer de tout ce qui l'emprisonne et complique sa vie.

Plus une personne vit dans la simplicité, plus elle est réceptive et ouverte à tenter de nouvelles expériences. Celle qui se complique la vie reste figée dans ce qu'elle connaît et ce qu'elle a déjà appris.

De nos jours, les gens ont tendance à se spécialiser dans plusieurs métiers plutôt que dans un seul. Ils développent davantage leurs talents car ils sont plus réceptifs et davantage créatifs. Certains croient d'autre part que la vie s'avère plus simple lorsqu'ils se conforment aux règlements autoritaires d'une religion, d'un gouvernement ou d'autres personnes. Bien au contraire, agir de la sorte inhibe leur créativité et rend leur vie plus difficile car chercher à continuellement se conformer aux autres est une tâche ardue. Ils ne réussissent pas à être eux-mêmes et à vivre leur moment présent parce qu'ils se sont toujours conformés à l'autorité d'autrui.

Si la simplicité reflète l'intelligence, on peut conclure que tout ce qui est compliqué n'est pas intelligent. Il importe de suivre le courant des énergies de l'ère du Verseau qui font sentir leur présence de plus en plus, c'est-à-dire d'agir au niveau de l'intelligence et non l'intellectuence. Sinon, tu agis à contre-courant. Imagine une personne qui nage dans une rivière en suivant le sens du courant; ses chances d'arriver à destination rapidement sont beaucoup plus grandes que celles d'une personne qui nage à contre-courant, n'est-ce pas?

Je ne t'apprends rien de nouveau en affirmant que tu souffres quand tu te compliques la vie. La souffrance n'est pas intelligente. Pourquoi souffres-tu? Parce que tu résistes aux événements et résister, c'est nager à contre-courant. Tu cherches à contrôler les événements au lieu de te laisser couler avec eux et d'accepter que, quoi qu'il arrive, il existe une solution et une raison à tout.

Tu as sûrement remarqué que la vie de notre monde moderne est devenue très compliquée. Tous les systèmes qui nous dirigent sont compliqués. Il est important de nous hâter à concevoir de nouvelles approches. Cependant, nous ne réussirons à changer ces systèmes compliqués que si nous effectuons certaines transformations intérieures nous-mêmes. Ce sont les êtres humains, la masse, qui créent les gouvernements et les différents systèmes avec lesquels ils évoluent.

Nous ne pouvons demander aux autres ce que nous ne sommes pas prêts à faire nous-mêmes. Quand la majorité d'entre nous, donc la masse, ferons le même choix d'améliorer notre qualité de vie, nos gouvernements n'auront d'autre choix que de suivre notre ligne de pensée. Plus la masse agira dans la simplicité, l'intelligence et l'harmonie, plus les gouvernements sauront que ce code de conduite est devenu la préférence de la majorité. Les gens en poste n'auront plus qu'un choix, celui de suivre.

Ce qui me console, c'est que personne sur la planète Terre est plus intelligent qu'un autre: la seule différence réside dans le fait que certains sont davantage en contact avec leur intelligence que d'autres. Les personnes dirigées par leur intellect sont coupées de leur intelligence. Elles voguent en pleine noirceur, incapables de voir au-delà du bout de leur nez. Elles n'arrivent plus à puiser dans leur grand potentiel créatif.

D'autre part, nous devons rechercher la simplicité pour en arriver à sentir les événements, les personnes et nous-mêmes. Les personnes qui compliquent les choses ne peuvent pas ressentir. Elles ont tendance à réagir en transférant leurs émotions ailleurs, dans la nourriture par exemple, au lieu d'observer et ressentir leurs réactions à ce qui se présente à elles. Ce n'est pas de cette façon qu'on se simplifie la vie, bien au contraire: c'est se la compliquer davantage.

Pour conclure, une personne intelligente vit dans son moment présent, dans la spontanéité, l'harmonie, l'utilité, le naturel et la simplicité.

Pour te diriger vers l'intelligence, je te suggère de demander à au moins trois personnes qui te connaissent bien, si elles te trouvent compliqué et de t'indiquer, dans l'affirmative, dans quels domaines. Réclame-leur de plus amples détails au besoin car, bien souvent, il nous est difficile de nous voir nous-mêmes.

Prends du temps pour réfléchir à leurs commentaires et dresse-toi un plan d'action afin d'en arriver à une plus grande simplicité. S'il t'est difficile de préparer ce plan, demande à ces mêmes personnes des suggestions pour t'aider à devenir plus simple dans ta façon d'être. Cette démarche t'aidera à développer ton intelligence.

CHAPITRE 20
MASCULIN - FÉMININ

Au tout début des temps, **DIEU** désirant vivre des expériences au niveau de différents plans, a décidé d'expérimenter "être **DIEU**" dans le monde de la matière. Pour ce faire, il a été nécessaire que l'être, qui était pure lumière et pur esprit, se crée ses propres corps matériels de façon à pouvoir vivre sur Terre. Il s'est d'abord créé un corps mental, puis un corps émotionnel et finalement un corps physique. Cette involution dans la matière a duré des millions d'années.

C'est seulement au moment où l'être fut complètement ancré dans la matière qu'il commença à expérimenter le phénomène de la dualité, soit la séparation du principe masculin et féminin et du fait même la séparation des sexes. Par le biais de la dualité, il fut désormais possible de vivre l'expérience de la séparation pour ensuite expérimenter celle de la réunification qui mène à la fusion. C'est pour cette raison que le plus grand désir de l'être humain est d'en arriver un jour à fusionner avec l'esprit, à redevenir "un avec **DIEU**". En réalité, cette fusion s'avère toujours présente mais les humains se sont tellement coupés du fait qu'ils sont **DIEU** qu'ils se croient séparés de **LUI**.

L'acte sexuel, qui est la fusion entre les principes masculin et féminin, est le symbole de la fusion de l'âme et de l'esprit. Cet acte fait partie de nos vies pour nous rappeler la jouissance suprême que l'être ressentira lorsqu'il se rappellera et vivra à nouveau totalement cette fusion.

Tous les êtres humains, qu'ils soient de sexe masculin ou féminin, sont constitués d'un principe masculin et d'un principe féminin. Ces deux principes nous aident à manifester dans notre monde physique ce que **DIEU** cherche à expérimenter. Dans les enseignements orientaux, le principe féminin correspond à la partie Yin alors que le masculin, à la partie Yang.

Le principe masculin est relié au corps mental, au côté rationnel de l'être et le principe féminin, quant à lui, est relié au corps émotionnel, c'est-à-dire au côté irrationnel. Le corps mental, par l'intermédiaire de l'intellect, est au plan matériel ce que l'intelligence est au plan spirituel. Similairement le corps émotionnel, par le biais des désirs, est au plan matériel ce que l'intuition est au plan spirituel. L'un nous aide à prendre contact avec l'autre, c'est-à-dire par l'intermédiaire de notre intellect et de nos désirs, nous prenons contact avec notre intelligence et intuition.

Le principe féminin fait référence à la créativité, la spontanéité, la beauté, les sentiments, la douceur, les arts, la musique, la réceptivité. C'est le côté passif et receveur de l'être.

À l'opposé, le principe masculin réfère au côté rationnel de l'être exprimé par la force, le courage, la bravoure, la persévérance, la volonté, le pouvoir, la capacité d'analyser et de diriger, la logique. C'est le côté actif et donneur de l'être. Son rôle est de trouver les moyens pour manifester les désirs du principe féminin au niveau du monde physique.

Le principe masculin tend vers l'action, la séparation, la différence, l'individualité, tandis que le principe féminin tend vers l'intériorisation, l'union, la fusion, l'harmonie de tous les plans. Pour en arriver à une harmonie intérieure, ces deux principes doivent travailler en collaboration.

Permettre leur fusion à l'intérieur de toi ne peux que te créer une vie harmonieuse. Vivre en société est un moyen te permettant de vérifier le degré de ton harmonie intérieure. Tu peux en faire la vérification avec les gens du même sexe ou ceux du sexe opposé.

Constate la qualité de tes relations en général avec les autres femmes. Sont-elles satisfaisantes? Si oui, c'est signe que tu es en harmonie avec ton principe féminin, c'est-à-dire que tu parviens à être en contact avec tes désirs et que tu suis ton intuition. Si, par contre, tes relations avec les hommes sont difficiles et que tu es enclin à avoir peu d'estime pour eux, moins de patience ou moins de tolérance, ton comportement t'indique ta difficulté à être en harmonie avec ton principe masculin. Dès qu'un de ces principes n'est pas en harmonie, émotions et problèmes surviennent dans ta vie.

Ton principe féminin, qui est en contact avec ton intuition, connaît tes vrais besoins. Sois en contact avec ton **DIEU** intérieur et tu ne pourras qu'exprimer des désirs qui viennent de ton intuition. Ils contribueront, par le fait même, à ton équilibre et ton harmonie.

Lorsque l'harmonie règne entre ces deux principes, aussitôt que ton principe féminin entre en contact avec un désir, ton principe masculin met à contribution toutes ses connaissances intellectuelles, ce qu'il a appris, sa force et sa capacité de passer à l'action afin de manifester le désir de ta femme intérieure. À ce moment, une harmonie complète règne, ce qui te permet de façonner ta vie à ta façon. Une création harmonieuse ne peut provenir que de l'union des deux principes. L'un fait jaillir l'idée et l'autre passe à l'action.

Quand j'ai eu l'idée d'écrire le livre dans lequel tu es plongé, j'ai d'abord commencé à sentir cette idée émerger en moi. Progressivement, sa clarté et sa force grandissaient en moi: c'était mon principe féminin qui se manifestait.

Le jour où j'ai pris la décision de l'écrire et où j'ai inscrit à mon agenda les dates que je me réservais pour ce faire, ces actions m'indiquaient que mon principe masculin venait de passer à l'action. C'est grâce à la collaboration de mon principe féminin avec mon principe masculin que j'ai pu créer ce livre.

Tu recours régulièrement à ces deux principes au cours d'une journée. Le seul fait d'affirmer que la faim te tenaille et d'avoir envie de manger un aliment quelconque démontre que tu es en contact avec ton principe féminin. Aussitôt que tu passes à l'action et porte un aliment à ta bouche, tu fais appel à ton principe masculin. Tu crées ainsi quelque chose dans ta vie. Et créer ne signifie pas nécessairement inventer: créer, c'est décider ce que tu veux, c'est diriger ta vie toi-même.

Créer est source de bonheur, de joie et d'énergie.

Une personne qui ne crée pas sa vie, donc qui nourrit des idées ou des désirs mais qui ne passe pas à l'action, est inconfortable. Tout comme l'inverse peut aussi être vrai: une personne qui passe sans cesse à l'action, sans prendre le temps de vérifier si ses gestes sont dictés par ses vrais besoins, agira souvent de façon contraire à ce qu'elle désire réellement. Agir de la sorte n'est pas bénéfique non plus car cette personne ne façonne pas sa vie de la bonne manière.

La situation idéale est de reconnaître que notre femme intérieure sait ce qui est bénéfique pour nous et que notre homme intérieur sait comment satisfaire le désir de la femme intérieure. De son côté, la femme intérieure doit faire confiance à la logique de l'homme intérieur quant aux moyens à prendre pour que ce désir se réalise.

Plus une personne a peur de s'abandonner et de reconnaître la sagesse de ces deux principes, plus elle crée un fossé entre les deux plutôt que de les laisser fusionner ensemble. Cette séparation constitue, pour l'être humain, la cause de quantité d'émotions, de malaises, voire même de maladies.

Pendant près de 2000 ans, l'ère des Poissons s'est avérée une période très masculine pendant laquelle le comportement des êtres humains a accentué la séparation des deux principes. Une famille typique a longtemps été constituée d'une femme responsable des tâches ménagères et des enfants alors que l'homme travaillait à l'extérieur du foyer afin de gagner l'argent nécessaire à la subsistance de sa famille. Ainsi, la femme dominait au foyer alors que l'homme dominait au travail.

On a également pu observer que la femme a longtemps essayé de cacher son pouvoir pour que l'homme n'en souffre pas. Elle manifestait son pouvoir par des moyens détournés, par la manipulation par exemple. Ainsi, l'homme en général se faisait diriger à son insu car la femme était devenue une experte manipulatrice. Cet état de fait a grandement contribué à augmenter la séparation des deux principes de l'être humain.

Toutefois, depuis la venue de l'ère du Verseau, une nouvelle façon de créer notre vie se manifeste, laquelle s'inspire de la fusion plutôt que de la séparation. On retrouve de plus en plus de jeunes couples qui collaborent ensemble. L'homme et la femme portent tous les deux la responsabilité de faire vivre la famille et s'occupent ensemble et des enfants et de la maison. En agissant de la sorte, ils s'unissent davantage.

On rencontre également un nombre grandissant de femmes qui pratiquent des métiers dits d'hommes et des hommes qui occupent des postes traditionnellement tenus par des femmes. Cette constatation nous indique que nous nous orientons bel et bien vers une énergie de fusion.

Pour t'aider à découvrir quel principe est le moins accepté en toi, je te suggère ci-après certains portraits types qui pourront t'aider dans ta démarche.

L'homme qui accepte davantage son principe masculin et accepte moins son principe féminin

* Il affiche une forte image de lui-même.
* Il n'écoute ni son intuition ni celle des autres.
* Il baigne dans son intellect, dans le jugement.
* Il passe à l'action mais n'agit pas nécessairement selon ses vrais besoins et désirs.
* Il cherche à dominer les femmes et ne leur fait pas confiance.
* Son plaisir personnel passe avant celui des autres, principalement celui des femmes.
* Une femme qui essaie de le contrôler le dérange beaucoup.
* Ses relations avec les hommes sont meilleures parce qu'il est plus tolérant et compréhensif avec eux.

* Il s'attire plus souvent une conjointe qui n'accepte pas son principe féminin pour lui refléter la façon dont il traite sa femme intérieure.

La femme qui accepte davantage son principe féminin et accepte moins son principe masculin

* Son image d'elle-même est forte.
* Elle a beaucoup d'intuition et cherche à ce que ses désirs se manifestent sur-le-champ.
* Quand elle passe à l'action, c'est souvent trop rapidement; elle ne veut pas donner l'occasion à son homme intérieur de décider du comment et quand passer à l'action.
* Elle éprouve le besoin de diriger les hommes dans sa vie. Elle a peu d'estime pour eux et ne leur fait pas confiance facilement.
* Elle se laisse facilement déranger au contact d'un homme qui désire la contrôler.
* Son plaisir personnel passe avant celui des autres, principalement celui des hommes.
* Elle entretient de meilleures relations avec les femmes de son entourage. Elle est plus tolérante à leur égard et leur fait plus confiance.
* Elle s'attire plus souvent un conjoint qui n'accepte pas son principe masculin pour lui refléter la façon dont elle traite son homme intérieur.

L'homme qui accepte davantage son principe féminin et accepte moins son principe masculin

* Il a une pauvre image de lui-même.

* Il est en contact avec ses besoins et ses désirs mais ne croit pas mériter le fait de se faire plaisir. Il se fait plaisir à la condition de faire plaisir à autrui, particulièrement à une femme.
* Il a besoin de se faire diriger et dominer par les femmes au moment de passer à l'action.
* Faire plaisir aux femmes lui procure beaucoup de satisfaction et de plaisir.
* Ses relations avec les hommes sont plus difficiles qu'avec les femmes. Il résiste à l'autorité des hommes et éprouve des difficultés à leur faire confiance.
* Il est attiré par les femmes qui acceptent moins leur principe masculin, qui ont peu d'estime pour les hommes de façon à lui refléter la façon dont il se traite lui-même.

La femme qui accepte davantage son principe masculin et accepte moins son principe féminin

* Elle a une piètre image d'elle-même.
* Elle passe à l'action généralement en fonction des désirs des autres. Elle ne croit pas mériter se faire plaisir car faire plaisir aux autres, surtout aux hommes, est plus important.
* Elle a besoin que les hommes la dirigent et la dominent.
* Elle est très dépendante des hommes quant à savoir ce qui serait bon pour elle.
* Elle s'avère plutôt passive dans sa relation de couple.
* Ses relations avec les femmes sont plus éprouvantes qu'avec les hommes. Il lui est difficile de faire confiance aux femmes.

* Elle a tendance à s'attirer un conjoint plutôt "macho" qui n'accepte pas son principe féminin, lequel constitue pour elle le reflet de la manière dont elle se traite.

Comme tu peux le constater à la lecture de ces portraits types, chacun de nous est plutôt attiré, dans sa vie de couple, par un conjoint qui éprouve des difficultés à accepter le même principe que nous.

> ***Les couples qui n'acceptent pas en eux le même principe ont de nombreux différents car chacun projette à l'autre le reflet de sa propre non-acceptation.***

Par contre, leurs chances de vivre longtemps ensemble sont plus grandes car au plus profond d'eux, ils savent, même si c'est inconscient, qu'ils ont tous les deux besoin d'apprendre à accepter le même principe.

Il est certain que l'homme pour qui il est difficile d'accepter son principe féminin et qui devient dominateur, tentera de changer les comportements de sa conjointe. Il pourrait s'adresser à elle de la façon suivante: *"Quand seras-tu capable de passer à l'action et décider de faire des choses plutôt qu'attendre?"* Il cherche à la changer car il voudrait être capable de changer sa femme intérieure. Il ne fait donc que manifester ce qu'il n'accepte pas en lui.

La situation est analogue dans le cas d'une femme qui domine son mari. Elle lui demandera: *"Quand prendras-tu tes propres décisions et cesseras-tu de toujours te fier sur moi pour tout faire?"* La partie d'elle qu'elle n'accepte pas est représentée pas les attitudes de son conjoint.

Personnellement, c'est l'homme en moi qu'il m'a été le plus difficile à accepter par le passé. Je m'en suis rendue compte au moment où j'ai accepté que mon conjoint était tout simplement mon miroir. J'ai pu par la suite m'accepter dans le fait de vouloir le diriger et le dominer. J'ai réalisé que tant qu'il n'aurait pas appris à accepter son principe masculin, il aurait encore besoin de se faire diriger alors que de mon côté, j'aurais encore besoin de diriger tant et aussi longtemps que je n'aurais pas complété intérieurement la même acceptation.

Cette acceptation s'est faite en douceur au moment où j'ai compris la différence entre diriger et dominer l'autre. Diriger, c'est donner une direction aux décisions prises dans le couple. Dominer, c'est voir à ce que ses propres décisions se manifestent à tout prix, même si l'autre n'est pas d'accord. À l'heure actuelle, mon tempérament me porte encore à diriger, sauf que lorsque mon conjoint me fait connaître son désaccord, je n'essaie plus de le manipuler pour qu'il agisse comme bon me semble.

Cette approche lui apprend à prendre des décisions et m'apprend à faire davantage confiance à l'homme. J'ai appris à lui être reconnaissante de se laisser diriger; ainsi j'accepte davantage mon conjoint ainsi que mon homme intérieur. Et maintenant que mon conjoint Jacques et moi-même sommes tous les deux conscients que nous vivons ensemble pour apprendre chacun à accepter davantage notre principe masculin, notre relation s'en porte encore mieux.

Certaines personnes n'acceptent ni leur principe masculin ni leur principe féminin et se rejettent complètement. Par conséquent, leur vie s'avère beaucoup plus éprouvante que la moyenne des gens. Tantôt elles sont attirées par un conjoint dominateur, tantôt par un conjoint passif qui se laisse dominer; tantôt elles sont elles-mêmes dominatrices et tantôt passives. Si tu appartiens à cette catégorie de personnes, il te faut apprendre à accepter ces principes en toi que tu rejettes.

Il arrive également qu'un couple soit formé de deux personnes ayant chacun à accepter un principe différent en eux. Prenons pour exemple un homme qui n'accepte pas la femme en lui et la femme qui rejette son principe masculin. Leur relation de couple est mouvementée et exigeante. C'est pourquoi ce genre de relation est généralement de courte durée. Ni l'un ni l'autre ne désire se faire dominer par l'autre de sorte qu'ils sont constamment aux aguets et en réaction l'un face à l'autre. Poursuivre leur vie commune devient éventuellement au-delà des limites de chacun.

À l'intérieur d'un couple, la personne qui a tendance à être plus passive et qui se laisse dominer par l'autre ressent souvent un besoin de sexualité plus marqué. Comme cette personne ne crée pas assez car elle ne prend pas beaucoup de décisions dans le couple, elle veut dominer dans le domaine sexuel. Celle qui veut dominer parce qu'elle a peur de se faire dominer a souvent l'impression de faire profiter d'elle si elle se laisse trop souvent aller à vivre sa sexualité avec l'autre. Elle a donc beaucoup moins de désirs que son partenaire. Voilà une autre raison de chercher à harmoniser les deux principes en soi. Au fur et à mesure que les principes masculin et féminin apprennent à se respecter et à s'accepter, la vie sexuelle du couple s'améliore en conséquence.

Il est donc permis de conclure que moins une personne accepte le principe de son propre sexe, plus elle tend à être passive et à se laisser diriger ou dominer par les autres; il lui est par ailleurs difficile de prendre des décisions et de passer à l'action. Moins une personne accepte le principe du sexe opposé, plus elle rend la vie difficile au sexe opposé. Elle veut le dominer complètement et ne veut pas lui faire plaisir. Les rares occasions où cette personne fait plaisir au sexe opposé, c'est lorsque ça lui rapporte quelque chose personnellement. Elle fait donc la même chose avec elle-même.

Le temps est venu que nous devenions tous conscients de cette non-acceptation car c'est elle qui nous empêche de passer à l'action et de créer notre vie. Façonner sa vie n'est pas créer pour faire plaisir aux autres, pour éviter une peur, pour être aimé ou pour agir comme la majeure partie des gens, mais plutôt créer selon nos véritables besoins, selon ce que ça nous dit intérieurement.

Si tu éprouves des difficultés à accepter le principe féminin en toi, cet état de fait a un lien direct avec ta façon d'accepter ton premier modèle féminin, c'est-à-dire ta mère ou celle qui a joué le rôle de mère du temps de ton enfance. Si c'est ton principe masculin que tu rejettes, c'est avec ton père qu'un problème subsiste.

J'ai pu constater au cours de mes douze années d'enseignement au sein d'Écoute Ton Corps, que c'est en général le parent que nous croyons avoir le mieux accepté que nous acceptons le moins. L'explication en est assez simple: nous ne nous donnons pas le droit d'avoir négligé d'accepter le parent que nous croyons aimer le plus. Nous cherchons continuellement à mettre ses qualités en évidence.

Ce n'est qu'après une recherche intérieure plus intensive que nous nous apercevons avoir aussi jugé ce parent suite à certaines déceptions subies au cours de notre jeunesse. Il est normal qu'un enfant déçu par son père soit inconfortable avec l'image qu'il s'est faite de l'homme, avec son côté masculin et avec celui des autres.

Devenir conscient de ce qui est plus ou moins accepté en toi t'aidera à compléter ton processus d'acceptation avec tes parents et avec l'homme ou la femme intérieure en toi. Ce processus ne peut qu'améliorer tes relations avec les personnes du même sexe ou du sexe opposé.

Plus l'amour règne entre la femme et l'homme en toi et plus ton contact avec ton **DIEU** intérieur est fort. Quand l'amour et l'acceptation remplacent la recherche de la séparation, du contrôle et de la domination de l'autre, l'ouverture et le rapprochement se font automatiquement. Ton principe féminin est alors en contact avec l'intuition de ton être et ton principe masculin est relié à l'intelligence de ton être.

> ***Lorsqu'il y a fermeture à ton* DIEU *intérieur, tes désirs ne s'harmonisent pas avec tes besoins et l'intellect ne distingue plus ce qui est intelligent pour toi.***

Il est important, pour le bien-être de notre planète, de nous sortir du monde de "dominant-dominé" dans lequel nous sommes plongés depuis fort longtemps. Cette relation n'a engendré jusqu'à maintenant que de la peur, des êtres dépendants et pauvres, des guerres de pouvoir tant au niveau des relations personnelles qu'au niveau des pays. Nous savons tous qu'il est grand temps qu'un changement ait lieu, et c'est en agissant individuellement qu'une transformation collective se manifestera.

Pour terminer ce chapitre, je te suggère de dresser une liste d'au moins dix femmes et dix hommes qui font partie de tes connaissances et de noter à côté de leur nom la manière dont tu perçois chacun. Par qui t'est-il le plus difficile de te laisser diriger? De qui crains-tu le plus de te faire avoir? Avec qui cherches-tu à avoir raison plus que tout? As-tu l'impression que les hommes cherchent à profiter de toi? Et les femmes, elles? Cette introspection te donnera une idée générale de ta relation avec l'homme et la femme en toi.

Tes enfants peuvent également faire partie des dix personnes du sexe féminin et masculin inscrits sur ta liste. Si tu n'es pas sûr de certaines réponses, vérifie directement avec les personnes identifiées sur ta liste et demande-leur s'ils ont l'impression que tu cherches à les dominer ou si tu leur donnes plutôt raison en général.

Tu auras ainsi une meilleure idée du principe qui est le moins accepté en toi et tu pourras entreprendre puis compléter ton processus d'acceptation face à toi-même sans t'en vouloir pour autant. N'oublie pas que l'étape la plus importante est celle de te donner le droit d'être comme tu es au moment où tu t'en rends compte.

Reconnais simplement que ta façon d'être découle de décisions que tu as prises du temps de ton enfance suite à une déception face au modèle présent dans ta vie. Ces décisions ne sont pas irréversibles heureusement!

CHAPITRE 21
ÊTRE DIEU

Les gens réagissent à chaque fois que je parle d'"être **DIEU**" ou que j'affirme "Je suis **DIEU**" comme je l'ai fait dans mon autobiographie qui s'intitule ***Je suis DIEU, Wow!*** Plusieurs personnes m'ont avoué avoir volontairement refusé de lire mon autobiographie à cause du titre. Cet état de fait est malheureux car ces personnes refusent de s'ouvrir au nouveau.

Si tu fais partie de cette catégorie de gens qui sont inconfortables avec le "Je suis **DIEU**", c'est signe que tu perçois **DIEU** revêtant une forme humaine et que tu lui attribues des qualités humaines. Tu crois que **DIEU** est un personnage et que personne n'a le droit de prétendre "Je suis **DIEU**".

Ce n'est que par l'intermédiaire de ta vision spirituelle de la vie, la vision du haut vers le bas, qu'il t'est possible d'affirmer "Je suis **DIEU**". Si tu adoptes une vision matérielle de la vie, celle du bas vers le haut, tu ne peux déclarer "Je suis **DIEU**" mais plutôt: *"Je suis une expression de **DIEU**", "Je suis une parcelle de **DIEU**", "Je suis l'enfant de **DIEU**."* Ces deux visions sont vraies et acceptables; c'est simplement la façon de voir **DIEU** qui est différente. Et toi? Veux-tu continuer à percevoir **DIEU** comme tu l'as appris dans le passé ou veux-tu t'ouvrir à une nouvelle perception?

Compte tenu de l'ère du Verseau que nous traversons, nous sommes dorénavant tous appelés à retourner à notre essence spirituelle. Les personnes qui persistent à croire que leur être est constitué strictement d'un corps physique, émotionnel et mental sont appelées à vivre des expériences de plus en plus éprouvantes. Il faut être aveugle et sourd pour continuer à croire que le bonheur se trouve au niveau du plan matériel.

Je crois personnellement que l'humain ne peut descendre plus bas qu'il ne l'est déjà à l'heure actuelle. Je trouve triste de voir et d'entendre ce qui afflige les habitants de notre planète: plus de quarante pays en guerre, violence et abus sexuels omniprésents partout dans le monde dont les victimes sont principalement les enfants. Il est encore plus triste de constater à quel point l'humain s'est enlisé dans la matière et ne semble pas décidé à s'en sortir, bien que la réalité qui l'entoure lui indique qu'il est dans l'erreur.

Heureusement, de plus en plus de personnes choisissent de s'en sortir et contribuent à jeter un peu de lumière sur les habitants de cette planète. Il est non seulement important mais urgent de redevenir conscients de qui nous sommes. Plusieurs se disent très évolués, mais dans quelle direction évoluent-ils? Je suis d'accord pour dire que certaines personnes sont évoluées au niveau matériel, c'est-à-dire en rapport avec ce qui se passe sur le plan physique. Ils évoluent au contact de l'informatique, des télécommunications, de la technologie moderne, presque de façon automatique puisque l'évolution est constante sur la planète Terre.

L'humain évolue depuis toujours, qu'il en ait été conscient ou non. Mais pour pouvoir reconnaître sa nature véritable, il faut non seulement évoluer mais également conscientiser. Et la conscientisation ne peut se développer qu'avec l'expérience résultant elle-même d'actions qui ont été faites.

Prenons l'exemple d'un lever de soleil. Si tu essaies de décrire à une autre personne l'effet que produit sur toi un magnifique lever de soleil, sans que cette dernière n'ait elle-même vécu une telle expérience, les mots seuls ne sauront rendre justice aux sentiments que tu as éprouvés lorsque tu en as fait l'expérience.

L'autre personne en deviendra consciente au moment où elle l'expérimentera, c'est-à-dire lorsqu'elle assistera à un lever de soleil. De plus, son expérience lui sera unique. Cette constatation s'applique à chacune des facettes de ta vie. Ce n'est que par l'expérimentation que nous devenons vraiment conscients car il nous est alors possible de sentir et comprendre véritablement.

"Être **DIEU**", c'est envisager la vie en fonction de ta vision spirituelle et également reconnaître que tu éprouves encore des difficultés à manifester complètement ta nature divine véritable. Le monde spirituel imprègne chaque cellule du monde matériel puisque c'est lui qui contribue à la vie et la supporte dans le monde matériel.

Pour en arriver à adopter une vision spirituelle totale et complète de la vie, tu dois apprendre à te sentir confortable dans le monde matériel sans être attaché à la matière pour autant.

Il t'importe de devenir conscient que tu n'es pas ce que tu crois être; à savoir un corps physique avec des croyances et des émotions. Plus une personne s'attache au monde matériel, plus elle croit véritablement être son mental, ses émotions, son corps physique et plus les énergies composant ses trois corps deviennent denses et empêchent de filtrer la lumière.

Les humains sont devenus des spécialistes pour se faire accroire différents états d'être et d'agir en fonction de ceux-ci.

- Ils sont heureux quand quelqu'un d'autre contribue à leur bien-être;
- Ils deviennent malades quand quelqu'un leur mentionne qu'ils n'ont pas l'air bien;
- Ils sont en manque d'énergie quand ils s'ennuient;
- Ils se croient prospères dès qu'ils gagnent un montant important d'argent;
- Ils sont malheureux quand ils apprennent une mauvaise nouvelle;
- Ils sont enthousiastes quand ils apprennent une bonne nouvelle;
- Ils sont énergisés en compagnie de l'être aimé;
- Ils se sentent rejetés quand quelqu'un d'autre ne les aime pas à leur façon.

Tous ces états peuvent changer d'un instant à l'autre, selon les circonstances. Il serait plus sage d'agir comme si nous étions **DIEU** de sorte qu'un jour, nous en viendrons à y croire puis à le savoir au plus profond de nous-mêmes.

Lorsque tu deviendras conscient qu'en réalité tu es **DIEU** en train d'expérimenter le fait d'être **DIEU** dans la matière, la vie t'apparaîtra moins dramatique car tu sauras que tu es ici sur Terre simplement pour y vivre des expériences.

En sachant qui tu es réellement, seule la vérité spirituelle t'importera.

Tu sauras que lorsque quelqu'un rencontre des difficultés, c'est parce qu'il a oublié qu'il est **DIEU**. À ce moment, tu ne le jugeras pas ni ne le condamneras: tu ne feras que constater le tout, sans plus.

Plus tu deviendras une personne centrée, plus tu auras la maîtrise de toi-même et plus tu auras une vue d'ensemble du plan divin et du plan matériel. Ce sera comme si le centre de l'univers est surélevé et que tu y es installé de sorte que tu peux tout observer de cet endroit. Avec une telle vision spirituelle, la perception de la vie t'apparaîtra tout à fait différente qu'avec la vision strictement matérielle de la vie.

Si tu ne te sens plus chez toi, si tu as l'impression que des pièces manquent à ton casse-tête, si ton intérieur te semble vide et pauvre et que tu ressens un grand besoin de combler ce vide intérieur, c'est signe que tu n'es pas centré et que tu n'as pas développé une vision spirituelle de la vie. Tu crois trop à l'aspect matériel de la vie. Tu tends donc à remplir ce vide intérieur par de la nourriture ou toute autre forme de dépendance.

En 1961, Bill Wilson, le cofondateur des Alcooliques Anonymes, s'exprimait ainsi au psychanalyste Carl Gustav Jung en se référant à l'un de ses patients: *"Sa soif d'alcool était l'équivalent, à un moindre degré, de sa quête spirituelle de l'être complet exprimé en termes de médiévaux, l'union avec **DIEU**."* Jung avait très bien saisi ce mal de l'être qui ronge les gens de l'intérieur. Il savait que cette quête reposait sur un désir profond de reprendre contact avec leur essence spirituelle, leur être.

Si tu essaies de te valoriser en mettant en évidence ton mental et toutes tes connaissances intellectuelles, tu seras renommé pour afficher un ego très fort. Une personne dirigée par ses croyances mentales a tendance à devenir davantage égocentrique et orgueilleuse. Oublier **DIEU**, donc être décentré, cause beaucoup de souffrances physiques, émotionnelles et mentales.

Plus l'ego d'une personne est gonflé, plus il empêche sa lumière intérieure d'irradier son monde matériel. Le matériel n'est qu'illusion, comme l'ombre du corps physique. Notre dimension matérielle est l'ombre du plan spirituel, de notre "Je suis". Une personne peut véritablement se construire une vie remplie de bonheur, de paix, d'harmonie, d'amour, de santé et d'abondance simplement en reprenant contact avec son centre intérieur, la véritable demeure spirituelle de l'humain dont nous parlent tous les grands sages de l'humanité.

Même si évoluer dans ton monde matériel t'est encore difficile, le seul fait de te dire: *"Je me rends compte qu'à l'heure actuelle, le matériel a beaucoup d'emprise sur moi; je m'accepte de la sorte en sachant que cette situation est temporaire."*, démontre que ta vision spirituelle est éveillée. Tu es suffisamment centré pour te voir tel que tu es. Autrement tu croirais encore n'être que ton mental ou ton corps physique et tu ne pourrais te transformer. En acceptant que ta préférence n'est pas d'être ainsi lié au monde matériel, tu t'ouvres davantage à la possibilité d'en arriver au détachement en prenant conscience de ton état présent.

Adopter une vision spirituelle de la vie signifie moins d'efforts à faire.

Le simple fait d'être centré t'incite à poser les bons gestes au bon moment et te permet d'avoir ce dont tu as besoin au moment requis. C'est pour cette raison qu'il est si important d'"être" avant de "faire" pour "avoir". La personne consciente qu'elle est **DIEU** ne demande plus rien pour elle-même: elle est complète. Elle sait que tout ce qui se présente à elle dans son monde matériel fait partie de son plan divin et des expériences qu'elle a à vivre. Elle sait qu'une solution existe à tout.

Être centré et croire qu'il ne t'arrive que ce qui t'est bénéfique constituent les deux plus importantes attitudes que je te souhaite d'adopter. Toutefois, la partie humaine en toi a besoin de continuer à désirer quelque chose afin de pouvoir le manifester physiquement: ça fait partie des étapes de la loi de la manifestation. Manifester l'objet de ton désir dans ton monde physique t'aide à devenir conscient de ton grand pouvoir de créer.

En prenant conscience de ta nature spirituelle, tu réaliseras que chaque instant de ta vie t'apporte l'expérience dont tu as besoin de sorte que graduellement, tu éprouveras de moins en moins de désirs d'ordre matériel et tes demandes diminueront en conséquence.

Lorsque tu es vraiment centré, en contact avec ton **DIEU** intérieur, tes agissements s'inspirent de ton intuition et non de ton mental. Quand ton intuition te dirige, certaines images surgissent en toi avant même d'avoir pensé ou analysé quoi que ce soit, tandis que lorsque c'est ton mental qui dirige, la réflexion et l'analyse précèdent la venue des images.

Ainsi, par exemple, quand l'idée de partir en voyage, de parler à quelqu'un ou de changer de travail te vient spontanément, ton intuition en est la source. Tu n'auras point besoin de te programmer pour que cette idée se manifeste, car automatiquement tu déclareras à l'intérieur de toi: *"Il m'est venu une idée. Si elle est bénéfique pour moi, tout prendra place au bon moment."* Sans même avoir à fournir d'efforts, tu agiras en fonction de cette idée.

À l'heure actuelle, les gens confondent l'utilisation des mots "je suis" avec l'expression "j'ai". Par exemple, les gens déclarent: *"Je suis malade"*, *"Je suis stupide"*, *"Je suis fauché"*, *"Je suis alcoolique"*, plutôt que de dire: *"J'ai un problème de santé"*, *"J'ai un problème d'estime de moi" ou "Je rencontre un problème d'argent"* ou *"J'ai un problème d'alcool."* Les mots "Je suis" sont deux mots qui renferment un énorme pouvoir créatif, de sorte que dès qu'une personne dit: *"Je suis ..."*, elle met son pouvoir créatif en action.

Par conséquent, entretenir l'idée que tu es malade ou alcoolique par exemple, ne fait qu'accentuer ton problème. Dis plutôt: *"Je suis une personne spéciale, je suis **DIEU** et **DIEU** ne peut être aux prises avec de tels problèmes. J'ai simplement oublié **DIEU** dans mon monde matériel: voilà la cause de mes problèmes."* Tu sentiras en toi une grande différence. Tes chances de t'en sortir seront alors plus grandes puisque tu entretiendras une vision spirituelle de toi-même.

Il existe également des personnes qui disent "j'ai" plutôt que d'utiliser les mots "je suis ". Elles ont tendance à déclarer: *"J'ai beaucoup de bonheur dans ma vie, j'ai des enfants, j'ai un conjoint, j'ai de l'argent"*, plutôt que: *"Je suis heureuse, je suis une mère de famille, je suis mariée ou je suis riche."* En utilisant l'expression "j'ai", ces personnes admettent le fait qu'ils pensent que le tout vient de l'extérieur, du monde matériel. À l'opposé, dire "je suis" signifie que ce qui leur arrive est le fruit de leur pouvoir créatif. Ainsi, la peur de perdre ne les habite pas car ce pouvoir est en eux.

C'est le monde à l'envers, ne trouves-tu pas? Comme le pouvoir de la parole est très puissant, il t'est important de prendre conscience davantage des mots que tu utilises. Écoute-toi parler, écoute-toi penser et demande aux personnes de ton entourage de t'aider à relever les mots qui ne collent pas à ta réalité. Par exemple, t'arrive-t-il de dire: *"C'est effrayant ou c'est écœurant"* quand tu considères une situation comme fantastique ou merveilleuse? Deviens conscient des mots que tu utilises et du pouvoir qu'ils exercent dans ta vie.

De plus, plusieurs personnes confondent "faire" et "être". Elles ne sont pas en contact avec qui elles sont car elles s'identifient à ce qu'elles font. Je me fais souvent demander: Est-ce que "être" veut dire "ne rien faire"? Non, ce n'est pas pareil. "Faire" quelque chose signifie viser un résultat quelconque. Par exemple, si tu lis un livre pour le plaisir de lire sans viser un résultat précis, comme apprendre quelque chose, tu es dans ta lecture au lieu de faire de la lecture. Quand tu prends une marche, tu peux être avec la nature ou tu peux faire de l'exercice physique. Voilà la différence!

> ***La personne qui sait qu'elle est* DIEU *sait également qu'elle fait partie d'un plan d'ensemble, d'un tout.***

Elle ne se sent pas dissociée du **TOUT** malgré les apparences. Pour t'aider à visualiser ce sentiment de ne former qu'**UN** avec le **TOUT** malgré des apparences de division, je te propose une analogie intéressante.

Supposons que tu prennes une grande feuille de papier, que tu y perces cinq trous et que tu introduises tes doigts dans chacun des trous. Une personne se tenant face à toi croira que tes cinq doigts sont séparés, distincts, sans liens apparents. Toutefois, à partir de ton lieu d'observation, tu vois et sais pertinemment bien que tes doigts sont reliés ensemble, qu'ils sont liés à la main, laquelle est liée au bras, etc.

La personne qui t'est opposée ne dispose d'aucun moyen pour savoir que tes doigts sont reliés les uns aux autres par la paume de ta main. Elle n'a pas la vision d'en haut, la vision spirituelle illimitée qui sait que tout est relié. Les notions de division et de séparation appartiennent à la vision limitée du bas, la vision matérielle.

Tout ce qui vit sur la planète Terre, incluant toi-même, fait partie d'un tout. Quand, pour permettre ton évolution, tu requiers la présence d'une personne ou d'un bien dans ta vie, tu seras relié aux personnes-ressources qui te seront nécessaires, lesquelles se manifesteront au moment où tu en auras besoin.

As-tu parfois l'impression de chercher quelque chose, tel un enfant qui se sent désemparé lorsqu'il a perdu sa mère? Dans les faits, la mère n'a pas disparu: c'est l'enfant qui est perdu! Et il est possible que toi aussi tu te crois perdu parce que tu as oublié **DIEU**. Mais **DIEU**, lui, ne t'oublie jamais et est constamment à tes côtés.

L'exemple de la chenille qui devient un papillon illustre bien le fait de reprendre contact avec notre essence, qui nous sommes réellement.

La chenille symbolise pour moi l'être humain qui rampe toute la journée devant son mental, n'écoutant que ses croyances. La chenille devenue papillon constitue le symbole de la même personne mais munie d'une conscience élargie. Elle vole maintenant au-dessus de tout, ayant une vue d'ensemble différente de ce qu'elle voyait auparavant. Imagine la liberté du papillon comparativement à celle de la chenille! Le papillon peut se déplacer d'un endroit à l'autre aisément plutôt que de se contraindre à ramper toute la journée. Cet insecte est le même, sauf qu'il s'est transformé.

C'est une transformation similaire que tu expérimentes lorsque tu deviens conscient de ton monde spirituel. Dès l'instant où tu "deviens papillon", tout se déroule à une très grande vitesse. Tu peux atteindre en quelques semaines de conscientisation l'évolution que d'autres, demeurés au niveau de conscience de la chenille, prendraient un siècle à faire.

Dès l'instant où tu adoptes une vision spirituelle de la vie, ta perception du temps et de l'espace change. Plus tu t'incrustes dans ton monde matériel, plus le temps et l'espace t'apparaissent restreints, tandis qu'une vision spirituelle contribue à donner l'impression d'avoir davantage de temps et d'espace.

Il reste important aussi de réaliser que le monde psychique, c'est-à-dire le monde astral, fait partie du plan matériel. De nombreuses personnes croient être plus spirituelles que les autres du simple fait qu'elles développent des dons de voyance ou agissent à titre de médium. Le monde spirituel se situe au-delà du monde psychique. Les corps émotionnel et mental sont composés de substance astrale de sorte que les personnes qui entrent en contact avec les entités ou l'énergie astrale le font à travers le filtre de leurs corps émotionnel et mental, ce qui diffère grandement de la réalité spirituelle.

Je te recommande donc d'être prudent dans tes décisions éventuelles de consulter un médium, un voyant ou clairvoyant dans le but d'obtenir des conseils ou des réponses à tes problèmes personnels. Ces personnes, si elles n'ont pas adopté une vision spirituelle de la vie, sont directement influencées par le monde limité de l'astral et ne peuvent par conséquent être branchées aux besoins de ton "être". Elles ne pourront savoir que ce qui est important pour toi au niveau de ton monde matériel et leurs propos seront davantage influencés par tes désirs et regrets conscients et inconscients.

Elles n'ont pas plus de pouvoir que tu en as toi-même. Fais confiance à ta sagesse intérieure et reste à l'écoute de ta petite voix intérieure qui connaît tes vrais besoins. Elle s'exprime par l'intermédiaire de ton intuition. Sois attentif aux premières idées ou impressions qui monteront en toi: tu demeureras ainsi centré et orienté vers ton monde spirituel.

Présentement, ton esprit est enveloppé par tes corps mental, émotionnel et physique et il en sera ainsi tant que tu éprouveras des désirs ou des regrets terrestres. Après la mort du corps physique, tu rejoindras alors le monde astral, le monde de l'âme, qui est aussi appelé l'enfer, le purgatoire ou le ciel selon nos traditions judéo-chrétiennes. La durée de ton séjour dans ce monde varie en fonction de ton degré de conscience et de tes faits et gestes sur la planète Terre.

Quand toute forme de désir aura disparu en toi, c'est-à-dire quand tu te détacheras complètement de tes corps émotionnel et mental, tu poursuivras ensuite consciemment ton évolution dans le monde spirituel.

Au risque de me répéter, "**être DIEU**" signifie être conscient que tu es un être spirituel incarné dans la matière. Ta seule raison d'être sur cette planète, c'est de redevenir conscient de ta nature spirituelle à travers différentes expériences à vivre au niveau du monde matériel. Il t'importe également de cesser de croire que tu n'es que ton corps physique, ton corps émotionnel ou ton corps mental. Le sentiment d'éloignement entre **DIEU** et toi découle de cette croyance erronée car plus tu deviens conscient, plus tu t'unis à **DIEU**.

> ***L'illusion de la séparation disparaît avec la conscientisation et la pratique de l'amour inconditionnel.***

Pourquoi ne pas prendre la décision dès aujourd'hui de reprendre contact avec ton pouvoir personnel, avec ta grande puissance intérieure? Cesse de te laisser manipuler par les illusions du monde matériel. Par contre, n'en veux pas à ton corps ou à ton monde matériel d'avoir pris le contrôle sur toi. Ne fais que reconnaître que tu leur as cédé une partie de ton pouvoir par manque de conscience de ta part et dis-toi que dorénavant, tu choisis de récupérer ce pouvoir! Tu reprendras alors la maîtrise de ta vie, comme dans l'exemple vu précédemment du maître qui reprend la maîtrise de son château.

Pour terminer ce chapitre, je te suggère de prendre le temps nécessaire pour définir ce que tu désires **ÊTRE** dans cette vie-ci afin d'être heureux. Si toutes les circonstances pouvant combler tes désirs étaient présentes, qu'est-ce qui contribuerait le plus à ton bonheur? Pose-toi la question et garde à l'esprit ce que tu cherches à être et non ce que tu désires faire ou ce que tu veux avoir. Quelle que soit la réponse qui vient spontanément, reste en contact avec ce message de ton intuition.

Dans un deuxième temps, donne-toi le droit d'être ce que tu es aujourd'hui car se concentrer uniquement sur ce que tu veux être t'incitera à oublier ton moment présent. En connaissant ta raison d'être, en sachant que tu es **DIEU** qui vit des expériences dans la matière, tu seras automatiquement entraîné vers des actions qui te seront bénéfiques. Ces actions t'apporteront le "avoir" dont tu as besoin sans que tu aies à t'en inquiéter.

N'oublie pas d'honorer et de respecter ce que tu es avant toute chose. Ensuite agis en fonction de ce que tu es et tu auras l'agréable surprise de constater que tu obtiens tout ce dont tu as besoin au niveau du "avoir" pour te permettre de continuer de vivre l'expérience d'être un être spirituel incarné dans la matière.

CONCLUSION

Je suis consciente que la notion “être **DIEU**” fait partie de la conclusion de tous mes livres. Voilà le but ultime de l’enseignement Écoute Ton Corps. Je tiens à le répéter car il est devenu urgent que nous changions notre perception de la vie et de l’humain sur notre planète. Tu as tout à gagner à te diriger vers **DIEU**. Le moyen par excellence pour y arriver est l’amour inconditionnel de toi-même et des autres. Voici la définition de cet amour inconditionnel et libérateur, faisant partie de la philosophie Écoute Ton Corps:

> ***Aimer, c’est respecter ton propre espace et celui de l’autre, c’est-à-dire te donner le droit d’avoir des besoins, des désirs, des limites ou des peurs, même si tu es en désaccord ou tu ne comprends pas vraiment ce que la vie t’offre à tout moment. Aimer, c’est également donner pour le plaisir de donner.***

Cette définition est à l’opposé de celle apprise par la plupart de nous. Le contraire d’aimer véritablement est vouloir être aimé, qui est un amour emprisonnant. C’est restreindre ton espace et celui des autres en cherchant à diriger, changer ou contrôler. Aimer de la sorte, c’est nourrir des attentes envers toi et les autres, ou encore décider sans vérifier au préalable tes vrais besoins ou ceux de l’autre. Bref, vouloir être aimé, c’est donner en espérant recevoir. Cet amour conditionnel, qui nous a été inculqué dans notre enfance et que nous pratiquons depuis ce temps, nous fait vivre de plus en plus d'émotions et de maladies. Voilà! Tu as toujours le choix entre aimer et vouloir être aimé. Comme cette dernière façon est basée sur la peur, elle t'éloigne d'être en contact avec ton **DIEU** intérieur. Tandis qu'aimer véritablement apporte la lumière nécessaire pour redécouvrir que tout ce qui vit est **DIEU** en puissance!

Si tu es inconfortable avec l'affirmation "je suis **DIEU**", je te répète un passage faisant partie de mon autobiographie intitulée ***Je suis DIEU, WOW!***: *"Pour moi, l'affirmation "Je suis **DIEU**" n'est prétentieuse que si je refuse d'accepter que tout ce qui vit peut aussi affirmer:*

JE SUIS DIEU

Au Centre Écoute Ton Corps, nous vous proposons des outils simples et efficaces vous permettant d'effectuer les transformations intérieures que vous jugez importantes et nécessaires dans votre vie.

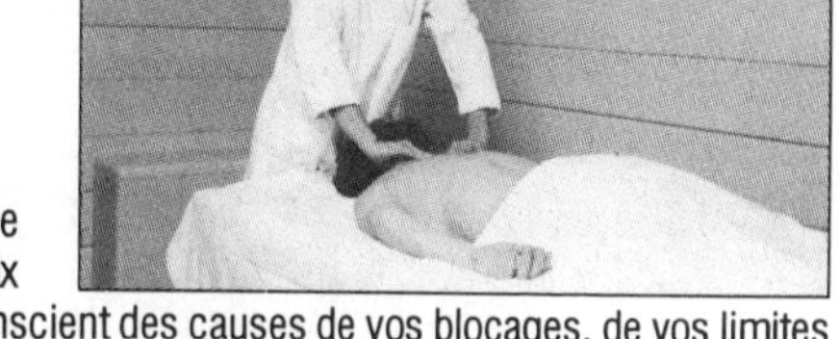

Notre objectif

Il consiste à vous aider à retrouver la joie de vivre, la santé, l'autonomie, la prospérité, la paix du coeur et de l'âme en devenant davantage conscient des causes de vos blocages, de vos limites et des difficultés que vous rencontrez. Vous apprendrez également comment les transformer.

L'ambiance du Centre Écoute Ton Corps

Elle est chaleureuse, accueillante et empreinte de bonne humeur. Ses chambres, privées ou semi-privées, sont charmantes et invitent à la détente. Ses salons sont confortables; vous pouvez y lire un bon livre devant un magnifique feu de foyer et vous laisser bercer par le crépitement du bois dans l'âtre.

Sa salle à manger

Elle vous comblera grâce à la qualité de sa cuisine-santé; vous y ferez sans aucun doute des découvertes culinaires qui vous surprendront!

De nombreuses activités extérieures

Autant en hiver qu'en été, elles sont à votre portée sur le site même du Centre ou à quelques minutes à pied ou en voiture. Nous nous ferons un plaisir de vous en informer!

Venez ressourcer votre corps

Lors de vos prochaines vacances ou lorsque vous éprouverez le besoin de prendre un temps d'arrêt, venez ressourcer votre corps, votre coeur et votre âme dans le cadre inspirant et régénérateur du Centre Écoute Ton Corps.

Plus de 80 sujets passionnants

Conférences sur cassettes

Lise Bourbeau saura vous captiver avec les différents thèmes qu'elle aborde, vous faisant réfléchir tout en vous donnant le goût de créer votre vie plutôt que de la subir.

(C-01) La peur, l'ennemie de l'abondance
Les peurs inconscientes qui empêchent l'abondance dans les biens, l'argent, le succès, l'amour, etc...

(C-02) Victime ou gagnant
Comment surmonter la partie victime en vous qui vous empêche d'obtenir ce que vous voulez.

(C-03) Comment se guérir soi-même
Toutes les différentes façons de créer un malaise ou une maladie et comment apprendre à les prévenir.

(C-04) L'orgueil est-il l'ennemi premier de ton évolution?
La description du comportement d'un orgueilleux, le prix à payer quand l'orgueil domine et quoi faire pour maîtriser l'orgueil.

(C-05) Sexualité, sensualité et amour
La différence entre la sexualité, la sensualité, la passion et l'amour véritable.

(C-06) Comment être responsable sans se sentir coupable
La différence entre être responsable, se sentir coupable et être vraiment coupable. Quelle est la véritable responsabilité de chacun?

ÉCONOMISEZ	QUÉ.	CAN.	AUTRES PAYS
1 à 4 cassettes	13,81 $	12,79 $	11,95 $
5 à 10 cassettes ....-10%	12,43 $	11,51 $	10,75 $
11 à 20 cassettes ....-15%	11,73 $	10,86 $	10,15 $
21 cassettes et plus ....-20%	11,04 $	10,22 $	9,55 $
Prix à l'unité / taxes comprises			

(C-07) L'énergie — comment ne pas perdre contact.
Une explication simple et pratique des centres d'énergie (chakras) et comment bien calibrer l'énergie dans chaque partie du corps.

(C-08) Le grand amour peut-il durer?
Ce qui bloque l'amour intime et la signification du "don de soi". Divers moyens pour vivre le grand amour plus longtemps.

(C-09) Comment s'aimer sans avoir besoin de sucre
Le grand scandale du sucre depuis 400 ans sur la terre. Les effets du sucre chez l'être humain. Le sucre une compensation à un manque d'amour ou de confiance en soi. Le diabète, l'hypoglycémie.

Profitez du spécial sur l'achat de 5 cassettes et plus !

(C-10) Comment évoluer à travers les malaises et les maladies
La définition métaphysique (cause profonde) de plusieurs malaises et maladies. La différence entre soigner médicalement et soigner métaphysiquement.

(C-11) La peur de la mort
D'où vient la peur de mourir? Qu'arrive-t-il véritablement au moment de la mort? Transition à la dimension astrale.

(C-12) La spiritualité et la sexualité
Le développement de l'énergie sexuelle. L'influence du complexe d'Oedipe sur notre vie sexuelle. L'homosexualité, l'inceste.

(C-13) Ma douce moitié, la t.v.
L'influence de la télévision dans notre vie. Se connaître à travers les émissions regardées.

(C-14) La réincarnation volet 1
Réponses aux questions sur la réincarnation et le karma. Ce qui se passe à la mort. Le plan astral.

(C-15) La réincarnation volet 2
Les grands êtres qui gèrent la terre dans l'invisible. Les prophéties. L'ère du Verseau.

(C-16) La spiritualité et l'argent
Les attitudes négatives qui bloquent l'argent. L'argent est une énergie divine. Quinze moyens concrets pour être en contact avec l'énergie de l'argent.

(C-17) La spiritualité dans la relation parent-enfant
Les désirs des parents pour leurs enfants sont-ils bénéfiques? Comment avoir des relations harmonieuses entre parents et enfants.

(C-18) Les dons psychiques
Que veut dire être psychique? Comment utiliser les dons psychiques. L'intuition. Les enfants hyperactifs, les cauchemars?

(C-19) Être vrai... c'est quoi au juste?
Pourquoi il est si difficile d'être vrai. Comment y parvenir au travail, en société, en famille, avec le conjoint, avec soi-même.

(C-20) Comment se décider et passer à l'action
Ce qui nous empêche de se décider ou de passer à l'action. Comment stimuler notre merveilleux pouvoir de créer.

(C-21) L'amour de soi
L'amour de soi, un sentiment de fierté personnelle et légitime. Pourquoi il est si difficile de s'aimer et de se sentir aimé.

(C-22) La prière, est-ce efficace?
Nos intentions quand nous prions et notre façon de prier. La différence entre une prière et une affirmation.

(C-23) Le contrôle, la maitrise, le pouvoir.
La différence entre ces trois termes. Où, comment les utiliser et à quel prix.

(C-24) Se transformer sans douleur
Prendre le risque de se transformer malgré les peurs et les douleurs. Expérimenter une nouvelle attitude face à l'amour, à soi-même. Savoir se regarder, être vrai et s'exprimer.

(C-25) Comment s'estimer sans se comparer
Prendre conscience des ravages que la comparaison produit sur nous et comment cesser de se comparer.

(C-26) Êtes-vous prisonnier de vos dépendances?
D'où viennent les dépendances qui rendent les gens esclaves. Comment s'en libérer et devenir notre seul maître.

(C-27) Le pouvoir du pardon
Utiliser le pardon pour se libérer de rancunes. Comment le pardon apporte soulagement et guérison aux niveaux mental, émotionnel et physique.

(C-28) Comment être à l'écoute de son coeur
Le refus d'écouter son coeur pousse notre corps à nous envoyer des messages pour nous ramener sur le chemin de l'amour.

(C-29) Être gagnant en utilisant son subconscient
La différence entre le conscient, l'inconscient et le subconscient. Comment faire resurgir les informations enfouies dans l'inconscient. Comment vous laisser guider par le subconscient.

(C-30) Comment réussir à atteindre un but
Comment atteindre un but vu à travers les péripéties d'un des plus grands buts de Lise Bourbeau: enseigner l'amour.

(C-31) Rejet, abandon, solitude
Pourquoi certaines personnes se sentent rejetées? D'où vient la peur d'être abandonné? La solitude. Comment ne plus se sentir rejeté, abandonné, seul.

(C-32) Besoin, désir ou caprice
Déterminer ce qui nous rend vraiment heureux en identifiant nos vrais besoins. La différence entre désir et caprice.

(C-33) Les cadeaux de la vie
Apprendre à voir dans chaque événement les avantages, le bon côté et les messages qu'ils nous apportent.

(C-34) Jugement, critique ou accusation
Découvrir les bons aspects de la critique et comment l'utiliser pour se connaître davantage. Comment s'exprimer sans juger ou accuser l'autre.

(C-35) Retrouver sa créativité
La créativité n'est pas exclusivement pour les artistes, elle s'exprime dans bien des domaines et de bien des façons. Redécouvrir son côté créatif.

(C-36) Qui gagne, vous ou vos émotions?
Pourquoi les mêmes émotions se répètent sans cesse. Des moyens pour en devenir conscient et comment les éliminer.

(C-37) Comment aider les autres
Les différentes façons d'aider les autres. Comment vivre le détachement et demeurer efficace. Quoi faire si vous vous sentez dépassé par les problèmes de l'autre.

(C-38) Le burn-out et la dépression
Le profil psychologique des gens enclins au burn-out ou à la dépression. La différence entre les deux. Leurs causes métaphysiques et un moyen efficace pour les prévenir ou s'en guérir.

(C-39) Le principe masculin-féminin en soi
La négation d'un de ces deux principes influence notre tendance à vouloir dominer notre conjoint ou à lui être soumis. Créer l'harmonie entre les deux. Une détente dirigée pour découvrir lequel des deux principes est le plus fort en nous.

(C-40) La planète terre et ses messages
Le lien entre les messages du corps et les messages de la Terre. Que signifient les raz de marée, les ouragans, les éruptions volcaniques et autres séismes.

(C-41) Sans viande et en parfaite santé
Connaître les effets de la viande chez l'humain. Comment s'habituer à un régime sans viande tout en écoutant les besoins du corps physique.

(C-42) Développer la confiance en soi
La différence entre avoir confiance et faire confiance. Plusieurs moyens pratiques pour développer la confiance en soi.

(C-43) Comment lâcher prise
La différence entre le contrôle, le lâcher prise et la soumission. Les nombreux avantages du lâcher prise et plusieurs moyens pratiques pour y arriver.

(C-44) Les croyances inconscientes qui mènent notre vie
D'où viennent les croyances. La différence entre celles qui sont bénéfiques pour soi ou non. Se défaire des croyances qui ne nous apportent pas le résultat désiré.

(C-45) Les peurs qui nous habitent
Le pourquoi des peurs. Voir le bon côté de nos peurs et les utiliser à notre avantage. L'agoraphobie. Comment dépasser les peurs.

(C-46) Quand le perfectionnisme s'en mêle
Rechercher la perfection en arrêtant d'avoir peur de se tromper. Lien entre le perfectionnisme, l'orgueil et la peur de dire la vérité. La véritable perfection.

(C-47) Le monde astral
Ce qui se passe dans ce monde subtil et invisible. Comment il manipule l'être humain. Quoi faire pour retrouver son propre pouvoir. Comment utiliser l'énergie astrale à son avantage.

Bon de commande postal p. C15

(C-67) La loi de cause à effet
Apprendre à utiliser cette loi immuable à votre avantage. Comment gérer votre karma.

(C-68) Le message caché des problèmes sexuels
Ce que révèle les problèmes sexuels. L'attitude à adopter pour les transformer.

(C-69) Comment dédramatiser
Comment vivre davantage dans la simplicité et arrêter les drames qui compliquent notre vie. Des moyens pour vivre moins d'émotions en ne dramatisant pas tout.

(C-70) Comment éviter une séparation ou la vivre dans l'amour. (partie 1)
Des moyens concrets pour éviter une séparation. Si elle devient inévitable, comment la vivre dans l'amour en limitant les répercussions sur soi ou l'entourage.

(C-71) Comment éviter une séparation ou la vivre dans l'amour. (partie 2)
Les questions et réponses qui ont suivi la conférence de Lise Bourbeau. Maintes détails supplémentaires éclairent de nombreux points d'interrogation.

(C-72) Quelle attitude adopter face au cancer
Apprenez quelle attitude adopter si vous ou une personne qui vous est très chère est atteinte de cancer. De plus, venez découvrir les divers messages que cette maladie comporte.

(C-73) Recevez-vous autant que vous donnez?
Ce qu'empêche la récolte dans votre vie. Comment vous ouvrir davantage à l'abondance.

(C-74) Comment ne plus être rongé par la colère
Les effets rongeurs de la colère sur le corps physique, émotionnel et mental. Transformer une colère non bénéfique en une colère bénéfique.

(C-75) Possession, attachement et jalousie
Pourquoi devient-on trop attaché, possessif, jaloux. Comment être détaché sans avoir à renoncer à tout.

(C-76) Soyez gagnant dans la perte
Comment sortir gagnant de la perte d'un être cher ou de quelque chose de précieux. Apprendre quelque chose sur soi à travers la perte.

(C-77) Êtes-vous une personne nouvelle ou traditionnelle
La différence entre les deux. Les avantages d'adopter un mode de vie nouveau et comment y arriver.

(C-78) Dépasser ses limites sans "craquer"
Comment dépasser ses limites au niveau matériel, c'est-à-dire aux niveaux physique, émotionnel et mental, d'une façon saine et harmonieuse.

(C-79) N'ayez pas honte d'être vous-même
La cause profonde de la honte et comment elle se manifeste dans notre attitude et notre corps physique. Comment arrêter d'avoir honte en étant soi-même.

(C-80) S'épanouir et évoluer dans son milieu travail
Comment choisir un travail qui nous convient. Pourquoi le garder ou non? Les différents moyens pour grandir, d'évoluer et de conscientiser par l'emploi que vous avez.

(C-81) Pourquoi et comment profiter de son temps
Le manque de temps est devenu un problème sérieux du monde moderne. Pourquoi le manque de temps et comment s'organiser pour mieux utiliser le temps consacré au travail, repos et jeu.

(C-82) Savez-vous vous engager?
Il ne peut y avoir de relation intime sans engagement. Comment s'engager et se désengager. Surmonter les difficultés de l'engagement.

(C-83) Accepter, est-ce se soumettre?
La différence entre l'acceptation et la soumission. Que signifie "accepter" véritablement? Les effets extraordinaires de l'acceptation. Comment atteindre l'acceptation inconditionnelle.

(C-84) Avoir des amis et les avantages de l'amitié
Pourquoi certaines personnes ont-elles des amis et d'autres non? Comment se faire des amis. La différence entre l'amitié vécue par l'homme et par la femme. Les critères d'une amitié durable.

(C-85) Vaincre ou en finir avec la timidité
D'où vient la timidité? Les symptômes physiques de la timidité. Comment faire face à ses peurs et vaincre la timidité. Comment se sortir de la timidité.

(C-86) Pourquoi et comment se réconcilier?
L'explication des différences entre les principes masculin et féminin qui sont la cause de bien des malentendus, rancoeurs et disputes. Les avantages d'apprendre le langage de l'autre pour en arriver à bien communiquer et se réconcilier.

(C-87) La chance est-elle réservée au chanceux?
Pouvez-vous devenir plus chanceux? Est-ce que le karma ou le destin suscite ou limite la chance et la malchance? Peut-on y échapper? Révélation des secrets des gens chanceux.

(ED-01) Comment être à l'écoute de son corps
La philosophie d'amour de Lise Bourbeau accompagnée des voix de France Castel et Robert Maltais.

Cassettes de détentes dirigées

(ETC-33) DÉTENTE DIRIGÉE "JE SUIS"
Côté I: Détente de 30 minutes pour devenir conscient de vos désirs et besoins dans plusieurs domaines de votre vie.
Côté II: 30 minutes de musique douce.

(ETC-12) DÉTENTE DIRIGÉE "COMMUNICATION"
Côté I: Détente de 30 minutes pour faire une demande, un partage ou un pardon énergétiquement avec quelqu'un.
Côté II: 30 minutes de musique douce.

(ETC-13) DÉTENTE DIRIGÉE "PETIT ENFANT"
Côté I: Détente de 30 minutes pour entrer en contact avec le petit enfant en soi afin de mieux accepter ses peurs et ressentir de la compassion.
Côté II: 30 minutes de musique douce.

(ETC-14) DÉTENTE DIRIGÉE "SITUATION À CHANGER"
Côté I: Devenir conscient d'une situation pénible à vivre. Transformer votre vision en la revivant dans l'harmonie plutôt qu'avec émotion.
Côté II: 30 minutes de musique douce.

(ETC-16) DÉTENTE DIRIGÉE "ABANDONNER UNE PEUR"
Côté I: Détente de 30 minutes pour aider à lâcher prise d'une émotion, un stress ou une situation difficile à vivre. Extrait de la technique *S'abandonner*.
Côté II: 30 minutes de musique douce.

(ETC-03) MÉDITATION "JE SUIS DIEU"
Côté I: Méditation de 30 minutes sur le mantra d'Écoute Ton Corps.
Côté II: Comme le côté 1, mais musique douce seulement.

(ETC-21) MÉDITATION "NOTRE PÈRE"
Côté I: Signification métaphysique du Notre Père lu par Lise Bourbeau. La prière du Notre Père chantée par Monique Bertrand.
Côté II: Méditation en trois parties: Le mantra "Je suis Dieu" chanté, les attributs de Dieu et musique douce.

Albums Cassettes

Dans chaque album, 4 cassettes audio pour le prix de 3!

(une économie de plus de 15$)

Prix: Québec: *39,83$* avec taxes **Canada:** *37.40$* avec taxe **Autres Pays:** *34.95$* sans taxes

Argent et Abondance (ALB01)

- *La peur l'ennemie de l'abondance*
- *Comment se décider et passer à l'action*
- *La spiritualité et l'argent*
- *Comment réussir à atteindre un but*

Confiance en Soi (ALB02)

- *L'amour de soi*
- *Rejet, abandon, solitude*
- *Comment s'estimer sans se comparer*
- *Développer la confiance en soi*

L'Amour (ALB03)

- *Le grand amour peut-il durer?*
- *Comment être à l'écoute de son coeur*
- *L'amour de soi*
- *Comment se faire plaisir*

Comment Surmonter les Peurs (ALB04)

- *La peur, l'ennemie de l'abondance*
- *La peur de la mort*
- *Les peurs qui nous habitent*
- *Les ravages de la peur face à l'amour*

L'alimentation (ALB05)

- *Comment s'aimer sans avoir besoin de sucre*
- *Êtes-vous prisonnier de vos dépendances?*
- *Sans viande et en parfaite santé*
- *Bien manger tout en se faisant plaisir*

Détentes Dirigées (ALB06)

- *Détente dirigée "Je suis"*
- *Détente dirigée "Petit enfant"*
- *Détente dirigée "Communication"*
- *Détente dirigée "Situation à changer"*

Les Besoins des Corps (ALB07)

- *Les besoins du corps physique et énergétique*
- *Les besoins du corps mental*
- *Les besoins du corps émotionnel*
- *Les besoins du corps spirituel*

La Sexualité (ALB08)

- *Les messages cachés des problèmes sexuels*
- *Sexualité, sensualité et amour*
- *Le principe masculin-féminin en soi*
- *La spiritualité et la sexualité*

Bon de commande postal p. C15

De la même auteure

Des livres de chevet indispensables !

(L-01) ÉCOUTE TON CORPS –Ton plus grand ami sur la terre

Prix: ***Québec et Canada****: 18.14$ avec taxes* **Autres Pays:** *16.95$ sans taxes*

Lise Bourbeau consacre sa vie à dépasser ses propres limites et à transmettre aux autres ce quelle apprend afin de les aider à atteindre ce à quoi nous aspirons tous: la joie, la paix, la sérénité, la santé, la réalisation de nos rêves et de nos aspirations. Pour ce faire, il s'avère important d'être davantage conscient de vous-même, c'est-à-dire faire l'expérience consciente de ce qui se passe en vous aux niveaux physique, émotionnel, mental et spirituel. Elle met son expérience et ses connaissances au service des personnes désirant entamer et poursuivre leur recherche intérieure. Les enseignements contenus dans ce livre vous en donnent les moyens. Placés en fin de chapitre, les exercices pratiques vous aident à devenir conscient de votre façon de vous aimer et d'aimer les autres.

(L-03)LISTEN to your best friend YOUR BODY

Prix: ***Québec et Canada:*** *18.14$ avec taxes* **Autres Pays:** *16.95$ sans taxes*

Traduction anglaise du livre "ÉCOUTE TON CORPS"

English version of L-01

(L-02) QUI ES-TU?

Prix: Québec et Canada: *18.14$ avec taxes* **Autres Pays:** *16.95$ sans taxes*

Le lecteur sera émerveillé de se reconnaître à travers ce qu'il dit, pense, voit, entend ou ressent. Même l'observation des vêtements qu'il porte et du lieu où il réside le renseigneront sur lui-même. De plus, ce livre décrit en détail la signification des formes du corps. Plus de 300 malaises et maladies sont expliqués dans leur sens métaphysique, aidant ainsi à en découvrir les causes profondes. Les résultats visés sont l'auto-guérison, l'amélioration de la qualité des communications interpersonnelles et un mieux-être général.

(L-05) JE SUIS DIEU WOW! (Autobiographie de Lise Bourbeau)

Prix: Québec et Canada: *18.14$ avec taxes* **Autres Pays:** *16.95$ sans taxes*

Lise Bourbeau vous offre cette autobiographie au titre audacieux qui ne vous laissera pas indifférent. Elle s'y révèle entièrement. Un témoignage passionnant ainsi que plusieurs photos sur les événements de sa vie qui lui ont permis de reprendre contact avec son Dieu intérieur. Elle vous explique comment elle met en pratique dans son quotidien ce qu'elle enseigne pour arriver à un bon équilibre dans sa vie.

 Commandez par téléphone pour un service *RAPIDE* p. C4

(L-06) ÉCOUTE TON CORPS, ENCORE

Prix: ***Québec et Canada***: *18.14$ avec taxes* ***Autres Pays:*** *16.95$ sans taxes*

Voici la suite du tout premier livre de Lise Bourbeau. Ce livre regorge de nouveaux renseignements par rapport à "l'avoir", "le faire" et "l'être". Chacune de ces sections vous aidera à découvrir ce dont vous avez besoin pour être heureux afin de faire les actions nécessaires pour avoir ce que vous désirez dans la vie. Ce livre saura vous captiver tout comme le premier!

(L-04) AGENDA ÉCOUTE TON CORPS

Prix: Québec: *14.76$* avec taxes ***Canada:****13.86$* avec taxe
Autres Pays: *12.95$* sans taxes

Une formule originale d'un concept unique et très pratique qui contient une page par jour. Comme cet agenda n'est pas daté, vous pouvez le débuter à n'importe quelle période de l'année. De plus il contient une action à faire chaque jour pour vous aider dans votre cheminement intérieur.

La Collection ÉCOUTE TON CORPS

La Collection ÉCOUTE TON CORPS

Lise Bourbeau répond aux questions reçues lors de ses conférences et ateliers.
Un thème spécifique pour chaque volume.

Prix: Québec et Canada: *10.65$* avec taxes ***Autres Pays:*** *9.95$* sans taxes

Commandez les 5 livres de la collection et obtenez 20% de rabais
Prix: ***Québec et Canada***: *43.55$* avec taxes ***Autres Pays:*** *39.95$ sans taxes*

(LC-01) LES RELATIONS INTIMES

(LC-02) LA RESPONSABILITÉ,L'ENGAGEMENT ET LA CULPABILTÉ

(LC-03) LES PEURS ET LES CROYANCES

(LC-04) LES RELATIONS PARENT-ENFANT

(LC-05) L'ARGENT ET L'ABONDANCE

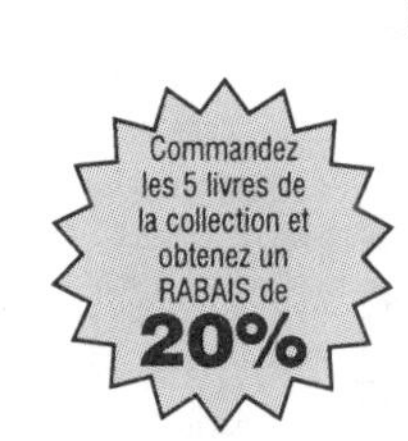

(514) 229-6564 *Au Canada* **1-800-361-3834**

SPÉCIALEMENT POUR ENFANTS DE 4 ANS ET PLUS

LA COLLECTION ROUMA

pour améliorer le développement personnel de l'enfant

Dans les récits de la COLLECTION ROUMA, des enfants, petits et grands, se posent de sérieuses questions. Et quelle aventure le jour où ils découvrent qu'en chacun d'eux vit un grand ami qui peut réellement les aider. Ils l'appellent ROUMA ! Dans cette collection de livres pour enfants, "Rouma" représente le Dieu intérieur qui aide les enfants à trouver des solutions à leurs problèmes.

(ROU#1) LA DÉCOUVERTE DE ROUMA

Prix: ***Québec et Canada:****13.86$ avec taxe* ***Autres Pays:*** *12.95$ sans taxes*

Hugo ne recevra pas le cadeau pourtant promis par sa mère. Bien sûr, il comprend pourquoi. Il n'empêche qu'il est déçu !! Et frustré !!! Ne sachant trop que faire pour se calmer, il décide d'aller bouger un peu dans le parc. Mais jamais il n'aurait imaginé que cette idée allait lui porter chance.

(ROU#2) JANIE LA PETITE

Prix: ***Québec et Canada:****13.86$ avec taxe*
Autres Pays: *12.95$ sans taxes*

Janie ne reçoit plus la visite de son grand cousin. L'année dernière, il passait souvent après l'école pour lui dire bonjour. Parfois, il restait assez longtemps pour jouer avec elle. Un jour elle le revoit enfin. Mais cela lui fait comme un choc... Martin ? Il n'est plus comme avant.

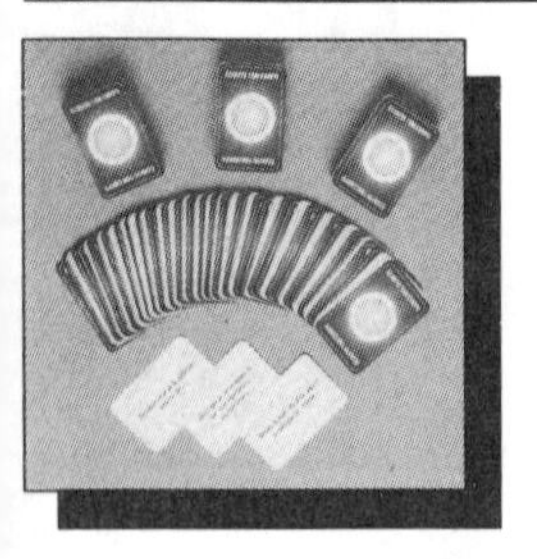

(J-01) Jeu de Cartes ÉCOUTE TON CORPS

Prix: ***Québec****: 17.04$ avec taxes* ***Canada:****16.00$ avec taxe* ***Autres Pays:*** *14.95$ sans taxes*

Ce jeu de cartes est une continuité de l'enseignement diffusé par ÉCOUTE TON CORPS. Il vous aidera quotidiennement à devenir conscient d'une difficulté présente faisant obstacle à votre bonheur, à découvrir la croyance non bénéfique derrière cette difficulté et à vous suggérer un moyen concret pour revenir sur la route du bonheur.

- *Avec la carte bleue vous deviendrez conscient d'une difficulté dans le moment présent.*
- Avec la carte jaune, vous connaîtrez la peur ou la croyance qui amène cette difficulté.
- *Avec la carte rouge, vous saurez quelle action faire pour transformer cette situation.*

Le jeu de cartes Écoute Ton Corps, une autre opportunité pour vous aider à mettre en pratique les enseignements d'amour d'Écoute Ton Corps!

 Commandez par téléphone pour un service *RAPIDE* p. C4

Bon de commande postale

# PRODUIT	QTÉ	TOTAL
	SOUS-TOTAL	
	AIS DE MANUTENTION	
	TOTAL	

N.B. Tous les prix sont sujets à des changements sans préavis.

Livraison: 1 à 2 semaines

QUÉBEC :	$ 3,00
CANADA : *Autres que le Québec*	$ 4,00
ÉTATS-UNIS :	$ 5,00

(taxes incluses)

		bateau	avion
EUROPE et MARTINIQUE	1 à 10 items	= $15,00	$32,00
	11 à 20 items	= $18,00	$35,00
	21 à 30 items	= $21,00	$45,00
	31 & plus	= appelez-nous	

(taxes incluses)

FRAIS DE MANUTENTION

'aiement par chèque ou mandat-poste à l'ordre de:

COUTE TON CORPS, 1455 Ch. Ste-Marguerite, Ste-Marguerite Station, Québec, Canada. J0T 2K0.

UROPE et ÉTATS-UNIS: Mandat international en devises canadiennes ou par carte de crédit.

'our un service plus RAPIDE effectuez votre paiement par carte de crédit:

☐ VISA Numéro: ____________ Exp.: ___ / ___ (mois / année)

☐ MasterCard Nom du titulaire: ____________

Signature: ____________

☐ **CHÈQUE / MANDAT-POSTE**

om: ____________

dresse: ____________

lle: ____________ Code postal: ____________

él. résidence: (   ) ____________ Tél. travail: (   ) ____________

BONCOM3A.CDR 95-05

Service *ultra-rapide* en téléphonant avec carte de crédit

514-229-6564 si interurbain au Canada **1-800-361-3834**

Télécopieur: (514) 229-9915